LES LARMES NOIRES SUR LA TERRE

Sandrine Collette est née en 1970. Elle partage son temps entre l'écriture et ses chevaux dans le Morvan. Elle est l'auteure de : *Des nœuds d'acier*, Grand Prix de littérature policière 2013 et best-seller dès sa sortie, *Un vent de cendres*, *Six fourmis blanches*, *Il reste la poussière*, prix Landerneau polar 2016, *Les Larmes noires sur la terre*, Choix des Libraires du Livre de Poche 2018, *Juste après la vague*, *Animal*, *Et toujours les forêts*, prix RTL-Lire, prix de la Closerie des Lilas, prix du Livre France Bleu – Page des libraires et prix Amerigo-Vespucci 2020, et *Ces orages-là*.

Paru au Livre de Poche :

ANIMAL
DES NŒUDS D'ACIER
CES ORAGES-LÀ
ET TOUJOURS LES FORÊTS
IL RESTE LA POUSSIÈRE
JUSTE APRÈS LA VAGUE
SIX FOURMIS BLANCHES
UN VENT DE CENDRES

SANDRINE COLLETTE

Les Larmes noires sur la terre

ROMAN

DENOËL

ISBN : 978-2-253-09262-9 – 1re publication LGF

À Anne-So,

petite sœur
(petite peste !),
avec un cœur grand comme le monde.

PROLOGUE

Sept ans plus tard

Et ce dont elle se souviendra sera si peu de chose. Peut-être le sentiment d'une gigantesque erreur, mais peut-être pas, car ses pensées, ses gestes, sa conscience, tout part à vau-l'eau dans un émiettement une fragmentation qu'elle croyait impossibles, les mots muets à l'intérieur d'elle alors qu'il faudrait hurler et appeler à l'aide, et elle, juste ce bruit de gorge qu'elle ne reconnaît pas, cette raucité cette plainte, un animal sans doute, elle devrait tourner la tête et regarder, mais sa tête ne tourne pas et ses yeux ne voient plus.

Qu'elle regrette pourtant, à cette seconde où elle donnerait sa vie pour qu'on lui pardonne, mais elle sait que tout est vain, les prières et les larmes, les prières se sont tues et les larmes ont séché sur sa peau, inutile et trop tard, il ne reste que la souffrance. L'aurait-on prévenue que jamais elle n'aurait imaginé cette douleur au-delà de toute raison, à supplier son cœur de ralentir et se tasser et rompre enfin, pour que tout s'arrête, échapper au cauchemar, aux voix qu'elle entend autour d'elle comme derrière un voile et si proches en même temps, elle ne veut pas qu'on la touche, il faut la laisser mourir, qu'ils aient pitié – et d'un coup l'eau l'inonde et le mugissement cette fois cela vient d'elle c'est sûr, un arrachement de son corps, le monde tremble.

Sous sa joue, la terre est chaude, une argile rouge et brune avec laquelle joue l'enfant quand elle ne le voit pas, collée à ses mains minuscules, ne se détachant qu'au moment où il verse dans une flaque en riant, pull taché et pantalon trempé, elle le gronde, il continue, et à cet instant allongée sur le sol elle supplie en silence, l'entendre rire encore une fois, rien qu'une seule, alors cela vaudrait la peine de griffer la marne de ses doigts sans ongles, de faire un effort inhumain pour ouvrir ces yeux déjà éteints et qui pleurent par avance, la chaleur, juste, l'étouffante brûlure.

Si on l'avait prévenue, dit-elle, et pourtant, depuis combien de temps Ada la regarde en biais, secouant la tête comme devant une bête folle, oui les mots lui reviennent, qu'elle ne devrait pas, mais Ada ne dit jamais quoi, après il faut deviner, elle qui se sentait si maligne, et son destin vaincu. Il y a quelques minutes seulement, elle courait dans les ruelles étroites, la joie elle l'avait au bout des doigts ; quel sort sauvage les lui a desserrés de force, quel hasard insensé, pour que soudain tout s'écoule sous ses yeux comme un sable trop fin, se déverse à ses bras impuissants, lorsqu'ils l'ont attrapée et jetée à terre en crachant des insultes, et la dernière promesse.

Alors elle voudrait tendre la main pour être sûre, demander pardon peut-être et peut-être est-il encore temps, pense-t-elle tandis que sa conscience s'évapore, un effluve d'âme parmi les décombres, feu follet que personne ne remarque, elle sent que quelque chose la quitte, ne le retient pas, si l'avenir est solitaire, à l'instant où elle sombre, elle a les yeux ouverts sur la petite forme gisant un peu plus loin et qui ne dit rien.

UN

Faut pas regretter. C'est sa grand-mère qui disait ça. Pas de regrets, pas de remords, puisque de toute façon c'est trop tard. Une fois que tu as cassé une barre en fer sur la gueule d'un type, tu vas pas aller t'excuser, hein, Moe. C'est pas que tu pourrais pas, remarque. Mais voilà, pour quoi faire ? Autant aller de l'avant. Regarder en arrière, écoute-moi bien : ça sert à rien.

Elle disait aussi : *Faut réfléchir avant. Y a que ça.*

Et ça, Moe l'a oublié, noyé dans sa cervelle.

*

Elle vient des îles, Moe, comme la mamie qui l'appelle *tête de piaf*, moitié compliment, moitié moquerie – pas grand-chose dans le crâne, mais ce si joli sourire, un visage doré de soleil caché par les boucles brunes lorsqu'il y a du vent, et ces yeux oui, noirs sous les longs cils rieurs. Évidemment, que Rodolphe a craqué : une sirène sortant du Pacifique. Elle en a fait espérer du monde, la petite, tout alanguie sur le sable, des heures à contempler la mer, à y glisser son corps sans jamais se lasser, fascinée par le reflet de l'eau, par les marées invisibles et le galbe des vagues. Et elle est là, à tourner dans sa robe légère, à virevolter tel un papillon attendant le filet, est-ce que ce n'est pas sa faute aussi, est-ce que ce n'est pas elle qui l'a voulu ? Ces poses langoureuses, oh c'est sûr, la grand-mère l'aurait giflée si elle avait encore été de ce monde à ce moment-là, et du haut du ciel elle a sûrement essayé de lui lancer un éclair ou une giboulée, pour la mettre en garde, lui faire rentrer les fesses qu'elle agitait trop souvent à son goût c'est certain, mais quand une fille décide, eh bien. Moe a continué à sourire et à se trémousser, et Rodolphe a fini par l'inviter à dîner. Et puis. Elle a vingt ans à ce moment-là, qu'elle s'en débrouille. Mais si ce n'est pas pitié. Elle allait si bien avec l'île qu'elle va quitter.

Cette île qui sur le papier et dans les agences de voyages est un endroit où l'on rêve de venir, à se poser le train sur du sable blanc devant la mer si transparente qu'on la croirait fausse ; pas à se demander comment suivre à Paris le crétin dont vous vous êtes entichée. Car rien ne manque ici, le ciel bleu, les plages immenses, le soleil et les cocotiers : une vraie carte postale. Et les touristes s'y précipitent. Par milliers. Autant que d'habitants. Parfois Moe se demandait s'ils n'allaient pas la faire couler, son île, eux tous qui gigotaient et dansaient avec des fleurs autour du cou, et chantaient à en fissurer la barrière de corail. Mais ce n'est pas à cause de cela qu'elle est partie.

Non : c'est parce qu'elle n'a pas réfléchi. Ou alors un peu, mais pas trop, pas si bête, elle savait bien que ça ne serait pas rose tous les jours. N'avait pas envie de se l'avouer avant même que l'histoire se noue, malgré le pincement au fond du ventre qui venait la titiller le soir, après, quand Rodolphe dormait et qu'elle le regardait, ses quarante ans, les rides au coin des yeux et les veinules parce qu'il buvait trop. Et déjà elle hésitait à le suivre. Le doute, aurait dit la mamie.

Promesse tenue. Si vite, à peine le pied posé sur le tarmac de la métropole, quinze mille kilomètres plus tard, puisque Moe avait tout quitté pour venir au pays de son homme. Il pleuvait ce jour-là – une pluie grise et fine qu'elle découvrait, elle avait trouvé ça charmant. Rodolphe avait ri, de ce ricanement qu'elle apprendrait à détester avec les années.

— Ça tombe bien que t'aimes la flotte ; tu vas pas en manquer, ici.

Et vrai, elle avait été servie, et la pluie, ça ne serait rien du tout, à côté du reste.

D'abord parce qu'elle avait imaginé arriver en ville, avec des lumières jour et nuit et des fêtes à n'en plus finir, et qu'elle s'était retrouvée là où la campagne commence, tournant en rond dans une maison trop sombre pour y lire sans lampe de septembre à mai – cependant elle s'était contentée de hausser les épaules, bonne fille : elle n'aimait pas les livres. Quand la pluie était tombée des jours, des semaines et des dizaines de millimètres durant, elle avait tiqué davantage. Sans doute l'éclat jaune de ses yeux en avait pris un coup, et le moral, à soupirer devant la fenêtre ; mais c'était toujours moins dur que le regard des gens sur elle. Voilà, à tout prendre, c'est ce regard-là qui l'avait le plus gênée. Avait même fini par lui faire regretter son île, malgré la voix de sa grand-mère en boucle dans sa cervelle, *tête de piaf, qu'est-ce que je t'avais dit, tête de linotte, avance donc, maintenant que tu n'as plus le choix.*

Car ici, *au pays*, disait Rodolphe, elle s'était trouvée méprisée, méfiée, mal-aimée. Entendait traîner les mots dans son sillage, quand elle marchait dans la rue. L'étrangère. La colorée. C'qu'y nous a ramené là. Elle n'avait pas osé en parler à Rodolphe. Pour ce qu'il en avait à fiche d'elle, à présent qu'elle était coincée avec lui, à ne connaître personne, ne pas savoir conduire, ne pas espérer le moindre travail. Qu'il l'ait appelée « ma princesse » les six mois qu'ils avaient passés ensemble sur l'île, du temps de sa mission à lui, elle ne s'en souvenait plus. Du jour où ils avaient atterri ici, elle était devenue la *taipouet*. Cela le faisait rire, et il le répétait en boucle à ses copains. Après la quatrième bière.

Bien sûr qu'elle s'en doutait. S'y était préparée. Pas née de la dernière pluie, non plus. Bien avant de prendre l'avion, elle avait perdu ses illusions. Rodolphe ? Un abruti. Savait tout sur tout, la reprenait sur la moindre chose, lui expliquait comme à une attardée. Y compris la transformation du coprah, alors qu'elle avait travaillé à l'usine pendant un an, est-ce qu'il allait lui apprendre cela aussi, bon sang ? Mais il y avait le rêve. La France, Paris, les Champs-Élysées, les bateaux-mouches sur la Seine. La tour Eiffel qui scintille chaque heure. Dans son île, le rêve, c'était pour les autres. Elle, ses cinq frères et sœurs, les parents fatigués depuis le matin, leur destin était tout tracé : quelques petits boulots à la saison touristique, les aides sociales le reste du temps. Se marier entre soi, avec le fils du voisin. Avoir des enfants qui ne feraient pas d'études, trouveraient des jobs quatre mois par an dans la restauration ou les loisirs, attendraient les aides sociales eux aussi les huit autres mois ; épouseraient voisins et voisines à nouveau. Et elle n'était pas malheureuse, Moe, loin de là. Mais à vingt ans, on veut toujours un peu mieux que les siens. Alors, laisser passer la chance ? Pas question. Elle ferait avec. Forcerait le destin, deviendrait riche, vivrait dans un hôtel particulier en pierre blanche, porterait des talons hauts et des robes trop chères. Regretterait toujours d'avoir quitté l'océan, bien sûr. Ah ça non, elle n'avait pas réfléchi.

Et il vaut mieux qu'elle n'y pense pas trop quand Rodolphe attablé devant un verre de Ricard la siffle en claquant des doigts et lui montre une poussière par terre, *Dis donc la taipouet, tu sais plus faire le ménage ?* Mais c'est une gentille, Moe, et elle s'écrase avec le sourire. Déjà dans l'île, on pouvait lui demander n'importe quoi, un coup de main pour balayer la terrasse, préparer à manger pour la vieille mère du voisin, garder un bébé malade. Elle souriait et elle disait oui. Avec Rodolphe, elle cuisine, passe la serpillière matin et soir parce qu'il exige que cela soit propre, elle s'occupe du jardin, des deux chiens, du linge, de la vaisselle, elle range. Dérange. Range à nouveau. Cela l'occupe. Elle a passé son permis de conduire au bout d'un an pour pouvoir aller faire les courses. À force de sourires, a gagné quelques ménages dans les villages voisins – pas ici : ici, on ne lui demande rien, on préfère la débiner sans lui avoir jamais adressé la parole. Mérite pas. Qu'elle aurait dû rester à l'autre bout du monde avec ceux de sa race. Et la messe est dite.

*

Et puis il y a eu la vieille. Une surprise de plus pour Moe, la mamie, pas aimable au demeurant, qui est arrivée comme chez elle avec son Rodolphe triomphant, son meilleur petit-fils, qu'elle a dit. Pouvait plus rester seule. Avec sa jambe abîmée, elle tombait, ne se relevait pas. Qu'à cela ne tienne : la chambre d'amis était vide. La vieille venait se refaire une santé, Moe n'était pas prévenue, Rodolphe n'a pas laissé de place à la contestation – la famille, c'est la famille. Qu'elle restera là pour la fin de ses jours, il omet de le préciser. *Et des petits-fils, elle en a pas d'autre ?* demande Moe au bout de quelques semaines. Rodolphe ne répond pas.

Encore qu'elle ne prend pas beaucoup de place, la vieille, une fois qu'elle a quitté sa chambre. Elle s'assied sur le banc dans la cuisine, pas loin du poêle pour avoir chaud, et elle ne bouge plus jusqu'au soir – sauf pour aller pisser. Mais elle surveille. Voit tout, avec ses petits yeux qui se ferment à demi après le déjeuner, et quand Moe croit qu'elle somnole, elle les ouvre grand d'un coup en entendant le papier du chocolat, *Range ça, ma fille, tu sais bien que tu es trop ronde*. Ah oui, pour regarder, elle regarde. Si le déjeuner est prêt à l'heure. Si c'est bien cuit bien lavé. Si l'eau chaude ne coule pas trop longtemps, pour ne pas gâcher. Si le feu ne s'éteint pas, mais s'il ne va pas trop fort non plus. Et elle récite chaque fois au retour de Rodolphe, un beau rapport qu'elle lui prépare, Moe a fait ci, Moe a nettoyé ça, Moe a oublié de, commencé à, mis en. Saleté de vieille. Avec sa patte toute noire qu'il faut soigner le matin en ouvrant le pansement et en arrêtant de respirer pour ne pas vomir à cause de l'odeur. Est-ce que c'est à elle Moe de le faire, vraiment, à cette vieille qui n'est ni sa mère ni sa grand-mère, est-ce qu'il n'y a pas des infirmières qui pourraient venir – et Rodolphe s'énerve, *Toute la journée à la maison et ça veut rien foutre, mais qu'est-ce que c'est que cette gale !*

Alors Moe l'écrit dans son carnet : « la gale ». C'est comme ça qu'il l'appelle quand il est colère, presque chaque jour. La vieille boit du petit-lait. Princesse, taipouet, gale, c'est la dégringolade. Et pourtant elle n'est pas que méchante, la mamie, et peu à peu Moe se surprend à bavasser quelques instants avec elle quand Rodolphe est parti au travail, à refaire un café qu'elles sirotent dans un silence paisible, entrecoupé de quelques phrases sur le temps, les chiens ou le menu du lendemain, parfois sur l'enfance de la vieille en Alsace, qu'elle y a laissé son cœur, l'Alsace, la seule chose qui lui délie si complètement la langue et fasse briller ses yeux voilés par la cataracte. Bien sûr, le soir elle dira à Rodolphe que Moe a traîné, qu'elle n'a pas eu le temps de tout faire, misère. Mais Moe s'en fout. Les mois et les années ont passé, et son envie de tout secouer. Rodolphe râle. Elle lui oppose son sourire lointain en préparant le dîner, et tout s'arrête, happé par la grisaille de la maison, de la campagne et des âmes. N'eût été la patte de la grand-mère à soigner, la vie serait presque supportable.

*

La jambe de la vieille ressemble à un champ après la guerre, crevassé et tordu, percé d'obus d'où partent en étoiles de longues fissures noires, comme sur une vitre cassée par un caillou. C'en est un mystère de savoir d'où viennent ces trous de peau, ces minuscules cratères inversés, engloutis à l'intérieur, vers l'os, là où la chair déserte. Reliés l'un à l'autre par des veines violettes enflées les jours de chaleur, recroquevillées et enfouies quand il gèle, et la vieille qu'il pleuve qu'il s'ensoleille les frotte du plat de la main pour faire passer le sang, tordant son dos et se redressant bientôt en grimaçant de douleur. Au fond des crevasses, rien ne cicatrise, ni l'épiderme inguérissable ni l'odeur de viande morte, et chaque jour est une lutte inutile pour refermer les blessures et calmer la souffrance qui creuse le corps jusqu'au tréfonds. Moe nettoie et soigne et badigeonne devant la vieille muette qui jamais ne se plaint, les lèvres pincées sur les gémissements qu'elle ravale. Quand le pansement enfin enlève aux yeux du monde les plaies et l'air vicié, elles soupirent toutes les deux de cette petite victoire, d'une bataille remise à plus tard, à demain les suintements et la peau arrachée, et le noir sur la jambe qu'elles font semblant de ne pas voir s'étendre. La vieille touche la bande du bout des doigts.

— C'est tout propre, elle dit.

Moe ramasse le pansement usagé, les cotons souillés avant que les chiens ne les chipent. Elle ouvre la porte et respire jusqu'à ce que l'odeur ancrée dans son nez et jusqu'en haut de ses sinus s'estompe, que le serrement de sa gorge se relâche, au début elle aspire l'air par la bouche pour être sûre de ne pas croiser les relents âcres au bord de ses lèvres. Elle murmure, *Voilà c'est fait*, mais ce n'est pas pour la vieille qu'elle le dit, c'est pour elle, rien que pour elle, la vieille elle s'en moque à ce moment-là.

*

Alors non, six ans plus tard, il ne faut pas attendre que cette joie de vivre qu'elle avait chevillée au corps soit intacte, il ne faut même plus croire qu'elle supportera tout indéfiniment, le lit la cuisine les ménages, si c'était cela la vie.

Parfois elle prend la voiture pour aller faire la fête, le samedi soir, ces bals de campagne misérables qui sont sa seule distraction. Rodolphe laisse faire. Impose les dîners à dix-huit heures trente, été comme hiver, s'endort sur le canapé devant la télévision, bien avant le début du film, terrassé par la bière, le vin, l'alcool, tout mélangé dans des ronflements de brute. Quand Moe lui dit : *J'y vais*, il n'entend pas. Mais la vieille la regarde elle avec du reproche dans les yeux.

— Qu'est-ce que tu vas donc chercher là-bas.

Moe ne répond pas. Le lendemain, c'est encore la vieille qui dira à quelle heure elle est rentrée, si elle marchait droit, et si elle avait cet étrange sourire en coin.

— T'étais où, demandera Rodolphe.

— Je t'ai prévenu en partant hier, je suis allée au bal.

— Au bal ! criera la vieille.

— Je faisais rien de mal.

— Au bal, tu entends !

— Tais-toi ! gueulera Rodolphe – et toi aussi la gale, j'en ai assez de vous deux, assez des bonnes femmes, des faiseuses d'emmerdes, comme si tout était pas déjà assez compliqué comme ça.

Compliqué c'est sûr, et pas facile, à reprendre les ménages le lundi à sept heures, mais qu'ont-elles donc les vieilles de ce pays à vouloir laver et récurer dès l'aube quand le reste de leur journée est vide et que cela la couperait d'un peu d'animation si Moe venait à onze heures, ou à quatorze. Mais elles n'en démordent pas d'année en année, il n'y a que Guilaine qui ait accepté de changer les horaires, Guilaine qui toujours prépare du café et mille sucreries parce qu'elle dit qu'elle essaie des recettes, un temps de répit avec elle dans la chaleur du poêle, les plants du potager sur la table et les caresses des gros chats noirs qui se frottent contre les jambes. Mais les autres. Qu'elles iraient jusqu'à décompter les minutes qui manquent, à se plaindre du retard certains matins quand la route est glissante et que Moe conduit au pas, terrifiée par le gel auquel elle ne s'est jamais habituée. Jusqu'à la voler sur les sous, comme la vieille Mona l'autre jour qui a donné moins que convenu, et Moe a hésité avant de lui dire :

— Mais il en manque.

— De quoi ?

— De l'argent.

— Allons donc.

Avec ses doigts boudinés, la vieille a éparpillé les billets et les pièces sur la table de la salle à manger.

— Deux heures à douze euros, et tu t'es arrêtée dix minutes pour prendre un café, ça fait vingt-deux euros.

— Mais le café c'est vous qui me l'avez offert.

— Bien sûr. Je ne te le fais pas payer, tu vois. Juste le temps, je vais pas te payer le temps que tu n'as pas travaillé tout de même.

— L'autre jour quand je suis passée prendre votre colis chez l'épicier, je n'ai rien compté moi.

— C'est sur ta route, hein, tu peux y aller quand même.

— Ce n'est pas vrai, ça me fait un détour.

— Un détour ! Alors que tu as la chance d'être en voiture, tu vas pas me pleurnicher pour si peu.

— Et les dix minutes du café, ce n'est pas *si peu* ?

— Dis donc, ma fille, où tu veux en venir ? Il y en a des tas des gens comme toi, qui cherchent du travail.

— Des gens comme moi ?

Ce jour-là donc, Moe a perdu une cliente. Ne l'a pas dit à Rodolphe. De toute façon elle lui cache depuis bien longtemps ce qu'elle gagne, mettant sur la table la moitié de ce qu'elle a en poche. Le reste, elle le range dans une boîte enfouie sous les pulls au fond de son armoire. Ça ne s'accumule pas vite. Mais quand Rodolphe n'est pas là, elle compte et recompte, à la fois déçue et ravie ; c'est son billet d'avion retour qu'elle dissimule là. Le sien, et celui du petit.

*

Car il y a l'enfant maintenant. Un enfant si calme, si invisible qu'elle l'oublie de temps en temps. Né au mois de février. En quatre mois, elle a dû l'entendre pleurer deux fois.

Un enfant du bal. Comment pourrait-il en être autrement quand Rodolphe ne la touche plus depuis bientôt trois ans, le corps amolli par une ivresse constante ? Bien sûr qu'il sait. Au début, elle a pensé qu'il la mettrait à la porte ; puis qu'il consentirait à ce qu'elle reste, sous conditions. Pour qu'enfin il la tolère en l'injuriant chaque jour, lui jetant sa faute à la figure devant tous, et qu'importe leur fierté à elle et à lui.

Quand Moe travaille, c'est la grand-mère qui garde la petite chose. Là aussi elle a craint, les premières fois, que l'enfant ait disparu à son retour. Et à vrai dire cela ne l'aurait pas tant bouleversée, cet enfant que son père, marié ailleurs, ne reconnaîtrait jamais. Et puis elle s'est attachée. Pas beaucoup, croyait-elle – mais ce jour où il a fallu l'emmener aux urgences étouffé par une mauvaise grippe, elle a senti à quel point ils étaient liés tous les deux, et comme le silence établi entre eux ne signifiait pas qu'il n'y avait pas d'amour, juste pas la place, pas le temps, cela viendrait.

Ainsi la grand-mère surveille l'enfant et Moe invente des excuses pour s'absenter plus longtemps, prétexte un service à rendre, un appel d'une voisine, une course oubliée. En réalité elle travaille de plus en plus, accepte tout, même le nettoyage des toilettes une fois par mois chez un couple d'agriculteurs, que c'est à lui retourner l'estomac, trente minutes ils lui donnent, six euros, elle s'en moque, elle le fait. Et aussi des soins, pas de raison qu'elle ne s'occupe que de la vieille, pour les autres aussi elle peut laver les peaux usées, panser, faire des piqûres même, parce que les infirmières sont toujours pressées et qu'elles finissent par lui montrer. Elle apprend les gestes, les produits, cela l'intéresse. *Et puis vous, vous prenez le temps, vous ne faites pas mal*, disent les vieilles parfois. Elle change des sondes, fait des bandages, enlève des fils après des sutures ; continue à récurer des sols et des draps infects. Quand elle rentre, elle se lave les mains pendant dix minutes. La grand-mère la regarde en coin.

— Trop bon, trop con, elle dit. Rendre service aux gens, ça a jamais rapporté.

Moe sourit. *C'est pas grave*. Jette un œil sur le berceau.

— L'a pas bougé, marmonne la vieille. Y pourrait être mort que ça changerait pas grand-chose.

— Il dort c'est tout. On voit son ventre qui se soulève. Il est plus heureux que nous sûrement.

Elle grimpe l'escalier quatre à quatre, range l'argent dans la cagnotte. Redescend préparer le déjeuner ou le dîner, un biberon, une purée. Une étrange fébrilité l'a prise depuis que l'enfant est là, une sorte d'urgence, partir. Impossible de rester maintenant qu'il y a cet être neuf. Impensable de l'imaginer grandir ici, entre les reproches, le mépris et les bouteilles d'alcool, la vieille qui tape avec sa canne sur le bord du berceau pour s'assurer qu'il est bien vivant, le faisant sursauter chaque fois, Rodolphe et son regard torve, elle est certaine qu'il va se passer quelque chose si elle ne fait rien, le temps est en suspens depuis ces quatre mois-là, et l'humeur, et ce qu'il y a dans l'air.

*

Elle le sait parce que Rodolphe a commencé à lever la main sur elle, sans doute qu'avec l'enfant il s'y est senti autorisé, et elle Moe n'avait rien à dire, *Fallait réfléchir avant*, elle le chante presque, certains jours, en passant un doigt hésitant sur sa joue bleuie. Quelques gifles ici et là – pas pire que les insultes au fond, si ça en était resté là. Mais quand le poing se ferme, quand ses yeux à elle ne voient plus clair quelques instants à cause des coups. Quand elle marche courbée le lendemain parce que cela fait encore mal. Quand elle croise le regard de Rodolphe sur le berceau. Il suffira d'un verre de trop, mais elle n'arrive plus à les compter. Juste la certitude que le temps presse. Et cette cagnotte qui n'arrive pas à grimper, pas assez vite, avec ces pauvres billets de cinq ou dix euros et quelques pièces pour faire illusion.

Elle a revu le père de l'enfant. Il ne donnera rien. *J'ai déjà les miens*.

— Celui-là aussi, c'est le tien, murmure Moe.

— Cui-là il existe pas pour moi, tu comprends ça ? Je peux pas. J'ai une famille.

— Et m'aider à partir ?

— Si tu crois que j'ai l'argent.

— Même pas grand-chose.

— Mais tu t'en vas alors, c'est compris ?

Il a sorti deux billets de cinquante euros de son portefeuille. Elle était si abasourdie qu'elle n'a rien dit d'autre. Cent euros. Leur valeur, à l'enfant et à elle, aux yeux de l'homme.

*

Et le petit la regarde bien droit tandis qu'elle le change sur le bord de la table et qu'elle lui soulève les fesses en le nettoyant avec un coton et de la crème. Il sent la peau et la douceur, cette odeur si singulière qu'ont les bébés la première année avant de devenir des enfants, quelque chose de troublant, de profondément attirant, et Moe se penche davantage, pose le nez sur le ventre rond pour respirer le parfum indéfinissable.

— C'que tu fais ? marmonne la vieille à l'autre bout de la table.

Elle ne répond pas. Se redresse, sent s'évanouir la magie à mesure qu'elle s'éloigne, les mains courant sur le petit corps dont les bras s'agitent. Une peau si tendre, et si lisse. Elle ne se lasse pas de la toucher. Suivre du doigt les contours, les pleins, les courbes, les ombres roses, les joues minuscules qui sourient. Elle prend le bébé contre elle, l'enfouit au creux de son épaule. Le cache dans ses cheveux. Partout l'odeur l'enivre, et l'infinie délicatesse d'une chair diaphane, un velours, une caresse.

Et pourtant il faut que cela cesse, la vieille derrière elle s'interroge, demande, crie presque. À ce moment-là, Moe se sent capable de l'étouffer sous un oreiller. Elle remmaillote le petit. Après, ce n'est plus pareil. Il ne sourit plus. Elle le couche dans le berceau.

*

Alors parce qu'il est impossible d'attendre davantage, Moe se prépare à partir. Elle explique à Rodolphe, un matin où il n'a pas encore trop bu. Pas de colère. Juste qu'elle n'a pas d'avenir. Il se moque :

— Et là où tu veux aller, t'en auras, de l'avenir ?

— On verra. J'espère.

— Tu te fais de belles illusions.

— Je ne peux pas rester comme ça toute ma vie. J'ai vingt-six ans. C'est trop long.

— Mais fais ce que tu veux ! Faudra juste pas revenir pleurer ici.

— Je reviendrai pas.

— J'crois que c'est mieux. Je suis pas un con, quand même.

— Je suis désolée. Mais je ne vois pas… enfin voilà, je suis désolée.

— C'est ça.

— Vraiment.

— Tu pars quand ?

— Je ne sais pas.

— Eh bien faudrait savoir parce que j'ai pas que ça à faire, moi.

— Je te dirai.

— Traîne pas.

Et au fond rien ne change dans leur existence les semaines qui suivent, ils étaient donc déjà si abîmés pense-t-elle, et leurs vies si éloignées, séparées d'avance. Seule la vieille boude, ne desserrant plus les lèvres de la journée. Moe n'insiste pas. Elle préfère le silence, tout entière tournée vers la fuite, car c'est ainsi qu'elle appelle son départ au-dedans d'elle, quelque chose d'éperdu, et toujours trop lent, elle piétine, ronge son frein. Rodolphe rentrant le soir jette son manteau sur le fauteuil.

— Tiens, la gale est toujours là.

Même pas une question. Il se délecte de son impuissance. Sait qu'elle finira par rester : elle n'a pas de solution. Lui ne bouge pas, profondément indifférent, désagréable ni plus ni moins qu'avant. Pas d'effort. Qu'elle en soit consciente, il ne modifiera rien. Pas à lui de le faire. Tout pourrait continuer de la même façon que les six années précédentes si elle ne s'acharnait pas à vouloir partir. Cracher sur un toit et un garde-manger toujours rempli ? Pauvre folle. Qui ignore la chance qu'elle a.

Et elle court toujours plus de ménage en cuisine, comme prise à la gorge, excédée par tout ce qui n'avance pas, l'argent qui manque, le travail qui ne vient pas, l'enfant recroquevillé sans un son dans son berceau. Jusqu'au jour où elle rencontre la fille d'une de ses vieilles clientes, qui habite à la ville. Elles ont le même âge. Une sympathie presque immédiate, et Moe s'efforce de paraître plus joyeuse et plus invisible. Travaille en babillant, frotte et récure, s'efface. Réjane la chahute, l'aide un peu, grimace devant l'évier crasseux.

— Comment tu fais pour supporter cette vie-là ?

Et Moe lui raconte. La maison sordide, l'alcoolisme de Rodolphe, la vieille qui guette. L'enfant muet. Sa petite existence en boucle, morose et sans issue. Personne sur qui compter ; seul, on est fichu. Elle veut une seconde chance. Réjane a un sourire en coin.

— Et si tu venais chez moi, le temps de trouver une solution ?

*

Alors voilà, elle s'en va. Elle le dit à Rodolphe. Le lendemain, en rentrant des ménages, elle trouve ses affaires entassées dans des sacs-poubelle de cent litres rangés dehors, le long de la maison. Cela ne prend pas lourd : un sac pour elle, un plus petit pour l'enfant. Le reste, c'est à lui.

— Y a rien que tu emmènes d'autre, c'est compris ?

Elle se tait. Depuis qu'elle lui a annoncé son départ, elle garde avec elle l'argent économisé, dans une poche contre son ventre. Elle cale l'enfant par-dessus. La seule chose qu'elle n'aurait jamais laissée. Elle s'appuie contre le mur extérieur de la grange, tout juste abritée de la pluie tiède et orageuse, et elle attend, l'enfant sur sa hanche, les deux sacs en plastique noir posés à côté. Solitaire encore une fois : Rodolphe a refermé la porte derrière lui. Plus rien ne filtre de l'intérieur de la maison, pas même le bruit de la télévision allumée toute la journée. Moe regarde l'enfant qui regarde les gouttes d'eau tomber de la gouttière, ne pense à rien. Juste tenir debout. À quinze heures, la voiture de Réjane entre dans la cour.

Évidemment ce n'est pas très grand chez Réjane, et Moe observe les deux pièces, la gorge serrée. Déjà la jeune femme lui avait dit : *Tu verras, j'habite à Paris, c'est géant, Paris* ; mais pendant le trajet qui les amenait à la ville, quand Moe en avait reparlé tout excitée, c'était devenu autre chose : *Paris ? Ah oui, enfin, juste à côté. En banlieue, au sud* – et Moe avait eu ce très léger tic au coin de la bouche, pas grave avait-elle murmuré, et puis elle avait découvert les immeubles gris juxtaposés, les commerces au bas des tours, moins bien que ce qu'elle avait imaginé c'est sûr, mais elle avait fait bonne figure, l'important c'est d'être partie.

Réjane insiste pour qu'elle prenne la chambre avec l'enfant ; elle refuse net. Aménage dans le salon une sorte de niche derrière le canapé, un refuge de deux mètres carrés pour que le petit se sente protégé, maintenant qu'il n'y a plus de berceau. Réjane déroule une couette par terre.

— Ça lui fera un matelas. Il va être bien là-dessus.

Elles dînent en regardant une émission de variétés à la télévision, affalées sur le canapé. Quand Réjane va chercher des bières à la cuisine, Moe se penche sur la télécommande, baisse le son. Derrière elle, l'enfant ne dort pas. Ne fait pas de bruit non plus, les yeux grands écarquillés, appliqué à explorer les murs et le plafond en agitant les mains, la bouche entrouverte en un rond parfait. Moe chuchote :

— Ça va aller maintenant. Ça va aller mieux.

Les pupilles noires croisent son regard un instant, aussitôt happées par le tissu rouge sur l'accoudoir, la lumière de la lampe contre l'étagère, au fond de la pièce.

— Tu verras, dit Moe même s'il ne l'écoute déjà plus.

Dans la nuit, elle entend la respiration courte du petit, sait qu'il est à nouveau éveillé. La lueur des réverbères se glisse par les interstices des volets, à peine coupée par les voitures qui passent inlassablement, comme si la vie ne s'arrêtait jamais le long du macadam, ni les lumières ni les moteurs, et Moe prend l'enfant à côté d'elle sur le canapé déplié.

— Il faut dormir. On sera fatigués demain, sinon.

Mais le bruissement de la ville les interpelle et les dérange, les heures noires n'en finissent pas. La joue contre la tête du petit, Moe écoute le souffle de son fils, qui s'apaise enfin lorsque l'aube paraît, et la torpeur les engloutit soudain, dormir – un abandon si doux et si profond. Un peu plus tard – mais cela semble quelques minutes à peine –, la porte de la chambre s'ouvre, l'eau coule dans les toilettes. Réjane allume la lampe en entrant dans la pièce et Moe les recouvre avec la couverture l'enfant et elle, un geste vif, protecteur et furieux. Dos tourné à la petite cuisine, elle fait écran de son corps, empêche le ronronnement de la cafetière de les atteindre, et les informations à la radio, et les jurons de Réjane qui se prend les pieds dans la housse du canapé. Elle reste longtemps allongée après que la porte d'entrée se referme, la colère encore, qu'est-ce que tu fais là, ma fille, est-ce vraiment cela que tu voulais, le nœud dans le ventre – la campagne lui manque, et même Rodolphe, et même la vieille.

*

Le troisième jour, Réjane exige qu'elle déménage avec le petit dans la chambre, ce n'est plus une question de politesse, les bonnes manières elle s'en moque.

— J'en peux plus, moi, de buter sur vous deux quand je me lève pour aller travailler, faire attention à pas le réveiller, allumer la moitié des lumières, ça va. Je veux pas m'énerver chaque matin pour des gens qui restent au lit toute la journée.

Moe rassemble ses affaires en bégayant.

— Aujourd'hui j'ai rendez-vous dans trois agences d'intérim. Je vais trouver quelque chose, promis.

— C'est ça. Tu me diras.

— Je suis désolée pour le dérangement.

Réjane se radoucit à moitié.

— Non, c'est moi, ils me prennent la tête au boulot, j'ai les nerfs. Et puis ça ne va pas durer éternellement, cette situation, hein ? Dès que tu auras un travail, tu pourras louer un endroit à toi, un studio, une chambre.

— Oui bien sûr.

— Il y en a, des emplois, pour ceux qui veulent vraiment. Je ne m'inquiète pas pour toi.

— C'est juste que sans diplôme…

— Et puis quoi, les diplômes, ça n'a jamais fait la qualité d'une personne, je t'assure.

— Je ne sais pas quoi répondre quand on me demande ce que je cherche.

— Comme poste ?

— Oui.

— Oh la la, des tas, Moe, des tas ! Des petites mains dans les administrations, il en faut tout le temps. Ou des femmes de ménage. Dans les banques. Ou dans les hôpitaux.

— Dans les hôpitaux je préférerais.

— Eh bien voilà, tu leur dis ça, que tu vises un emploi d'aide quelque chose dans la santé. Avec les vieux. Du travail, là-dedans, c'est autant qu'on veut.

— D'accord.

— Alors tu y vas à fond et tu souris.

— Oui.

— C'est à quelle heure, ton premier rendez-vous ?

— Dix heures.

— Je croiserai les doigts pour que ça marche.

— Merci.

— Ce soir, c'est champagne, hein !

*

Mais le soir ce n'est rien du tout, et Réjane ronge son frein sur le canapé en écoutant pour la quatrième fois les précisions de Moe qui revit douloureusement les entretiens de l'après-midi.

— Quand elle t'a demandé si tu avais de l'expérience, tu as dit non ? J'y crois pas.

— Mais c'est vrai, je n'ai jamais travaillé avec des personnes âgées.

— Fallait dire oui !

— Elle m'aurait posé des questions. J'aurais eu l'air de quoi ?

— Et ta belle-mère ? Et tes clientes pour les ménages ? C'est toutes des vieilles !

— Oui mais…

— Tu as bien fait des pansements pour la mère de Rodolphe, ou pas ? Et tu cuisinais pour les autres, et passer l'aspirateur et nettoyer les salles de bains, enfin tout ça, c'est bien que tu sais le faire, ma parole ! Et les piqûres ? et les sondes, t'en as parlé de tout ça ?

— Je…

— Il faut apprendre à te vendre, Moe. Te vendre ! Pas aller mendier un job mais montrer que tu vaux le coup. Qu'est-ce que tu as dans le crâne, bon sang ?

Moe baisse la tête, se mure dans le silence. Réjane continue son monologue terrifiant. Mais elle avec son petit, ce n'est pas ce monde-là qu'elle veut, tentaculaire et dévorant, où la seule façon de s'en sortir est de se battre bec et ongles pour gagner quoi, pas même un petit morceau de bonheur, juste la hargne pour survivre, boire, manger et mettre de l'essence dans la voiture, un combat stérile et épuisant, trouver une place de misère et la conserver coûte que coûte. La tête entre les mains, elle appuie sur ses yeux, les larmes débordent, il ne faut pas que Réjane voie. Essuie discrètement, comme si elle se frottait le nez. Avaler le goût salé sans bruit, sans renifler. Arrêter de vouloir se rencogner sous le canapé et ne plus jamais en sortir.

— Et lui ? se raidit soudain Réjane en montrant l'enfant. Tu en as fait quoi pendant tes rendez-vous ?

Moe déglutit à grand-peine.

— Je l'ai laissé ici. J'ai fait au plus vite.

Mais ce n'est pas vrai ; c'est juste pour que Réjane la laisse tranquille, cesse de parler et de crier, se taise enfin. L'enfant, elle l'a pris avec elle. Sage tout le temps. Et pourtant dans les trois agences, les femmes lui ont demandé pourquoi elle venait avec, surtout celle qui cherchait pour la maison de retraite, et Moe a dû se défendre, essayer d'expliquer, en vain.

— Je n'ai personne pour le garder aujourd'hui. Quand j'aurai du travail bien sûr…

— Mais je ne peux pas vous envoyer chez un employeur avec un bébé dans les bras.

— Non bien sûr. C'était juste pour le rendez-vous, je me suis dit que vous comprendriez.

— Je comprends. Moi. Mais pas un employeur.

— Je le laisserai à une amie.

— Maintenant ?

Un instant d'affolement, cela s'est vu dans ses yeux elle en est sûre, même si elle a acquiescé très vite.

— Le temps de prévenir.

— Moi, c'est tout de suite que je dois présenter un agent de blanchisserie. Est-ce que vous pouvez tout de suite ?

— Dans une heure. Je vous le promets.

— Et vous croyez que je vais vous prendre au sérieux ?

— S'il vous plaît. Laissez-moi une chance.

— De la chance, tout le monde en veut. Ce n'est pas de la chance qu'il faut.

— C'est non alors ?

Difficile de ne pas pleurer en repensant à la fin de l'entretien, le regard réprobateur de la femme sur elle et ce très léger contentement au coin des lèvres, peut-être qu'elle-même, elle laisse son enfant à une assistante maternelle ou dans une crèche chaque matin, renvoyée par Moe à l'abandon de ses petits, à l'absence, aux enfants qui connaissent mieux les nourrices que leur propre mère. Moe s'est levée. Jusqu'à ce qu'elle referme la porte sur elle, il n'y a plus eu un mot.

*

Dans la nuit de la ville encore, elle caresse la tête de l'enfant, presque sans y penser, un geste instinctif, réconfortant, le même que lorsqu'on prend dans les bras un chat qui ronronne, la consolation au bout des doigts, si cela pouvait suffire. Il dort, lui le petit, un ange apaisé que rien n'émeut, il s'est habitué déjà à la lueur des phares qui court toute la nuit sur son visage, et peut-être dans ses rêves l'a-t-il remplacée par des étoiles filantes. Sa respiration calme et profonde. Les fossettes sur ses joues, lui qui sourit même dans son sommeil, avec cette confiance inouïe, croire que rien de mauvais ne peut lui arriver.

Moe est étendue à côté de lui, un bras replié sous la tête, les yeux rivés aux yeux fermés, aux paupières qui tressaillent, aux longs cils de fille. L'enfant est un tableau endormi, se jouant des lumières de la nuit qui ne s'éteint pas, du jour qui ne se lève pas. Parfois il remue un poing, ouvre un doigt. Le referme. Chuchote sans un son, articulant des mots inconnus, la bouche arrondie sur une surprise, une gourmandise. Moe se retient de le réveiller en le serrant contre elle, malgré l'élan qui lance dans son ventre et dans son cœur à croire qu'elle va l'enrouler, le ramener vers elle et qu'il n'y ait plus le moindre espace entre leurs deux corps, que leur chaleur irradie et les fasse rire, une coupure de tendresse, un lambeau volé à l'horrible journée.

Et demain il faudra recommencer.

Le pincement au fond de la gorge.

Demain Moe a un seul rendez-vous. Mais à cet instant une volonté féroce l'enveloppe, pour la petite chose endormie près d'elle, qu'elle puisse boire et manger à sa faim, grandir ailleurs que derrière un canapé ou dans une chambre qui n'est pas la sienne, avec des arbres surtout, et une rivière au fond du jardin, pour le bruit des oiseaux et celui de l'eau.

Moe s'assoupit par intermittence. Elle sait à quel point les réveils sont douloureux, refuse de céder à la douceur des rêves. Dans son sommeil le chant des merles la poursuit, et le soleil sur l'herbe quand la rosée fait des milliers de perles. Elle tressaille, agite la main pour repousser les visions délicieuses ; cela ne sert à rien d'être heureux la nuit. Il sera temps, plus tard – quand elle sera sûre. Pour l'instant, ni le petit appartement ni l'impatience visible de Réjane à les voir quitter les lieux l'enfant et elle ne justifie qu'elle se réjouisse. Et elle y pense d'un coup : pour l'instant, c'était mieux avant. Trois jours et demi, elle a tenu.

Et elle voudrait faire marche arrière.

Y réfléchit une partie de la nuit. Rentrer tête basse en implorant le pardon. Affronter le regard triomphant de la vieille, les moqueries méchantes de Rodolphe, opiner à tout, son erreur, l'évaporation de sa fierté, ce qu'il faudra faire pour qu'on accepte de la reprendre. Comme une marchandise que personne ne se dispute.

Entre minuit et trois heures, elle est prête. Compose le numéro de Rodolphe sur son téléphone : elle n'aura qu'à appuyer sur la touche *appel* au petit matin. Elle s'endort, quelques minutes ou davantage, mortifiée mais rassérénée, la solution est là, au bout de son index. À cinq heures, réveillée à nouveau, elle se dit qu'elle ne pourra pas. Efface les chiffres du cadran du portable, sent revenir l'angoisse au fond de ses entrailles. Elle somnole encore un peu, pose des jalons pour se rassurer, si elle ne trouve aucun travail d'ici la semaine prochaine, elle appellera ; si elle flanche avant, elle appellera. Et si en se levant dans une heure et demie, la force lui manque, elle appellera aussi.

Mais là, il faut y aller, ma fille, parce que Réjane ne va pas supporter longtemps que tu te traînes comme ça, avec ta tête de souris mouillée sous l'orage, tu ressembles à quoi, si tu crois que c'est ton air malheureux qui va te faire décrocher un travail, des gens malheureux il y en a plein, on en a assez de les voir, marre, alors, les embaucher en plus ?

Moe revoit sa grand-mère quand elle lui faisait la leçon, frappant des mains à la fin pour la chasser ou lui donner de l'élan, de la même façon qu'elle écartait le chat qui avait fini sa gamelle, *Pfiou pfiou, maintenant c'est l'heure d'attraper les mulots, dehors, allez, dehors, allez chercher* – elle vouvoyait le chat, par courtoisie, disait-elle, et par habitude.

Un mulot ou un travail. Étendue dans la nuit qui s'achève, Moe répète les mots en silence. *Pfiou pfiou. Allez chercher*. Elle sourit. Quand le chat ne voulait pas, sa grand-mère l'aidait du bout du balai. C'est peut-être cela qui lui manque à elle, un bon petit coup sec histoire de recaler les choses en ordre et de lui remettre la tête à l'endroit : à présent qu'elle a quitté Rodolphe, elle est bel et bien seule pour les assumer, l'enfant et elle. Elle peut toujours se lamenter pendant des semaines, c'est elle qui l'a voulu, tout ça. Debout, Moe. Aujourd'hui tu n'as qu'un seul rendez-vous, mais ce travail-là, il te le faut. C'est quoi, déjà ?

Alors quelques heures plus tard, elle ravale son accent chantant et sa démarche trop douce, affermit sa poignée de main en entrant dans le bureau où on l'attend, essaie de ne pas penser à l'enfant dans la voiture, à Réjane si elle l'apprend. L'enfant dans la voiture. Non, non, ne pas y songer, pas une seconde, l'entretien va durer quinze minutes, quinze minutes sans l'idée du petit qui la déconcentre – si elle a déjà travaillé dans le secteur, lui demande-t-on.

Car elle a volé les clés de la Polo de Réjane dans le tiroir du meuble d'entrée pour emmener le petit avec elle à ce rendez-vous ; c'est le seul moyen qu'elle ait trouvé. Elle ne va pas le planter des heures tout seul dans l'appartement, il lui arriverait quelque chose, forcé, quand la guigne vous tient. Non : elle le laisse dans la voiture. Le cale avec des couvertures dans un carton récupéré au supermarché, le cœur battant déjà trop vite. Elle entrouvre la fenêtre, l'abaisse pour faire de l'air, la remonte – si quelqu'un essayait de la descendre, de prendre l'enfant. File au dernier moment en courant dans la rue, arrive à l'heure exacte qui lui a été donnée, expliquant déjà qu'elle a un autre rendez-vous et qu'il lui sera impossible d'attendre. Elle sait que cela ne fait pas bonne impression.

Mais ce jour-là, on lui dit oui.

On lui donne une adresse, elle signe un contrat sans le lire.

Du ménage dans une entreprise, de six heures à huit heures le matin, et le soir de dix-huit heures à vingt heures. C'est peu mais les horaires décalés améliorent le salaire. En sortant de l'entretien, Moe lève un poing au ciel en riant. Elle crie, *Pfiou, pfiou !* Le soir, Réjane commencera par tiquer en calculant que cela ne fait que quatre heures de travail par jour, puis elle se ravisera. Elle dira : *Oui. Oui, c'est bien. C'est un début.*

*

Le lendemain à l'aube, Moe installe l'enfant dans un cabas que Réjane lui a prêté, le presse contre elle, avec le papier sur lequel sont indiqués le parcours du métro, les deux correspondances, la direction à suivre. Les yeux écarquillés tel un animal terrifié, Moe reste collée aux portes pour ne pas manquer les stations, on la bouscule, on la regarde de travers. La sueur lui coule dans le dos, le long du ventre, de grandes plaques rouges la chauffent sur la gorge et derrière le cou. Ses bras tremblants autour du sac qui abrite le petit toujours sage, hypnotisé par les néons au plafond des wagons. Lorsqu'elle émerge enfin des sous-sols crasseux, elle doit s'arrêter pour reprendre son souffle.

*

Il y a deux Espagnoles dans l'équipe qui se regroupe lentement devant le grand bâtiment, une fille de l'Est avec des yeux d'un bleu glacial, deux Africaines volubiles, et elle Moe, avec l'enfant dans le cabas comme si elle partait faire le marché. Les autres ne se sont pas approchées, rien dit, l'observent en biais, cherchent d'où elle vient sans doute avec sa peau des îles, parlent d'autres langues. Seule sur le trottoir, Moe écoute leurs rires, sait qu'ils se font à ses dépens. Son corps se resserre et l'étouffe. Ne serait-ce le petit avec ses grands yeux d'ange dans le sac, elle se serait déjà enfuie, aspirant l'air pollué dans une course inutile et nécessaire, et le macadam sous ses mauvaises chaussures, qui brûle la plante des pieds. Mais voilà l'enfant la contemple, elle ou les dernières étoiles dans le jour levant, qu'importe, cela pourrait être elle, elle reste. Compte l'argent à venir ce soir, demain, à la fin de la semaine, le nombre de mois pour recueillir le montant du voyage, il faut que Réjane accepte de la garder chez elle. Jamais encore elle ne s'est demandé ce qu'elle ferait une fois rentrée là-bas. Ne pas se poser la question.

Elle a mis l'enfant sur une table, vide les corbeilles, passe une lingette sur les bureaux. Le chef est le seul à lui avoir dit bonjour. Quand il est apparu au bout de la rue, les femmes ont murmuré entre elles : *Le voilà, voilà le chef*, et cela ressemblait à des grognements, à des morsures. Il les a toutes saluées cependant. C'est lui qui avait les clés du bâtiment. À l'intérieur, il a ouvert un local et a montré à Moe un chariot rempli de produits et de sacs-poubelle, un seau pour l'eau, un balai éponge pour nettoyer le sol en vinyle. *Tu vas faire ce côté-là de l'étage*, il a dit. De l'autre côté, il y a la fille de l'Est, il l'appelle « l'Ukrainienne ». Les Espagnoles sont en bas, les Africaines au deuxième. Quand ce sera fait, elles se décaleront toutes vers le haut, du troisième au cinquième étage. Le chef s'en va. Quand Moe croise l'Ukrainienne, elle l'entend marmonner. Le chef s'en va toujours. Prendre un café, faire ses calculs, parier sur les chevaux. Il revient un quart d'heure avant la fin pour les houspiller. Le soir, le chef a changé, mais c'est la même histoire.

*

En passant, le chef a dit à Moe : *C'est quoi ça, c'est ton gosse là-dedans, faut pas amener un gosse ici.*

— J'ai prévenu l'agence, a répondu Moe. Je ne peux pas faire autrement au début, je vais trouver une solution. Mais il n'y a jamais de problème avec lui, il est sage.

Le chef a tiqué. Il ne sait pas que Moe lui ment, elle a l'air si incapable, avec son regard de souris piégée.

Ça se fait pas, il répète. *Si on a un contrôle*. Et puis il est parti, et Moe a recommencé à respirer.

*

Soir et matin pendant une semaine, elle nettoie, balaie, vide, essuie. Personne ne lui parle ; elle ne sait même pas comment s'appellent les autres femmes. Parfois l'Ukrainienne, quand elles se rejoignent pour monter au quatrième, lui fait un geste d'attente. Trop tôt. Elle explique mais Moe comprend mal avec cet accent guttural et rapide qui déforme les mots, et il faut ce geste vraiment, les mains descendant en signe d'apaisement, pour qu'elle s'arrête et hausse les épaules.

— Mais pourquoi ?

Et l'autre qui reprend son langage étrange et tous ces mouvements de bras, des reproches, des informations, Moe ne sait pas, jusqu'à ce qu'une main lui prenne la manche et l'oblige à s'asseoir, lui montre sur le grand mur du fond l'horloge qui, elle le devine peu à peu, n'est pas à la moitié – la moitié de la séance, la moitié du temps. Ce n'est qu'à sept heures qu'elles se remettent au travail, et au-dessus et en dessous Moe entend les Espagnoles et les Africaines bouger au même moment qu'elles, assises elles aussi depuis dix minutes ou quinze ou vingt, mais il faut remplir les deux heures et l'accord ne se discute pas, on passe à l'étage suivant quand la pendule est sur le sept, que ce soit du matin ou du soir.

Le troisième jour, Moe a compris, l'Ukrainienne n'a plus besoin de la retenir, elle berce l'enfant en attendant de rentrer cabas et chariot dans l'ascenseur pour aller au quatrième, rien ne presse, du coin de l'œil elle surveille le chiffre sur l'horloge.

*

Qu'il est doux le froissement de l'argent qu'elle tient dans sa main samedi soir, une semaine de travail entre ses doigts et les quatre billets de cinquante devant son nez, elle rit, cela fait longtemps qu'elle n'a pas eu une telle somme sur elle, elle met les billets dans la pochette serrée autour de sa taille. Le chef a donné les enveloppes et, toutes, elles ont sorti l'argent qu'elles ont glissé dans une blouse ou une poche, trop peu d'argent, mais quand on n'a pas de papiers – ou pas de compte en banque, comme Moe, il faudra qu'elle en ouvre un, ce sera mieux. Les autres femmes ont pris leur paie sans même regarder, sans sourire, rien, juste partir, fermer la porte derrière elles en attendant de reprendre mardi, et elle Moe est restée, idiote, pour remercier le chef.

Tu veux revenir travailler ici, il a dit.

Oui bien sûr.

Il faut qu'il donne son accord à la direction et Moe acquiesce de la tête, *Oui oui*. Il rit :

— Et alors toi, tu fais quoi pour moi ?

Elle ne comprend pas, Moe, et elle montre l'étage propre, qu'il vérifie s'il trouve la moindre poussière, le moindre papier oublié dans un coin, impossible, mais ce n'est pas de cela qu'il parle et il lui explique vite, pas de mots, juste les mains glissant sur ses hanches à elle, elle pousse un cri. Il dit encore :

— Tu veux travailler oui ou non ?

— Oui mais…

— Te sauve pas, ma jolie – et il la coince contre le bureau, collé contre elle trop près trop chaud, Moe crie une nouvelle fois, le dos cassé en arrière pour échapper aux mains qui s'égarent sous sa chemise et dans la ceinture de son jean, à côté d'elle l'enfant la regarde depuis le cabas posé là, des petits yeux ronds étonnés, non, non, pas avec l'enfant, un sursaut, elle gifle le chef de toutes ses forces, les ongles recourbés dans une griffure qui déchire la joue et le cou devant elle, le hurlement :

— Salope, salope !

Mais elle n'entend déjà plus, elle a attrapé le sac avec le petit et se précipite vers la porte, l'escalier, la rue, le soleil encore chaud, les gens – après plusieurs minutes elle s'arrête, hors d'haleine, se retourne. Personne. Poser le cabas un instant, se reboutonner. Dire à ces fichues jambes de ne plus trembler, du coton, elle voudrait s'asseoir et que son cœur retrouve un rythme normal, hein, parce que s'il continue, ça va lâcher c'est sûr, oh le dégueulasse, l'ordure. Alors elle se met à pleurer, pas tant sur l'incident que sur le travail disparu, tout à recommencer, et si cela ne revenait pas. Prendre la voiture de Réjane en cachette, se couler dans le regard des recruteurs. Compter les secondes et les minutes avant de retourner, et cette prière quand elle a vu l'enfant derrière la vitre et qu'elle l'a abandonné – tout ce qu'il faudra refaire, et les nœuds dans son ventre, les mensonges dans sa bouche.

À la terrasse d'un café, elle a fini par demander un verre de vin blanc, un petit chablis que le serveur lui conseille, le verre est froid contre sa joue, le vin joyeux court dans son palais. L'enfant est assis sur ses genoux, ne réclame rien. Tous les deux le même regard droit devant eux, et Moe l'observe en coin, à quoi pense-t-il le petit, dans les bras de sa mère incapable de garder un travail, s'il devine, s'il attend quelque chose. Il la cherche des yeux, l'entend l'appeler au-dessus de lui. Renverse la tête sans réussir à la voir et elle le rattrape en riant, le tourne vers elle, son cri de joie, son sourire chavirant quand il la trouve enfin, et elle cet élan qui ne peut s'empêcher, elle le serre contre elle, s'y agrippe. Six kilos de bonheur face à la dureté du monde.

Le lendemain, Réjane excédée par les lenteurs, les marches arrière, les échecs, la met dehors. Une semaine de travail et ce serait déjà fini ? À d'autres. Il doit y avoir de la mauvaise volonté chez Moe, pour ne pas trouver d'abord, pas même un remplacement ou l'un de ces jobs que l'on donne aux étudiants, et puis pour perdre son travail en une semaine ensuite, six petits jours. *Il s'est passé quoi ?* crie-t-elle en arpentant l'appartement. Moe n'a pas voulu répondre.

— Eh bien tu sais quoi ? Tu dégages ! Je suis pas là pour assumer les cas sociaux, moi. Je ne suis même pas sûre que tu cherches vraiment du travail. Tu ne vas pas rester là des années, hein, c'est clair.

Au départ, elles n'en avaient pas parlé bien sûr mais cela allait de soi, les héberger l'enfant et elle, c'était l'affaire de quelques jours, une semaine peut-être. Si Réjane avait su que cela durerait autant, jamais elle n'aurait proposé, trop petit l'appartement, et elle qui rentre du bureau épuisée chaque soir, à les voir là sur le canapé le petit qui mange sa bouillie en babillant et écouter Moe raconter ses histoires, peut plus, elle les déteste à présent, voilà, c'est comme ça. Non non, on n'en rediscute pas, qu'ils prennent leurs sacs et qu'ils s'en aillent, elle a été honnête, ne veut pas risquer qu'ils profitent d'un ou deux jours de plus pour lui dépouiller l'appartement, c'est samedi aujourd'hui, à midi elle va voir sa mère à la campagne, à midi ils doivent être partis, elle les poussera sur le palier si nécessaire.

Alors Moe marche dans la rue, se répète les mots, ne réalise pas encore – eux dehors l'enfant et elle. Elle sait qu'elle a l'air d'une folle avec le petit calé sur le côté, les sacs dans les mains et les cheveux mal coiffés parce qu'elle n'a pas eu le temps. Les passants changent de trottoir en la voyant, se retournent sur elle, pitié ou dégoût, elle a envie de crier qu'il faut l'aider, Réjane lui a laissé de quoi payer une nuit d'hôtel, et après ? Les centres d'accueil ? Elle connaît trop bien, pour les avoir vus à la télévision, ces ghettos modernes, des mouroirs pour vieux étendus aux gens comme elle et pas même un toit sur la tête, des terres abandonnées, non elle n'ira pas, ne pas se plaindre, ne pas se faire remarquer, elle sèche ses larmes, met de l'ordre dans ses cheveux. Sois forte, ma fille. Avance.

*

Elle règle sa nuit à l'hôtel, reste trois jours, s'enfuit le quatrième matin en n'ayant pas payé le reste. Erre des heures dans la ville en s'accrochant parfois à une dame seule jusqu'à ce qu'on lui donne une pièce ou un morceau de pain. Toutes les piécettes qu'elle mendie ainsi, elle les garde pour acheter le lait et l'eau du biberon du petit. Souvent elle met la main dans son sac pour vérifier que le biberon est toujours là, comme s'il pouvait glisser ou s'envoler ; comme si, tant qu'elle l'a contre elle, tout n'était pas perdu. Lorsque l'enfant s'agite, elle s'assied sur un banc et lui donne à manger, surveillant autour d'elle, rinçant récipient et tétine à une fontaine.

En fin de journée, hagarde, elle essaie de monter dans un train qui va chez Rodolphe. Peut-être qu'il la laissera dormir dans la grange, installer une cahute en planches, elle fera ce qu'il demande, les tâches ingrates, laver la patte de la vieille trois fois par jour, récurer les toilettes après son passage, nettoyer par terre quand Rodolphe a trop bu, tout lui semble acceptable. Peut-être qu'il la *reprendra* – comme on accepte de mauvaise grâce de récupérer un objet avec une malfaçon.

Mais le contrôleur l'arrête aux portes du wagon : elle n'a pas de billet. Elle explique, supplie, promet ; il n'écoute pas. Il finit par appeler un agent qui l'emmène en essayant de la calmer et le train part, puis un autre, le dernier, la nuit tombe, elle marche dans les rues de la ville en parlant toute seule, pleure parce que l'enfant boude le biberon froid, si lui aussi se met à chicaner. Avec l'argent qui lui reste, elle achète une couverture, ils dormiront dehors elle en est sûre, peut-être dans un square si les gardiens ne les ferment pas, à cette époque ils doivent être ouverts la nuit. En attendant, recroquevillée dans un café, elle fait la fermeture, somnole à demi, et le regard du patron sur elle, qui la prend pour une mendiante sans doute, quand il a apporté le biberon réchauffé il n'a pas pu s'empêcher de jeter un coup d'œil sur les sacs, on voit bien que ce sont les affaires d'une pauvresse, sa seule richesse, infini dénuement. Vers minuit elle est la dernière cliente et il l'observe depuis le bar.

— Où que tu vas dormir ?

Moe sursaute sous la question. *Je vais rentrer.* Le bonhomme sourit.

— T'as nulle part où aller je suppose.

— J'habite chez une amie.

— Et tu trimballes tes sacs toute la journée pour le plaisir, bien sûr.

Elle baisse le nez.

— Y a un cagibi derrière, il reprend. Je pourrais te le laisser si on s'arrange.

— On s'arrange ?

— Oui. Tu vois ce que je veux dire, hein.

Et soudain elle se sent seule, Moe, seule et vulnérable, comme l'autre fois avec le chef, une angoisse piquante, toujours à croire que le danger est dehors alors qu'il rôde près d'elle dans un bureau ou dans un café, elle se lève d'un coup, attrape l'enfant qui s'endormait, les sacs. Jette un billet sur la table en se précipitant à l'extérieur, et les cris du patron la poursuivent, *Ta monnaie !* – pourtant elle en aurait besoin de ces quelques pièces, mais elle ne revient pas, trop peur, s'il l'attrapait, s'il l'emmenait dans le cagibi, il est tellement plus gros que le chef d'équipe des ménages. Alors elle traverse la rue, suit un boulevard. Il y avait un jardin par là. Grilles fermées. Elle escalade. L'enfant, les sacs la gênent. Enfin elle s'affale sous un arbuste et se cache dans l'obscurité des feuillages, hors d'haleine, et la tiédeur de la nuit en perles sur son front, dans son souffle rauque que rien n'arrêtera lui semble-t-il, la douleur au fond de sa poitrine, ou sont-ce ses poumons. Enveloppée dans la couverture et tenant l'enfant tout contre elle, elle se calme peu à peu, ne tremble plus. Elle échappe au monde, enfermée à l'intérieur, invisible aux êtres de l'autre côté des barrières, aux loups qui reniflent sa détresse en se léchant les lèvres, un peu de paix enfin, et les sanglots à cause de la fatigue. Quelques heures de répit dans le parfum des arbres. La nuit les protège, croit-elle ; à cinq heures, avant les premières lueurs de l'aube, la pluie la réveille en glissant dans son cou.

*

Perdue dans la ville, les cheveux collés au crâne et le corps grelottant, c'est la seule idée qui lui soit venue : les urgences. Elle est entrée dans l'hôpital et s'est assise au fond de la salle tout en silence, le bébé qui tousse et fait de la fièvre, dit-elle quand on l'interroge, on l'ausculte rapidement, rien d'inquiétant, on la rassure, elle attendra pendant des heures que les blessés et les mourants, les vrais, passent aux soins – elle ne demandait que cela. Rencognée et muette à s'en faire oublier, elle profite de la foule pour se débarbouiller elle et le petit dans les toilettes, sécher leurs têtes mouillées, changer de vêtements. En début d'après-midi, elle sort acheter de quoi manger, s'assied avec l'enfant sur un banc, profitant du soleil revenu, trop chaud déjà, jamais contente hein, et elle rit toute seule. De retour dans la salle des urgences, la place est prise et elle s'installe sur une chaise dans le couloir. Essaie de ne pas regarder les brancards aux corps ensanglantés qui courent sur le lino, ne pas entendre les gémissements qui sont des hurlements, et ceux des mères, et les cris de colère parce que cela fait trop longtemps qu'on attend, l'affolement de la mort gangrène l'espace et Moe met ses mains sur les oreilles du petit, se penche vers lui, fredonne des comptines. Il lui faut du temps pour se couper de l'effroi et du bruit, elle a mis la couverture encore humide sur eux deux comme une tente ou une cabane ou un refuge, avec la chaleur le tissu sèche vite, peut-être pourront-ils rester là toute la nuit, et la suivante, et celle d'après. Et après ? Moe secoue la tête pour ne pas y penser, quand il n'y a d'horizon qu'une salle des urgences, l'anxiété lui ronge le sang, elle émerge de la couverture les joues en feu et le rouge dans les yeux.

*

On lui a posé des questions auxquelles elle a répondu du mieux possible, sans alerter, sans laisser voir la fissure d'être qui lui déchire tout le corps du haut jusqu'en bas et lui creuse les entrailles. Et puis on l'a abandonnée, oubliée, comme elle espérait. Aux regards que les infirmières coulent vers elle en passant et en s'affairant, elle a compris qu'elles savaient pour le mensonge, bien sûr le petit n'avait rien, il lui fallait seulement un abri, beaucoup de monde aux urgences ce soir-là et on les a laissés dans un coin, comme tant d'autres, sauf qu'eux n'avaient pas besoin de médecins, eux ne criaient pas, ne pleuraient pas. Juste trop de bruit tout le temps, des gens qui souffrent à vous en donner des frissons, dans la salle, dans le couloir, la nuit avance et rien ne change, les pompiers déposent des blessés sans relâche, le sang ne s'arrête jamais. Les gyrophares font mal aux yeux, qui clignotent à travers les vitres, et les sirènes dans les oreilles même quand on y chante des airs un peu gais, l'enfant gémit et se plaint, n'arrive pas à dormir. Vers deux heures du matin, Moe le dépose sur un brancard vide dans la salle, personne ne lui dit rien. Emmitouflée dans la couverture, elle prend le biberon avec elle, au petit matin il sera tiède, l'enfant sourira. Si peu de chose.

Et c'est un visage qui se penche sur elle quand son sommeil s'égratigne et s'étiole quelques heures plus tard, un visage de femme, un corps chaud et fatigué qui la regarde elle Moe ouvrir les yeux en cillant à cause des néons, et qui lui demande :

— Où est-ce que vous habitez ?

Et au moment où Moe fronce les sourcils et entend la voix, elle reconnaît l'inscription sur le brassard et d'un coup elle comprend que tout est fichu, ou alors il faudrait s'enfuir, attraper l'enfant et courir au-dehors, et perdre les sacs, mais elle n'a plus la force, plus rien, seulement ce regard de bête piégée et le sang qui déserte ses joues, la femme dit :

— Vous vous sentez bien ?

Comment le pourrait-elle, Moe, devant les lettres sur le bras de la femme qui dessinent les mots d'épouvante, *Services sociaux* – ça ou l'enfer, parce que, aujourd'hui, il ne s'agit pas d'être emmené pour la nuit dans un endroit qui pue l'urine et où on se fait voler ses affaires, non, quelque chose de bien plus terrifiant, un voyage sans retour, quand on a vu les émissions à la télévision, comment oublier ? et Moe éclate en sanglots. *Je ne veux pas, je ne veux pas, s'il vous plaît, non...*, de ces pleurs qui deviennent des cris, l'enfant s'éveille et crie aussi, une infirmière vient en courant et Moe la montre du doigt dans un mugissement :

— C'est vous qui les avez appelés ! C'est vous !

Après c'est la confusion, tout le monde en même temps dans la salle des urgences et les blessés s'affolent, se relèvent, accusent, *Pourquoi vous avez fait ça ? Vous ne pouviez pas la laisser tranquille ?*, bien sûr ils savent eux aussi à quoi ressemblent les centres d'accueil à présent, Moe pleure toujours et la femme dit que la voiture les attend, au moins là-bas elle aura un abri et de quoi manger, pour le petit aussi – c'est pas vrai, veut pas y aller, mais on la tire par la manche, le chauffeur nous attend, ça sera mieux là-bas vous verrez.

Et puis à quoi bon. Ça se dégonfle en elle d'un coup, et se flétrit, entre l'enfant qui crie et le sang des blessés, les hurlements de souffrance et ceux de colère, Moe debout ramasse le petit et les sacs, bouscule les gens trop près, s'excuse, *Je suis désolée pour le dérangement, désolée, désolée...*, pousse encore, essayant de se frayer un passage entre les chaises et les brancards, laissez-moi, elle sort, une portière de voiture ouverte, elle s'affale à l'intérieur, pense à rien, le bruit du moteur qui démarre. Oui qu'on en finisse.

DEUX

Il y eut ce temps où les carcasses des voitures hors d'usage étaient emportées par les camions des ferrailleurs, détruites à coups de barre de métal ou de bloc de béton. Sur la route on croisait parfois ces convois insolites, ces empilements de couleurs fracassées, sanglées sur des plateaux ou serrées dans des bennes rouillées à force d'essuyer les chocs des voitures jetées là. Il en tenait onze ou douze sur chaque poids lourd.

Au terme de leur dernier voyage, des broyeurs les déchiquetaient : des machines effrayantes, des cages et des entonnoirs au fond desquels deux rouleaux armés de dents ou de lames tailladaient, hachaient, brisaient. Qu'un homme y tombe par accident et il n'en serait rien resté, ou alors une longue tache de sang qui aurait tout aussi bien pu n'être qu'un mélange d'huile et de rouille, et les voitures comme des corps inertes rebondissaient sous les coups, fuyant et tressautant, retombant toujours dans les mâchoires d'où elles remontaient chaque fois amputées d'une pièce de carrosserie ou de mécanique. Étrange spectacle d'un objet déjà mort, peu à peu dévoré par ces immenses prédateurs dont les griffes arrachaient aux vieilles autos les ventres et les flancs et jusqu'au cœur, rongées et avalées une à une, saisies dans des postures qui auraient pu être humaines et échappant aux rouleaux avant de se résigner en se tordant dans tous les sens. Il fallait moins de quatre minutes pour qu'une voiture d'une tonne se réduise à une multitude de petits déchets isolés courant sur un tapis, hors de tout sens et de toute cohérence. Ils auraient pu faire le bonheur des fonderies ; mais comme il n'y en avait plus ici, on les envoyait à l'étranger.

Qui a eu un jour l'idée de cette étonnante et terrifiante filière de recyclage, donner une deuxième vie – et quelle vie ! – à ces vieilles guimbardes, personne ne s'en souvient. Quelle société ruinée a oublié qu'elle s'était bâtie sur des générations d'entraide et de solidarité, quelles églises ont baissé les bras, quels hommes sont nés, pour qu'un tel projet voie le jour ? Les pauvres, ils n'en veulent plus. Ont assez de leurs problèmes de chaque jour. Quelque chose s'est forgé en eux, la vague conviction que tout est justifié et que l'on n'y peut rien, le sentiment coupable et soulagé d'être à l'abri, la colère envers ceux à qui ils doivent la création de ces lieux pour lesquels il faut payer encore un peu plus de taxes. D'une certaine façon, ils admettent que c'est mérité et, même si c'est trop facile, pensent tout bas que les autres, ceux qui vivent là-bas, n'avaient qu'à travailler.

Et Moe elle aussi devant la télévision a vu les reportages, à côté de Rodolphe qui commentait les images en beuglant : *Bande de cas soc, d'assistés, qu'ont ruiné le pays, valent pas mieux*. Tous avec leurs sales gueules, qu'il disait, et il tapait sur l'épaule de Moe. *Regarde, mais regarde-les ! Que t'aurais envie d'être leur voisin ? Ça, qu'ils sont bien où ils sont. Saloperie de pauvres.*

— Mais tout de même, protestait-elle tout bas, tout de même, vivre là-dedans.

— Eh bien ? Des bagnoles ? Y a pire !

Et il montrait l'écran en riant trop fort, *Et celui-là qu'est dans une Mercedes, tu crois pas que c'est de la chance, ça, une Mercedes, allez.* Moe repensait à la ville bourdonnante comme un immense terrain vague, des milliers de gens, et ces terribles habitations aux peintures cloquées pour les abriter : des alignements de voitures brisées posées sur cales, des rues entières bordées d'automobiles embouties, boîte ou moteur cassé, par quartiers minuscules, et elle murmurait encore : *Mais ça c'est une casse, ça, ce n'est pas un endroit où on vit, on ne vit pas dans des voitures, non* – le rire de Rodolphe encore.

— Y nous coûtent moins cher là-bas, et puis ils enlèvent les banquettes arrière pour pouvoir dormir, c'est pas bête hein.

C'est pour cela que Moe a eu si peur en voyant l'inscription des services sociaux sur le brassard de la femme.

Parce que c'est là qu'ils l'envoient.

*

Cinq ou six heures cahotée dans le fourgon, à s'emplir les yeux du paysage. Une sorte d'au revoir pétrifié. Les autres font pareil.

Ils sont sept en plus du petit et de Moe, serrés sur les banquettes en bois de la camionnette. Tous les huit, ils essaient de voir au-dehors par les fenêtres grillagées des portières arrière. Ils ne parlent pas.

On dirait un camion de la fourrière. Celle des chiens, comme avant, quand on les jetait là et qu'ils passaient le trajet contre le grillage à respirer une dernière fois l'air libre.

*

La ville est construite comme ces villages de vacances qui s'étalent le long d'une interminable route ovale, avec des dizaines de petites rues desservant des bungalows serrés les uns contre les autres à deux pas de la plage. Sauf qu'ici, les maisons sont remplacées par des voitures, et il n'y a pas de plage. Mais il y a un barrage, un magnifique ouvrage d'art qui empêche que les habitants s'enfuient – car l'envie les prend souvent, au début. Pour faciliter la surveillance sans doute, la ville est encastrée dans le lit de la rivière, surplombée par ce barrage hydraulique que tous savent être une barrière infranchissable. Sur le seul côté ouvert de la vallée, une grille longue de six cents mètres vient sceller le passage : aucune chance de revenir du bon côté. Une façon de dire que la ville accueille définitivement ses habitants. Des gardiens y veillent jour et nuit, armés, mieux rémunérés que n'importe quels militaires, le prix à payer pour la paix sociale – des subventions colossales versées par l'État aux sociétés privées qui se sont jetées sur un marché dont personne ne voulait au départ, mais aussi, tout le monde le sait, de terribles arrangements avec cette étrange cour des miracles devenue un lieu de prédilection pour de nombreux trafics.

Combien sont-ils aujourd'hui, peut-être huit mille personnes qui vivent là sur les sièges éventrés des Fiat et des Renault hors d'usage, sur les coffres ouverts prolongés par une tôle ou une bâche pour gagner un peu d'espace. Une ville de miséreux, impensable ici et aujourd'hui, et pourtant, les crises économiques successives ont eu raison des bons sentiments, le déclin des civilisations, ce sera comme Rome et tout s'effondrera, ils disaient à la télévision. Qui aurait pu prévoir qu'une dizaine de ces centres, qu'ils appellent les Casses, allaient éclore en quelque vingt années ?

Par la baie vitrée de l'accueil, Moe balaye du regard l'immense espace gris qui l'attend. Assise sur une chaise, l'enfant dans les bras – presque deux heures qu'elle est là. Encore deux types avant elle.

Mal à la tête. La fatigue des derniers jours, du voyage. Le petit, lui, dort.

Dans la bulle derrière la vitre, la grosse de l'accueil se tient bien droite, comme s'ils pouvaient la contaminer eux tous si elle se rapprochait davantage, elle parle à peine dans l'hygiaphone, avec ces saletés de trous par où la vermine passerait et un des hommes la fait répéter, elle s'énerve. Moe entend les mots, *Avec tout ce qu'on fait pour les gens comme vous, et jamais d'efforts, et jamais de reconnaissance*, quand son tour arrive, elle ne dit rien pour ne pas fâcher la dame de mauvaise humeur, juste bonjour, c'est tout. La grosse l'observe par en dessous. Moe ne sait pas encore qu'ici les habitants la haïssent. L'appellent la Chiasse, parce qu'ils racontent qu'un jour elle s'est tant mise en rage contre des nouveaux arrivants qu'elle s'en est fait dessus, rouge et violette et noire de fureur, avec cette méchanceté dans le sang, à ne pas croire, une teigne, une hargneuse, cette femme-là. En réalité, il est assez peu probable que cela soit arrivé comme on le dit ; mais ainsi vont les rumeurs – et puis, vrai ou pas, elle le mérite bien, son surnom, cette saleté-là, car Dieu sait qu'elle en a humilié des gens, pour se convaincre qu'il y a pire qu'elle, de plus petites vies, de plus grandes misères.

De toute façon, à ce moment-là, Moe n'est au courant de rien, alors elle se tait. L'enfant pèse un peu dans ses bras. Et le silence se prolonge, mais qu'aurait-elle à demander, qu'y aurait-il à mendier, puisque de toute façon sa vie continuera dans une voiture brisée et que ceux qui l'ont accompagnée jusqu'ici ont déjà pris ses papiers pour constituer son dossier. Alors après une minute, la femme en face d'elle fracasse son tampon sur une feuille, pousse vers elle un badge avec un numéro écrit dessus en gros : 2167.

— Ça c'est pour toi. Il faut l'avoir sur toi tout le temps, en cas de contrôle. Et ça te servira à retirer la nourriture à laquelle tu as droit chaque semaine, enfin, tu en auras besoin pour tout, ton identification, tout. C'est facile à retenir, c'est le même numéro que la voiture.

Elle trace une croix sur une photocopie du plan de la ville qu'elle fait glisser vers Moe en grognant :

— La 2167, voilà. Peugeot 306 grise.

Et cette fois Moe ne peut s'empêcher de dire : *C'est petit pour deux, une 306.*

Pas même un regard sur elle.

— Peut-être, mais elle est bien placée.

— Bien placée ?

— Je fais ça parce que tu as un marmot avec toi. Sinon tu pourrais crever.

— Pardon ?

— Allez, c'est réglé, on ne va pas y passer la nuit. Il y a du monde derrière.

— Mais vraiment, il n'y aurait pas une voiture plus grande quelque part ?

— Tu te fiches de moi ? Tu crois que c'est un palace, ici ?

Et la femme de l'accueil est tout énervée soudain, et Moe se souvient de la colère avec les types d'avant, les injures, à quoi bon. Elle murmure :

— Je m'excuse.

— Bon. Est-ce que tu as de quoi payer ?

— De quoi… comment ?

— Parce que tu penses qu'on va te loger à l'œil, mignonne ? Mais tu t'attendais à quoi ?

— Mais… payer pour ici ?

— Cent euros par mois. Tu as de quoi ?

— Bien sûr que non. Je ne serais pas là sinon !

— Alors il faudra que tu travailles en échange. Deux jours par semaine – la femme fait un geste pour reprendre le plan de la ville, Moe le lui rend, elle trace deux nouveaux cercles : là, c'est le boulot… ah ; et là, les cantines et les sanitaires.

— Mais c'est quoi, le travail ?

— Des cultures. Des champs. Ça sert à vous nourrir. De toute façon si t'as pas d'argent, tu pourras pas vivre ici, il faut bien que tu achètes des choses pour le mioche, tu feras comment ? Il y a tout dans les épiceries centrales mais il faut des sous. Aux cultures, deux jours par semaine, c'est pour le loyer ; les autres jours, c'est pour toi. Et si ça peut t'intéresser, ils vendent les cigarettes à l'unité dans le magasin.

— Je ne fume pas.

Mais la femme n'écoute pas.

— Pareil pour les tablettes de chocolat. On les vend par barres, sinon c'est trop cher.

— Mais on est payé combien, au travail ?

L'autre glousse derrière la vitre.

— Ah. Ça vient d'être revalorisé.

Elle fait mine de chercher dans ses papiers ; Moe devine qu'elle connaît le chiffre par cœur, ça se voit dans le petit sourire ravi au coin de ses lèvres, juste pour la faire marner, elle baisse les yeux, ne pas montrer la lueur de haine dans les yeux, pas déjà, et pourtant, s'il n'y avait pas l'épais verre entre elles, elle lui aurait lacéré le visage, à se moquer d'elle de cette façon.

— Le voilà… eh bien depuis ce mois-ci, tu as de la chance hein, depuis le début du mois c'est quatre-vingts centimes de l'heure.

— Quatre…

— Quatre-vingts oui. Voilà, tu peux y aller. La 2167, c'est à droite au fond en sortant, quartier 304. Dix-douze minutes à pied. N'oublie pas ton dossier. Et ton badge.

*

Moe erre une demi-heure avant de trouver la place 2167, tenant le petit serré contre elle, effrayée par le spectacle qu'elle découvre le long des rues sales. Un bidonville, ni plus ni moins, un vrai, au cœur de ce pays bien civilisé, au XXIe siècle. Partout, des gens désœuvrés fument, discutent, attendent, adossés aux voitures. Des voitures et, pour les plus chanceux ou les plus malins, des camionnettes, et surtout quelques caravanes, et Moe s'en étrangle à demi, pourquoi pas elle, avec l'enfant, pourquoi une si petite bagnole, ils tiendront comment, à deux ? Sûr que si elle avait eu un dernier billet à glisser à la femme de l'accueil le choix aurait été différent, mais à cela non plus elle n'a pas réfléchi, rien gardé, rien prévu, cette idiote qui affronte les drames au jour le jour et chacun comme s'il annonçait la fin des misères, à croire qu'elle va s'en sortir, rebondir, quand le sol en dessous d'elle est spongieux comme un marécage, elle a la gorge nouée et elle s'en veut, elle est colère, vrai, crachant des insultes – le bien que cela lui fait même si ça ne sert à rien.

Elle regarde en passant l'incroyable organisation reproduite mille fois pareil, sur le bord de la route principale, des carrés de six ou huit voitures créant chaque fois une courette centrale et tournant le dos au carré suivant, les quartiers comme a dit la femme de l'accueil, repliés sur eux-mêmes et les uns sur les autres à la fois, tels des immeubles vétustes et sans étage. La plupart des voitures sont prolongées par un abri de tôle ou de plastique pour agrandir l'espace vital, mordant un peu plus sur les cours, se rejoignant parfois en patios minables et troués, patchworks de bâches et de plaques grises, noires, brunes, bleues, blanches, parfois rouges, jaunes ou vertes, enroulées sur des morceaux de bois rongés, et sans doute qu'à l'hiver tout cela brinquebale sous la pluie et s'affaisse, et qu'au printemps on le relève à coups de ficelle et de clous rouillés, et encore, si c'était propre. Mais sous ses pieds, Dieu. En dehors de la grande artère qui fait le tour de la ville-Casse, le macadam disparaît. Le sol n'est qu'un champ de terre à force d'être piétiné par des milliers de pieds qui tournent en rond, poussière les jours de soleil, ruisseaux de boue quand il pleut, une ville brune et molle, jonchée d'ordures emmenées par l'air et que personne ne prend la peine de ramasser.

Au milieu des cours, malgré la chaleur du mois de juillet, des feux de bois crépitent, chauffant de vieilles casseroles en équilibre sur des grilles usées. Des hommes font la sieste sur les banquettes des voitures, des femmes s'éventent, assises à même le sol, vautrées contre les portières ouvertes. La préhistoire, version *Mad Max* ou pire. Avec des sortes d'êtres qui la suivent des yeux elle Moe, tout le temps qu'elle reste dans leur champ de vision, de rue en rue, à croire qu'ils sentent qu'elle vient d'arriver, et deux ou trois d'entre eux se sont levés et l'ont accompagnée quelques dizaines de mètres, parfois des mots grossiers qui lui serrent le ventre, parfois rien que ces affreux regards par en dessous, une main qui la frôle, elle va crier, s'empêche. *Va te faire mettre, à jouer la fière*, crient les hommes quand elle s'éloigne. Elle marche vite, court presque, tourne le plan dans tous les sens entre ses doigts, ne s'y retrouve pas.

Et cette odeur. Au départ, Moe pense qu'elle longe une déchetterie ; mais ça ne s'arrête pas, comme si cela la suivait, s'agrippait à ses vêtements, rentrait dans son nez – oui ces relents dont elle ne se défera plus, ceux de la Casse, quelque chose à vous retourner le cœur, et pourtant il faudra s'y habituer. D'abord il y a ce mélange d'odeurs typique des espaces sales, le moisi, le vieux, la pisse. Et puis la nourriture, avec des épices à ne plus savoir qu'en faire pour agrémenter la monotonie des repas, curry et oignons et ail, revenus mille fois, mélangés aux aliments périmés, raclés au sol s'il en tombe. Par-dessus tout flottent ces étranges effluves âcres, elle apprendra que ce sont les huiles, de moteur, de boîte, de pont. Quand on vit dans un cimetière de voitures. L'enfant et elle seront malades la première semaine, n'avalant rien, vomissant tripes et boyaux. Et déjà dans l'interminable quête de la place 2167, les pieds à peine salis par la tourbe, Moe met sa main devant sa bouche, cela lui rappelle quand elle entrait chez les vieilles, du temps où elle faisait des ménages, quelque chose de fétide que rien n'arrive à ôter, pourvu qu'elle trouve la voiture avant de dégorger ce qui lui reste dans les intestins.

Devant la 306, ignorant les voitures voisines et les gens qui l'observent, elle pose ses sacs. Les portières ne sont pas verrouillées. Ses pauvres affaires à la merci de n'importe quel chapardage, et elle jette un œil à l'intérieur en espérant que les sièges soient intacts, sent le poids des regards sur elle, dans son dos, sur le petit, mais elle a marché tête basse jusqu'à la carcasse, rien observé des autres, ou à la dérobée peut-être, les cinq voitures disparates autour d'elle, les cinq épaves, le quartier 304.

Alors voilà, Moe met les sacs dans la Peugeot, cale l'enfant sur le vieux velours, quelques instants. Après, elle s'assied par terre, juste devant. Et elle se met à pleurer.

Tout doucement, ma fille, pour pas qu'on t'entende. Pour pas qu'on te voie. Il n'y a pas que les petits gars qui ne pleurent pas, va falloir être forte à présent, c'est pas grave si t'as fait que des sottises jusque-là. Mais pour réparer, ça va être coton, faudrait peut-être penser à autre chose, déjà il fait beau pour ton arrivée au taudis, le bon côté de la vie qu'il s'agit de voir, s'il avait plu, hein.

Mais il n'y a que les larmes sur les joues de Moe, parce que la grand-mère est morte depuis longtemps, et la pensée lui déchire l'âme, plus personne pour venir la chercher, personne pour lui tendre la main et l'emmener ni même pour savoir qu'elle existe, l'espoir ils l'ont écrasé au fond des voitures et dans les rues pleines de dégueulasseries, et la terre sur ses chaussures, qu'elle égrène du bout des doigts en réprimant ses sanglots, pourtant ça te ferait du bien de pleurer mon cœur, il y a des fois où il vaut mieux y aller d'un bon coup, demain ça sera mieux tu verras.

Le soleil des premiers jours de juillet les réveille l'enfant et elle un peu après six heures. Impossible d'y échapper : derrière le pare-brise il fait trop chaud déjà, Moe a ouvert les vitres dans la nuit. Mais si ça n'avait pas été le soleil, les voix les cris et les bruits de casseroles se seraient chargés de les sortir du mauvais sommeil où ils ont sombré. La ville se déploie avec l'aube, et ses jacassements, ses odeurs de café grillé, de thé et d'épices. Moe garde les yeux fermés un long moment, les idées se remettent en place lentement, *C'est pas vrai*. Du bout du doigt, elle suit une fissure sur la vitre de la voiture en se demandant si le froid passera par là l'hiver, mais elle ne tiendra pas jusqu'à l'hiver, refuse de rester, elle va aller trimer à quatre-vingts centimes et ne rien dépenser, juste ce qu'il faut pour le petit, deux mille heures et elle aura l'argent de l'avion pour Papeete, deux cent soixante-cinq jours de travail, sauf qu'il y a ce loyer à payer – quatre cent quatre-vingts jours en tout, oui il y aura un hiver, peut-être deux. Le ventre noué, elle prépare le biberon de l'enfant. Pour la première fois, elle observe ce minuscule quartier où elle a échoué, quatre voitures, une caravane et une drôle de remorque, serrées autour de la cour, et au milieu de cette cour, le feu, protégé d'une hypothétique pluie par quelques tôles montées sur un enchevêtrement de tiges de bois. Et puis des planches posées à plat sur des parpaings pour faire des bancs, d'autres à peine plus hautes qui doivent servir de table, deux chaises en tube et en plastique abîmé, une chemise qui traîne, un amas de branches mortes.

Sur les bancs, cinq femmes.

Et ce n'est pas qu'elle ait franchement envie d'y aller, Moe, elle préférerait se tapir dans un coin et disparaître, sous la terre, sous une voiture. Mais il y a l'enfant qui bouge et babille en voyant le biberon dans ses mains, il faudrait le tiédir, elle ouvre la portière, marque un temps d'arrêt pour déplier son dos raide. À quelques mètres à peine, les filles la regardent à la dérobée. Elle s'approche les yeux baissés, à tout petits pas. Porte le biberon en avant telle une excuse, si elles voulaient bien elles là-bas la laisser le réchauffer pour le petit, elle demande, supplie presque dans sa tête, épaules voûtées pour ne pas faire peur, elle ne veut ni leur place ni leur pain, seulement le feu pour l'enfant. Les cinq visages vers elle, elle pense, Dieu il y en a d'aussi jeunes qu'elle, et les autres n'ont pas quarante ans, il n'y a que la vieille sur la droite qui détonne, et cette étrange voiture au milieu des autres qui attire son attention, une roulotte, une tache de couleur improbable, elle fronce les sourcils.

— Tu veux un thé ?

Moe sursaute, les yeux sur la blonde un peu ronde qui a posé la question, et que sa voisine vient bousculer en se moquant.

— Mais Poule, les gens normaux prennent du café à cette heure-là.

La fille blonde met les mains sur les hanches.

— Et pourquoi pas du thé ?

— J'te réponds même pas, demande-lui, si c'est pas du café qu'elle veut.

Une troisième s'ébroue, *Arrête, Jaja, tu ne vas pas nous faire un numéro à sept heures hein*, et à droite la vieille regarde Moe et sourit, sa voix rauque quand elle lui dit :

— Bienvenue, petite. Ne t'inquiète pas, ce sont de gentilles filles. Comment tu t'appelles ?

Alors devant la vieille qui a ces yeux bons et riants derrière les rides, Moe elle aussi sourit, que ça lui fait une drôle d'impression dans la bouche et sur les lèvres, et elle répond : *Moe. Je m'appelle Moe.*

— Et ton minet, tu ne nous le présentes pas ?

— Je…

— Oui, s'écrie la fille Poule, oh oui, amène-le qu'on le voie ! J'adore les bébés.

— Et donc, glisse la fille Jaja, tu préfères un café ?

*

Moe a mis l'enfant sur ses genoux, pris la tasse qu'on lui tendait. *J'peux lui donner ?* a supplié Poule quelques minutes plus tard, en montrant le biberon chaud. Étrange expérience du dénuement quand une étrangère prend dans ses bras le petit qui la regarde avec des yeux ronds puis sourit, et agite les mains pour manger, mais Moe n'a pas osé dire non. Elle contemple l'enfant qui n'est plus le sien à cet instant, qui dévisage, et écoute les mots-caresse en engloutissant son lait, que valent les bras de Moe pour qu'il les oublie de cette façon, elle lui en veut soudain, et s'il se vengeait pour tout le manque d'amour des premiers mois, est-ce qu'il n'a pas compris qu'elle ne savait pas ? Elle s'empêche de toucher l'épaule de Poule, *Rends-le-moi*, et pourtant comme elle aimerait lui dire là tout de suite, et la vieille qui sent les choses crachote dans le jour naissant.

— Ce petit coin, c'est chez nous tu vois. On vit toutes ensemble. Au début cela va peut-être te déstabiliser mais pouvoir compter les unes sur les autres, ça n'a pas de prix.

Moe opine en silence.

— Regarde, reprend la vieille, regarde-les, ces filles qui ne se sont même pas présentées, quelle grossièreté, nous avons perdu l'habitude. Ici sur ce banc – elle tend la main vers la gauche –, il y a la jeunesse, Marie-Thé et Nini-peau-de-chien.

Les deux filles hochent la tête en souriant. *Salut, Moe*.

— … Nini c'est celle qui est au fond, la jolie blonde aux yeux noisette, tu vois ? Marie-Thé, c'est celle qui nettoie les tasses, enfin la Noire, c'est plus simple pour la reconnaître. Elles doivent avoir ton âge n'est-ce pas.

— J'ai vingt-six ans, dit Moe.

Marie-Thé fait un signe en V avec les doigts. *Pareil*.

— Moi vingt-huit, dit Nini-peau-de-chien. Mais il paraît que je fais moins.

— Parce que t'es pas là depuis longtemps, grogne la fille Jaja.

— Ça fait quatre ans, je te signale.

— Ben voilà. Quatre ans, c'est que dalle.

Ada les interrompt d'un geste, regarde Moe avec un petit sourire.

— Eh bien là, il y a Jaja, qu'on entend souvent tu vois. Jaja c'est notre petite Arabe. Elle parle fort mais elle a le cœur sur la main.

— Hé ! s'exclame la fille brune aux cheveux courts. Je te permets pas ! Tu ne vaux pas mieux hein.

Ada rit.

— Je t'ai déjà dit que les Afghans n'avaient rien à voir avec vous les Maghrébins, tête de cochon.

— M'appelle pas tête de cochon, tu sais que j'aime pas.

Mais Jaja sourit en répondant à la vieille femme et Moe perçoit le jeu entre elles, une complicité même, sans doute sont-elles arrivées il y a des années, même si elle est incapable de donner un âge à Jaja, peut-être quarante ans oui, l'impression qu'elle a eue en la voyant, enfin elles se connaissent bien toutes les deux – et pendant une fraction de seconde Moe pense qu'elle aussi, elle voudra qu'Ada l'aime bien, dans cette ville où l'on devient un numéro dès que l'on passe la grille, et que chaque sourire doit finir par devenir un réconfort.

— Et la dernière, qui vient de fêter ses quarante-deux ans, c'est Poule, continue Ada. Elle va te rendre ton bébé, ne te fais pas de souci. C'est la plus gentille de toutes. Tu vois les taches de rousseur sur son visage ? Moi j'appelle ça des taches de douceur.

Lâchant le petit du regard, Poule fait un signe amical. *Bienvenue*, dit-elle. *Si on peut parler comme ça.*

— Et moi je suis Ada, la seule vieille ; ma peau et mon accent, c'est parce que je suis afghane. Voilà – elle désigne à nouveau chaque fille, une par une : Marie-Thé, Nini, Jaja, Poule et moi Ada. C'est mieux que de s'appeler par nos numéros de voiture comme ils font dans certains quartiers.

— Les filles, hurle soudain Jaja en exhibant sa montre, l'est huit heures moins le quart ! On est en retard !

— Merde ! crie Nini-peau-de-chien en se levant d'un bond, je ne suis même pas coiffée !

Poule tend l'enfant à Moe.

— Merci ! On se revoit ce soir.

— Mais…

— Marie-Thé, j'ai ton foulard, le cherche pas.

— Vous êtes prêtes ?

— Attendez-moi, je boucle mes chaussures.

— À ce soir, Ada !

— C'est ça. À ce soir – elle fait un geste de la main pour les chasser.

Trente secondes encore et la vieille rit devant l'air ahuri de Moe. Il n'y a plus qu'elles deux sur les petits bancs usés face aux braises, elles deux et l'enfant encore étonné qui cherche Poule du regard, les filles se sont évaporées, disparues dans la ruelle.

— Elles vont où ?

— Au travail.

— Aux cultures ?

— Oui.

— Tous les jours ?

— Jaja et Nini, oui. Sauf le dimanche. Les deux autres, trois jours par semaine. Poule pas toujours. Trop de fatigue.

— Il faudra que j'y aille aussi.

— Pour le loyer.

— Et pour partir d'ici.

— Partir ?

— Je veux rentrer chez moi.

— Ah, dit Ada. Toi aussi, bien sûr.

*

C'est une toute petite flûte qui ressemble à une flûte de pan, mais Marie-Thé dit que ce n'en est pas une, et posant à nouveau les lèvres sur les tubes elle tire ces sons doux et rauques qui ont mis les larmes aux yeux de Moe les instants précédents. Ada somnole appuyée sur l'épaule de Jaja, la nuit est tombée, l'enfant tout excité regarde le feu, écoute la musique qui les a fait taire.

Pendant la journée, Moe a entrepris de nettoyer sa voiture, balayer autour, ranger les quelques affaires qui remplissent déjà l'habitacle. Ada l'a aidée à fixer les deux tôles tombées à l'arrière, elle a dit sans rire : *Comme une terrasse couverte*, pour s'agrandir à la belle saison, quand même respirer devient difficile. Par deux fois, des femmes sont arrivées et Ada est allée avec elles. Moe ne pose pas de question. Au retour, la vieille Afghane dit seulement :

— Il y a des gens malades.

Et lui apprend la vie d'ici, les choses à ne jamais faire surtout, que ce serait grand danger pour elle Moe, et pour elles toutes peut-être : regarder les gardiens lorsqu'ils patrouillent – non non, jamais –, leur adresser la parole – il faut baisser la tête, petite, et enfoncer tes yeux dans la terre, tu comprends ? Aller seule dans les quartiers le soir. Laisser leur ruelle sans personne pour garder les voitures et les maigres biens. Engager la conversation avec n'importe qui – qu'elle leur demande avant, à elle ou aux filles, elles connaissent bien les habitants et les réputations.

Et quand Ada sourit, *Mais toi tu as peut-être des questions*, Moe hoche la tête, elle en a plein, mais une surtout, parce que l'enfant gigote sur le siège de la voiture et que l'horizon se borne à ces interrogations-là, survivre, et elle dit, un peu honteuse :

— Comment est-ce qu'on fait pour manger ? On m'a donné un badge à l'accueil mais je n'ai pas compris…

La vieille regarde au loin en opinant toute seule, *Se nourrir…* Moe s'excuse encore.

— C'est pour le petit.

— Dans le dossier qu'ils t'ont donné à l'accueil, il y a un badge avec ton immatriculation. Il faut l'avoir tout le temps sur toi, pour n'importe quelle vérification, n'importe quel problème, et aussi pour la nourriture. Sur leur liste, tu corresponds à un certain nombre d'aliments. Avec l'enfant, tu auras des choses spécifiques, du lait en poudre par exemple, ou des bouillies, ou des couches. Chaque début de semaine, il y a une distribution sur présentation du badge, ça ressemble à l'URSS avant l'explosion, des files d'attente à n'en pas finir, deux ou trois heures à faire le pied de grue pour pas grand-chose de frais : du café, du thé, du pain en sachet, un peu de sucre pour le matin. Et pour le soir, du riz, des pâtes, des boîtes de conserve – du thon, de la viande, des légumes. À chacun de gérer pour en avoir assez jusqu'à la semaine suivante, et il ne faut pas espérer de rallonge. À part ça, ils considèrent que, quand on ne travaille pas, on n'a pas besoin de déjeuner, alors seuls ceux qui sont aux cultures ont un repas à midi, dans les cantines. Les gamins, les vieux et les feignants rabiotent sur le matin ou sur le soir pour se mettre quelque chose sous la dent en milieu de journée. C'est mieux l'été et l'automne, parce qu'ils distribuent les fruits et les légumes de nos cultures. Mais si tu veux quoi que ce soit d'autre, il faut que tu t'enrôles aux champs pour gagner trois sous et acheter à l'épicerie.

Moe ne dit rien et Ada la regarde.

— Ce n'est pas toujours facile de manger à sa faim. Chez nous, on a un principe, on met tout en commun, les pénuries et les bonnes nouvelles, par exemple quand il y en a une qui revient avec des œufs pour faire des galettes.

— Mais si je n'ai déjà pas assez à manger pour le petit ? Je ne veux pas partager.

— Ce n'est pas une question. Ici, c'est la règle.

— Je ne suis pas d'accord.

— Tu ne comprends pas. Tu n'as pas le choix. Et crois-moi, tu ne le regretteras pas : c'est beaucoup plus dur dans les quartiers où chacun joue pour soi.

Mais Moe continue à secouer la tête, colère rentrée, les yeux rivés sur l'enfant et ses joues rondes, jamais elle n'acceptera qu'il se creuse, ce joli visage, et que des larmes le mouillent parce qu'il fait faim. Ada pose une main sur la sienne.

— Je devine ce que tu ressens. Mais est-ce que tu imagines des filles comme Poule ou Marie-Thé laisser un enfant affamé ? Ne t'inquiète pas, va.

Et la journée continue, interrompue par un thé et quelques biscuits, des biberons dans lesquels la vieille mélange la fin du lait infantile apporté par Moe avec du lait écrémé en poudre et un peu d'eau, le passage des femmes qui emmènent Ada ou s'enferment avec elle dans la caravane, *Je t'expliquerai*, dit-elle à Moe qui ne demande toujours rien.

— Tout le monde te connaît, hein. Cela fait combien de temps que tu es là, Ada ?

La vieille soupire.

— J'aime mieux ne pas compter.

Tourne le dos, conversation close, et Moe retiendra qu'il y a des questions qui ne se posent pas, ou pas tout de suite, la patience lui viendra comme une seconde nature, comme une méfiance nécessaire aussi, dire le moins de mots possible pour ne pas donner prise, à quoi, les méchantes oreilles, les esprits mauvais, on ne fait jamais assez attention. Il suffit d'une syllabe portée par le vent, d'une porte laissée ouverte, c'est une image bien sûr, murmure Ada en souriant. Moe essaie de comprendre.

— Mais qui fait la loi ici ?

— Tout le monde.

— Ça ne peut pas marcher si c'est tout le monde.

— Tu as raison. Ça ne marche pas.

— Comment on fait pour vivre, alors ?

— Chacun pour soi. Quand on a la chance d'avoir un quartier soudé comme nous, on est sauvé. Mais ce n'est pas si fréquent. La moitié des filles qui arrivent se font violer le premier jour. Dans les coins de l'est et du nord, il y a peu d'entraide, juste la loi du plus fort.

— Pas de police ?

— Les gardiens, toujours. Tu te souviens de ce que je t'ai dit ?

— Oui. Ne pas les regarder, ne pas leur parler.

— Et ne pas compter sur eux. Sauf si tu as quelque chose à offrir en échange.

Moe étrangle un sanglot, et Ada ouvre les bras.

— On s'habitue tu sais. On s'habitue à tout. Demain tu iras travailler avec Jaja et Nini-peau-de-chien, elles te diront où t'inscrire. Je garderai ton petit avec Poule. Il ne faut pas se laisser glisser, pas attendre, arquer tout de suite sinon tu n'auras plus la force. Je sais que tu ne veux pas le lâcher ton enfant ; tu as la nuit pour te faire à l'idée, parce que là non plus il n'y a pas d'autre choix.

Et dans sa deuxième nuit à la Casse, les yeux rivés au feu qui joue sur son visage, Moe observe les cinq femmes fatiguées, écoute les bavardages chuchotés et le suintement du thé à la menthe qui coule dans les tasses et dont le parfum, pour quelques instants, couvre les odeurs de pourriture et de merde. Il y a une beauté fatiguée en chacune d'elles, ronde comme Poule, rieuse comme Marie-Thé, ou encore austère – Ada et Jaja ont de longs traits tendus et des yeux brillants malgré l'obscurité ; seule Nini-peau-de-chien rayonne, Moe se demande pourquoi, d'où vient cette incroyable force. Elle-même dans quatre ans, à laquelle ressemblera-t-elle ? Les mains refermées autour du gobelet, elle contemple sa vie anéantie, vingt-six années échouées dans ce vide immense. Marie-Thé a posé sa flûte. Le silence les enveloppe, un faux silence entrecoupé de voix dans les autres voitures, auxquelles les leurs tournent le dos, des rires, des ronflements, et puis le bruit de la ville qui ne dort jamais entièrement, jamais ensemble, les rythmes l'empêchent de se reposer, le sol est toujours foulé par quelques pas, l'air par quelques insultes. Si elle était ailleurs, Moe dirait peut-être que c'est une belle nuit – s'il n'y avait pas la promiscuité, les odeurs, l'absence d'avenir. S'il n'y avait pas non plus les centaines de rallonges électriques qui courent sur la terre et barrent le ciel, flottant d'un poteau à l'autre et d'une berline à une caravane, alimentant des ampoules de trente-cinq watts posées à même le sol, à même les tableaux de bord qui sentent le chaud et que l'on craint toujours de voir prendre feu.

Moe courbée sur les plantations n'entend pas la cloche qui pourtant sonne à la volée, peut-être la raucité de son halètement sous le soleil, malgré le foulard noué par-dessus ses cheveux et qui empêche qu'elle soit déjà tombée d'un coup de chaleur, enfin Moe n'entend pas et continue, avance les mains, pince les ramifications, la bouche ouverte. Il faut que Jaja vienne la prendre à l'épaule et la secoue pour la sortir de l'état d'hébétude où elle est tombée, l'étreinte sèche et puis la voix qui claque elle aussi.

— Mais qu'est-ce que tu fais, c'est sonné, là.

— Sonné ?

— C'est midi ! Dépêche, on n'aura plus de place sinon.

Elle l'entraîne vers le bâtiment sale, Nini la pousse, Marie-Thé la soutient par le bras, et la voilà elle comme une vieille ivrogne qui ne sait plus marcher, penchée qu'elle était sur les rangs de tomates et la tête pleine du sang qui afflue depuis quatre heures, tapant au front et martelant les tempes, va de travers Moe, c'est le monde qui tourne, le chaud qui redescend. Jaja court en avant, s'étale sur un bout de table en levant les bras pour réserver le banc, *C'est pris ! C'est pris ici !*

Moe sent qu'on l'assied, on lui tend un verre d'eau, *Doucement*, dit Marie-Thé, *tu vas te tordre le ventre. Et enlève ton foulard pour le faire sécher.* Elle ne bouge pas et Jaja le lui arrache avec une excuse.

— J'suis pas trop délicate hein, mais tu seras mieux, elle a raison.

La voix de Nini-peau-de-chien derrière, *Ça va Moe ?*

Répond pas.

— Ça va ? répète Marie-Thé.

Et elle à aspirer l'air suffocant, les joues écarlates, elle hoche à peine la tête pour montrer qu'elle a compris, parler il n'y faut pas compter, reprendre haleine, avec ce fichu cœur affolé en dedans et la brûlure au fond des yeux à croire qu'ils vont sauter des orbites, elle presse ses mains sur son visage.

— Touche pas, murmure Nini. Tiens, mets ça mais ne frotte pas.

Moe prend la serviette imbibée d'eau, l'applique sur sa peau en feu. Elle reste un long moment cachée dans le tissu humide, voudrait qu'on l'oublie pour de bon, qu'on lui fiche la paix et qu'elle se dessèche là, pauvre fille, mais comment font les autres ? Des jours entiers à étêter et pincer les tomates, ont-elles prévu ; et après ce sera cueillir les haricots verts, par dizaines de milliers, mais pas tous, laisser grossir, mais pas trop, repasser dans les rangs un jour sur deux et recommencer. Puis repiquer quinze mille poireaux et huit mille choux pour le printemps. Ramasser les autres, les choux-fleurs ; huit mille aussi. *Un chacune*, encourage Marie-Thé, *on s'en tapera des ventrées.* Faire la dernière butée des pommes de terre. *On les aura à partir de septembre*, se régale Jaja, et Nini applaudit — *Je veux rentrer chez moi*, supplie Moe en silence, toujours escamotée derrière la serviette.

Peu à peu les sens lui reviennent, son visage se décongestionne, et même là-dessous le cœur accepte de se rendre, retrouve un rythme qui ne cogne plus contre les côtes, elle flotte, Moe, dans cette étrange sensation cotonneuse, l'air est blanc comme du lait. Très doucement, elle fait glisser la serviette, la pose à côté d'elle. Elle ne regarde pas les filles. Dit à voix basse : *Merci*. Un haut-le-cœur devant l'assiette qu'on lui a garnie, pas faim, elle veut seulement boire, un jus de fruits frais, une bière pression, un Coca, des litres.

— Pourquoi tu ris ? demande Jaja.

Elle se défend d'un geste. Nini lui montre l'assiette du doigt.

— Vas-y, mange. Tu tiendras pas cet après-midi sinon.

— D'ailleurs tu devrais retourner aux voitures, grogne Jaja. T'as une sale tête et tu commences à délirer.

Mais Moe secoue les mains, *Il me faut cet argent*.

— Bon sang, insiste la fille brune, il faut surtout que tu fasses pas une insolation ou une saleté du genre. Ça te mènera à quoi, d'être hospitalisée avec tes six euros quarante ce soir ?

— Je peux pas baisser les bras comme ça le premier jour.

— Regarde, Poule ça n'allait pas ce matin et elle est restée aux voitures. Toi tu préfères crever sur place ?

— Je n'ai pas dit ça.

— Non, mais c'est ce qui va arriver. Tu crois qu'on n'en a pas vu tomber raides, des filles arrivées en plein cagnard ou en période de grand gel ? On a besoin de s'habituer. Même un jour ou deux ça suffit.

— J'ai pas le temps.

— Et qui s'occupera de ton gamin quand tu seras morte ?

Moe se fige soudain, ajuste son regard sur Jaja qui a haussé les épaules et lui tourne à moitié le dos. Elle a mis les mains dans ses poches, cherchant quelque chose au fond, et a beau se tortiller, ne sort rien, fait comme si. Quelques gestes du bout des doigts, des gestes dans le vide que Moe reconnaît pourtant, pour les avoir vus si souvent chez Rodolphe, une cigarette que l'on tire d'un paquet, la molette du briquet qui roule, Jaja aspire le néant, souffle une fumée invisible. Se marre devant l'air ahuri de Moe : *Ouais, ça me fait passer l'envie, des fois. Sinon c'est trop dur*. Ajoute dans un grognement :

— Écoute, je te propose un truc pour aujourd'hui. Tu rentres te reposer et je te donnerai l'argent de l'après-midi. C'est pas la peine que tu calanches tout de suite.

— Je ne peux pas.

— N'importe quoi.

— Toi aussi tu en as besoin.

— Moins que toi. Et puis – cette fois elle plante ses yeux espiègles dans ceux de Moe – j'ai des économies, moi, depuis le temps.

Nini-peau-de-chien se met à rire, *Moi aussi*. Marie-Thé lève l'index, *Si je peux dire quelque chose*... mais Jaja l'interrompt.

— Toi, je te vois venir.

— Voilà.

— C'est moi qui ai eu l'idée.

— Eh bien maintenant on est trois, hein Nini ?

— C'est sûr. À trois, ça fait un peu moins d'un euro dix par personne.

— Autant dire rien.

— Ouais. Rien du tout. Tu peux rentrer tranquille hein. Tu nous coûtes pas cher.

Moe éclate en sanglots.

*

Assise dans la caravane d'Ada, elle découvre les étagères serrées emplissant l'espace, les minuscules pots remplis d'herbes et d'huiles, les tiges et les feuilles pendues tête en bas. L'impression d'être entrée chez une sorcière, et puis il y a un frigidaire dans un coin, privilège impensable, Ada lui a fait boire un thé glacé. Poule fait la sieste dans sa roulotte avec l'enfant, Moe ne veut pas les voir, juste ses doigts posés sur son visage ravagé et la tête qui tape à n'en plus pouvoir.

— Tu vas avoir des cloques c'est sûr, dit la vieille en prenant un onguent.

— Ça brûle.

— Je ne sais pas comment tu t'y es prise. À croire que tu t'es mis le nez exprès au soleil.

— Ce sont des remèdes tout ça ?

— Oui. Ici, avant d'avoir droit à un médicament, il faut être mourant. Alors je ramasse des plantes quand je peux et je fais mes mixtures.

— Les femmes, c'est pour ça qu'elles viennent ?

— Oui.

— Si nombreuses ?

— Je n'arrive même pas à toutes les soigner. Il me manque des herbes en fin de saison. Il me manque de l'aide.

— Mais elles ont quoi ?

— Des enfants.

Et Ada raconte à voix basse, bien sûr les viols, chaque nuit, chaque jour, mais aussi les histoires d'amour, et tout ensemble cela en fait des petiots qui grandissent dans les ventres ; seulement qui voudrait les voir naître ici ? *Tu verras*, murmure-t-elle, *tu comprendras de quoi je parle*. Et à bien y réfléchir il n'y a pas tant d'enfants dans cette ville, se dit Moe, quand on suit les rues sales, oui bien sûr, on entend les cris et les rires, mais pas assez, comme dans une ville qui meurt, une ville de vieux, sauf qu'ils ne sont pas vieux.

— C'est toi alors ?

Ada soupire.

— On n'a pas besoin de davantage de malheur. C'est trop dur d'avoir un petit ici, d'essayer de l'élever, qu'il ne lui arrive rien.

Moe pense à l'enfant qui dort dans la roulotte ; si elle-même disparaissait, un accident, on ne sait pas, est-ce que Poule, ou Marie-Thé, ou Nini ou même Jaja en prendrait soin ? Qui se chargerait d'un poids qui n'est pas le sien, dans cette ville où même manger à sa faim est un défi chaque jour – elle préfère ne pas se poser la question, tourne la tête pour planter ses yeux dans ceux d'Ada qui brillent.

— Mais tu fais ça… comment ?

— Oh – et elle sourit la vieille, cette fois –, si tu veux savoir, pas avec des aiguilles à tricoter.

— Des plantes ?

— Oui.
— Et ça marche.
— Pas toujours.
— Alors ils naissent, finalement.
— Ou ils meurent tous les deux, la mère et l'enfant.
Ada contemple l'espace dehors, par la porte ouverte de la caravane.

— Tu sais, ce n'est pas facile d'être celle qu'on vient chercher pour donner la mort. Je les compte ces petiots qui ne seront jamais des bébés, pas depuis le début parce que je ne pensais pas que, mais avec le temps, tu vois j'ai des milliers de petits anges dans le ciel, oui peut-être six mille, six mille tu entends, tous de mes mains, mes mains je ne peux plus les regarder, avec toutes ces morts qu'elles ont faites.

— C'est pour une bonne cause, murmure Moe – mais Ada efface ses mots d'un geste.

— Heureusement que je soigne aussi, vraiment, sans quoi cela n'aurait pas de sens. Des maux de tous les jours. D'autres plus graves, quand je sais.
— Mon nez et mes joues ?
— Voilà.
— Ça brûle, je te l'ai déjà dit ?
— Je crois que oui, petite.

*

Il faut attendre tard que la nuit tombe, en ce mois de juillet, pour voir le feu monter en escarbilles dans le ciel noir, mais qu'importe elles patientent, filles et vieille, le visage fatigué, étouffant leurs bâillements et les yeux rivés sur les flammèches orange qui crépitent en s'évanouissant dans l'obscurité.

— Ça me rappelle les baguettes qu'on allumait sur les gâteaux et qui faisaient une pluie d'étincelles, chuchote Marie-Thé.

— Oh oui. Des cierges magiques, ça s'appelait, ajoute Nini-peau-de-chien.

Jaja acquiesce.

— Ça piquait le dessus des mains quand on apportait le plat.

— On éteignait la lumière.

— Et on chantait.

— Joyeux anniversaire…

— Depuis combien d'années on ne chante plus ça, regrette Marie-Thé.

Poule les regarde, un sourire aux lèvres. *C'est vrai. Et il n'y a pas de raison.* Alors elle dresse un doigt en l'air, qu'elle balance de gauche à droite comme pris d'un rythme, et soudain sa voix s'élève, les surprenant toutes, presque incongrue dans cet espace misérable, ou magnifique, qui leur noue le ventre aux premières notes : *Joyeux anniversaire…*

Jaja est la première à lui emboîter le pas, debout d'un coup, pour que la chanson s'entende de loin, dans les ruelles et les quartiers, qu'il y ait de la vie enfin, et elle se met à brailler à pleins poumons, *Joyeux anniversaire*, tandis que les autres filles chantent à leur tour, timides d'abord, et puis l'imitant, et de plus en plus fort – bientôt le refrain est fini mais Poule crie : *On recommence !*, et les voilà qui s'égosillent en éclatant de rire, vraiment on dirait des folles, Ada les observe et tape des mains pour les accompagner, voit les étoiles dans leurs yeux. Bien sûr il faudrait leur dire que ce n'est qu'une illusion, quelques minutes de rêve ailleurs, il y a longtemps, quand elles étaient gamines peut-être, un soir de fête, avec des parents, des frères et des sœurs. Ce temps qui ne reviendra pas ; cette insouciance que la Casse a achevé de briser, à présent que la dureté enveloppe leur existence. Et elles s'en rendent compte toutes seules, car les rires se troublent, les voix se font plus graves, et plus lentes, et la chanson s'interrompt d'elle-même, les sourires embellissent toujours les visages des filles mais se sont figés.

Nini-peau-de-chien renifle trop fort.

— Eh non, murmure Marie-Thé, va pas pleurer, Nini…

— Je sais… je ne peux pas m'empêcher… ça me fait quelque chose, cette chanson.

Jaja hoche la tête. *C'était bien hein.* Toutes, elles acquiescent à voix basse. Bien, la chanson ou le passé, aucune d'elles ne le précise, quelle importance – la chanson ou le passé, cela s'est enfui. Et elles ont à nouveau le nez levé vers le ciel et les escarbilles, comme un quart d'heure auparavant, les mêmes filles exactement, sauf que tous les yeux sont brillants de larmes à présent. Une vieille nostalgie qu'il aurait mieux valu ne pas réveiller tant cela fait mal ; mais se sentir humain, enfin. Elles se taisent un long moment, ravalant lentement leur émotion telle une petite bête échappée qu'il faut remettre dans sa cage à coups de fausses promesses et de douceur.

— Vous savez quoi, soupire Jaja, en parlant d'anniversaire. Le mois prochain ça va faire huit ans que je suis là.

— Ah non, proteste Marie-Thé.
— Quoi ? J'ai rien dit.
— Mais je suis sûre que tu vas le demander.
— Quoi donc ?
— Qu'on te chante *Joyeux anniversaire* pour tes huit ans.

Le léger rire de Jaja, un roucoulement, elle secoue la tête.

— Non, non, promis. On va pas se faire pleurer tout le temps. Mais si je peux, je m'achèterai un paquet de cigarettes pour fêter ça. Un entier.

Elle s'allonge à demi sur le banc. *Comme quand on était mômes et qu'avec les copines on les achetait à deux parce qu'on n'avait pas assez d'argent. Après on partageait le paquet, et on le fumait ensemble. Une toi, une moi, et ainsi de suite. De cette façon on était sûres qu'on serait à sec ensemble.*

Elle frotte l'index et le majeur l'un contre l'autre, là où se calent les cigarettes quand on en a, et que la peau appuie sur le papier, elle ne s'en rend même pas compte, les doigts jouent sans elle, sans pensée, sans rien.

— Merde, elle dit, si j'avais su que pas loin de trente ans plus tard j'en serais toujours là.

Il en a fallu de l'eau, et les huiles d'Ada, pour que les paupières boursouflées de Moe s'ouvrent au petit matin, acceptent de rendre un peu d'espace et que la ville lui apparaisse dans la grisaille de son été trop chaud, il va faire de l'orage c'est sûr, dit Jaja en observant le ciel. La peau blanchie par les onguents, Moe lève la tête, essuie ses larmes à cause de la lumière, peut-être les yeux brûlés eux aussi, et elle a vu l'enfant flou au réveil ses mains tendues vers elle, qu'elle a manquées la première fois, le regard désaxé.

Elles vont toutes au travail aujourd'hui, les filles de la ruelle, c'est Ada qui garde le petit. Et vrai, ça lui fait quelque chose à elle Moe de savoir que la vieille sera seule avec lui cette journée, si elle tombait, si elle avait un accident, qui pour prévenir, elle est si maigre Ada, elle a quel âge. Mais aucune des filles n'a de réponse, aucune ne s'inquiète, et Poule sourit.

— Elle est immortelle Ada.

— Y a jamais eu de problème avec elle, renchérit Marie-Thé.

Moe s'excuse presque.

— C'est pas ça, c'est juste qu'elle est toute seule, s'il arrivait quoi que ce soit.

— Mais qu'est-ce que tu veux qu'il se passe ?

— Eh bien… – et les mots lui manquent soudain, parce qu'il peut tout arriver, elles sont les premières à le dire, la violence, les chapardages, les délinquants, Ada blessée, l'enfant enlevé, la ruelle muette avec ses voitures pillées, brisées, des voitures comme des tombes aux portes ouvertes, des enfers vides et béants.

Poule la regarde de biais.

— Est-ce que tu comprends que personne ne s'attaquera à Ada, ici ?

— Je…

— Mais oui, s'écrie Jaja, comment veux-tu ? Cela fait plus de vingt ans qu'elle est là. Tout le monde vient la voir pour ses remèdes, on la connaît dans la ville entière, elle sait tout, elle entend tout. Même les gardiens la respectent.

— Tu es sûre ?

Nini reprend à son tour, *Évidemment ! On a une chance inouïe d'habiter dans sa ruelle. Elle nous protège. S'il y a un problème, elle nous prévient. Tu crois que ça serait aussi facile dans un autre quartier ?*

Moe ouvre des yeux ébahis.

— Facile ?

— Oui, facile. Par rapport aux autres, on a la belle vie.

Poule explique.

— Personne ne nous cherche des ennuis. Par exemple, la nuit, on ne craint rien ; ailleurs les filles sont agressées, on vole leurs affaires. C'est pour ça que la plupart se mettent en couple, mais ça ne suffit pas toujours.

— Faut pas être idiot non plus, rectifie Jaja, on va pas aller faire la fête dans les quartiers nord le soir. Hein Nini ?

Mais c'est Poule qui fronce les sourcils.

— J'ai pas dit ça. Je dis seulement qu'avec Ada, notre ruelle est à l'abri.

— Et ton petiot, il risque rien, affirme Marie-Thé. Rien de rien.

Alors elle imagine l'enfant dans les bras d'Ada tous les deux à regarder les centaines de pots minuscules sur les étagères de la caravane, et les herbes à l'intérieur, hachées, brassées, la vieille ouvre les couvercles un à un, renifle, commente, explique à quoi cela sert. L'enfant a son nez en l'air et écoute la voix qui vient d'au-dessus, bascule de gauche et de droite pris entre le timbre de la vieille femme et les bocaux qui scintillent à la lumière, verts épais, gris ou jaunes, mélanges tirant au bleu ou sur des bruns veloutés, des odeurs partout, âcres et enivrantes – le petit éternue, Ada se met à rire.

Dans les plantations de tomates, Moe sent son cœur battre avec force, prend la mesure du soleil et des heures, regard posé sur le dos des filles courbées à côté d'elle, leur souffle elles cinq, calme et rythmé, le sentiment d'être hors du monde, et au fond elle le sait ce n'est pas un sentiment, plutôt une réalité terrifiante qu'elle apprivoise lentement, tel un cheval rétif piqué à l'arrière par la fourche de son laboureur. Et vraiment il s'en faudrait de peu, à cet instant, qu'elle ne se contente de la sueur inondant son front, glissant jusqu'aux cils et qu'elle voit passer devant ses yeux en gouttelettes translucides, dans sa tête il n'y a plus que les plants à pincer et à étêter, les rangs à parcourir, la chaleur qui pulse dans son cœur et dans ses poumons, mais où est donc l'orage promis par Jaja, oui elle pourrait s'en tenir là, s'il n'y avait le jour d'après, et tous ceux qui suivent, le même horizon bouché qu'elle a fui en quittant Rodolphe, encore cinquante, soixante ans à vivre, non, pas de cette façon, pas ici.

Par deux fois on les arrête pour leur donner à boire et elle s'assied à même la terre, disparaissant entre les plantations, et derrière les tiges et les feuilles charnues elle fait signe aux filles, quelques sourires fatigués entre elles et une sorte de joie étrange à ne plus se sentir si absolument seule, depuis combien de temps vivait-elle à l'écart des autres, de la grand-mère et de Rodolphe, de Réjane, de tout, juste elle et l'enfant, deux solitudes en pleine mer, et la mer, Dieu qu'elle connaît.

L'eau versée sur son visage et sur ses cheveux, sur le foulard sali. Elle prend dans sa poche le baume donné par Ada. Le parfum des plantes la ramène à la caravane, au feu au milieu des voitures, la roulotte de Poule, elle n'a pas encore osé demander pourquoi Ada avait une caravane et Poule une roulotte, pourquoi elles ont échappé elles aux carcasses de métal, peut-être ne faut-il pas poser la question, mais qui l'en empêcherait ? *Il fait chaud*, elle dit. Jaja montre le ciel du doigt, les filets blancs des nuages, la main magique de Jaja et le tonnerre roule au fond soudain, quand rien ne l'annonçait que quelques mots d'une pauvresse au matin, le tonnerre et un voile gris sur le paysage, s'avançant telle une bête au pas de course, Jaja danse, éclate dans le soleil qui vire déjà, midi sonne, elle s'élance vers les cantines, veut une place au bord, pour regarder tomber l'eau.

L'après-midi elles le passent sous une pluie de mousson. Les vêtements collés aux corps les ont rafraîchies avant de les glacer, demain il faudra prendre un imperméable, elles ont été négligentes, ou joueuses, quand la tempête est le seul remède à la touffeur de l'été. Elles travaillent vite pour ne pas sentir le froid, de grands gestes inutiles, la pluie dévale de leurs cheveux en gouttières, elles ont noué leur foulard sur le front pour ne pas relever sans cesse leurs mèches aplaties. Moe du coin de l'œil observe les chemises moulées sur les ventres et les poitrines rondes, les épaules maigres et nerveuses de Jaja, les bras solides de Marie-Thé. L'orage les met à nu et les exhibe, quand les gardiens passent à côté ils regardent. Et elles superbes dans leur fierté si vulnérable, tête haute et les yeux ailleurs, repliées sur elles ces dangereuses silhouettes de femmes, les tentatrices, les salopes, c'est ce qu'ils disent quand ils en déshabillent une, elles savent qu'il faut rester ensemble, s'ils s'approchent elles crieront, des hurlements à casser les pare-brise des épaves, ils n'oseront pas. Les heures s'allongent à pincer les gourmands sur les pieds de tomates, la pluie leur fait un voile devant, troublant leur regard, Moe se trompe et coupe les bonnes tiges, les fruits au sol, déjà orange, des petits soleils ruisselant d'eau sur le sol noir, des cercles parfaits, et la symétrie des grappes rondes — *Merde*. Marie-Thé chuchote à côté d'elle :

— Continue comme si de rien n'était. Personne t'a vue. Écrase-les dans la terre, vas-y, écrase.

Alors elle frappe avec le talon des chaussures, presse, broie, noie dans la boue, surveille les peaux et les pulpes et les pépins qui s'éparpillent, refusant de se laisser happer, qu'elle rattrape du bout du pied en les enfonçant encore, et eux se débattant, elle s'énerve Moe, l'impression que c'est vivant sous sa semelle, elle sent sa gorge se nouer, ce ne sont que des tomates, ma fille, des *tomates*. Après elle essuie la sueur sur son front, et rien ne prouve bien sûr que ce soit de la sueur parce que la pluie ravine toujours les visages, mais elle le perçoit ainsi, aux picotements de sa peau, à l'odeur aigre qui monte de ses aisselles, un coup de peur, si on l'avait emmenée pour lui faire la leçon, si elle avait perdu l'argent de la journée à payer les fruits coupés, quel gâchis, quelle erreur. Et l'incident lui gâte la fin de l'après-midi à craindre jusqu'au son de la cloche que les gardiens viennent lui demander des comptes, ces traces plus bas comme le piétinement d'une bête folle, et les pépins remontés à la surface et gorgés d'eau, que dire, elle articule en silence, prépare des excuses. En vain, car personne ne l'aborde. Mais elle ne respire enfin qu'au moment où elles passent toutes les cinq les clôtures des plantations, réintégrant la ville et ses voitures, et elle qui retrouve l'air au fond de ses poumons et le long de sa gorge, lève les yeux au ciel, les pans bleus derrière les nuages qui font briller la pluie sur ses cils, gagné, elle a gagné.

*

Le feu abrité par la tôle et les bancs de fortune, l'eau n'a rien touché, Ada veille, chassant d'un geste de la main les rafales qui voudraient s'approcher, et l'enfant dans ses bras contemple les flaques au sol et le foyer miraculeusement protégé par des mots qu'il n'a jamais entendus. Il y a l'odeur aussi, celle d'Ada, qui a imprégné son corps toute la journée et qu'il a aspirée de la même façon qu'il aurait bu à une source de lumière, quelque chose d'irradiant que sa peau retient en frémissant, tout en sécheresse et en force et que rien n'arrête, parfois il se retourne, bascule en arrière pour voir d'où vient la voix qui va avec la force, rencontre la silhouette fine et voûtée de la vieille femme, et rit, et bat des mains sans savoir comment ni pourquoi. Quand il retrouve les bras de Moe à la fin de la journée, il ne peut s'empêcher de vérifier qu'Ada reste bien là avec eux, et le thé qu'elle verse dans les tasses tandis que les filles changent de vêtements pour se sécher autour du feu.

— Il est gentil ce petit, dit la vieille.

— J'espère qu'il ne t'a pas trop dérangée.

— Mais non. Ça a été calme aujourd'hui.

Si l'enfant savait parler, peut-être ajouterait-il : *Oui, car on n'a fait qu'un seul ange, vraiment c'était une journée paisible, on aimerait qu'il y en ait plus souvent, quand on prend les bocaux du bon côté des étagères, pour un rhume ou un mal de ventre, ou une méchante fièvre*. Mais bien sûr il se contente d'agiter les doigts en babillant, et Moe l'embrasse, ses cheveux courts et fins sous ses lèvres et le parfum de bébé toujours là, qui s'estompe avec les jours et les semaines, elle ne veut pas qu'il sente l'huile moteur à son tour, elle ne veut pas arrêter de fermer les yeux en cherchant à quoi la renvoie cette odeur de miel et de rose.

Et puis lorsque les voix se sont tues, il y a cette question qui vient en face d'elle, si naïve et si prévisible, pareil que si Poule avait demandé le temps pour demain – mais Poule ne veut pas savoir s'il fera beau ou s'il pleuvra, non, c'est autre chose, à la fois bien plus simple et bien plus complexe, qui fige Moe d'un coup.

— Mais il s'appelle comment, ce bébé ?

Et d'abord la réponse de Moe est dans son visage un peu pâle et ses traits tirés, dans sa bouche fermée qui ne veut pas laisser passer les mots. Jaja se met à rire.

— T'as oublié, c'est ça ?

Mais Moe regarde Jaja et le rire cesse.

— Je plaisante, s'excuse la fille brune.

Cependant l'interrogation subsiste, vient heurter Moe sur le tour de sa tête. Pourquoi, oui, pourquoi est-ce qu'elle ne le nomme pas ? Pourtant il a bien fallu lui donner un prénom à la clinique. Avant même qu'il soit né, pour qu'une infirmière l'écrive sur une feuille accrochée au lit ; un prénom choisi par elle toute seule, Moe, parce que Rodolphe savait que l'enfant ne pouvait pas être le sien et qu'il ne le désignerait toujours que par un mot, le gniard, rien d'autre. Et sans doute Moe avait-elle senti qu'elle devait faire la même chose, ne pas appeler l'enfant, pour ne pas lui donner d'existence, et que Rodolphe accepte de voir le berceau dans un coin de la pièce – dans la chambre, jamais. L'enfant avait pu vivre chez Rodolphe parce qu'il était invisible. Il était devenu un enfant sans nom. Son petit à elle. Même en secret, elle ne l'appelait pas, pour que cela ne lui échappe pas plus tard. Pour le protéger.

Heureusement, il est né avec la peau presque blanche, le sang tahitien évanoui, noyé par la campagne et la pluie – un bébé comme les autres, aux grands yeux couleur noisette ; jamais Rodolphe n'a pu se moquer de lui, le métis, le bâtard qu'il attendait, espérait même pour humilier Moe, jamais il n'a pu dire cela, trop indifférent pour le regarder de près, s'attarder sur les longs cils noirs qui peut-être – Rodolphe n'a pas vu, non. Pour lui, l'enfant a cessé d'exister au bout de quelques jours. Parfois se cognant au berceau en venant dîner, un grognement — *Ah il est là, celui-là.* Ou quand le petit ronchonnait parce qu'il avait faim. *Y a ton gniard qui réclame encore.*

Mais bien sûr que Moe connaît son prénom. Seulement, elle n'est pas certaine de l'avoir prononcé depuis la clinique. C'est comme une langue étrangère dans sa bouche, un mot qui ne vient pas. Elle hésite. Les filles l'observent avec de l'étonnement dans le regard, sans oser parler.

Alors c'est Ada qui le fait. Ada qui murmure, mais comment peut-elle savoir, cette vieille femme aux yeux noirs et brillants, chuchotant à ce moment-là : *Il n'y a pas de danger pour lui ici, Moe.*

Et Moe sourit, parce que soudain tout semble facile. Elle hoche la tête et articule en écoutant sa propre voix, fascinée par la sonorité du nom :

— Il s'appelle Côme.

Poule pose un doigt sur le front de l'enfant.

— Petit Côme. Un nom plein de lumière.

Moe resserre légèrement ses bras autour de lui, voilà, c'est ça. Elle n'est pas sûre de l'appeler davantage, à présent. Mais les autres le feront ; les autres qui se tiennent autour d'elle et qui répètent le nom de l'enfant à voix basse pour, enfin, lui permettre d'être révélé. Marie-Thé soupire.

— Pauvre petit bonhomme. Arriver ici à son âge.

— C'est sûr, appuie Jaja. Quel sale monde.

Les yeux de Moe, grands ouverts.

Jaja remarque son air perdu, agite la main.

— Eh non, va pas mal comprendre. On dit pas que c'est ta faute hein.

Les filles s'exclament.

— Ah ça non !

— On n'a jamais pensé ça.

— Juste qu'envoyer un bébé ici, c'est fou. C'est…

— Dégueulasse, termine Jaja. Mais c'est pas toi.

— C'est la vie qui est comme ça aujourd'hui, dit Poule.

Et Moe murmure d'une voix tremblante, *J'ai essayé. Je vous jure. Avant d'arriver là, j'ai essayé. Je m'y suis sûrement mal pris ; mais il me semble aussi que je n'ai pas eu de chance.*

Marie-Thé lui tapote l'épaule.

— On te croit. Et on voit bien que tu l'aimes, ton petit Côme. On n'a pas fait mieux, nous, tu sais ; sinon on serait pas là.

Mais cela ne suffit pas à la consoler soudain, et Moe les regarde bien en face, les larmes brûlant le bord de ses paupières.

— C'est pour qu'il ait une vie plus belle que je suis partie. Comment je pouvais deviner que ça serait encore pire ? Ce que je voulais, c'est qu'il soit heureux. Pas… – elle observe autour d'elle le paysage désolé, les voitures rouillées, les tôles rafistolées : Pas *ça*.

Poule fait un signe de la main. *On sait*. Mais c'est trop tard et des images affluent, éclairs de conscience, souvenirs brutaux ou joyeux, des visages, des plages, des voix, l'avion. Les années avec Rodolphe et les désillusions, amère la réalité de son grand départ, et sans s'en rendre compte Moe a commencé à parler, les mots la débordent, non elle ne voulait pas se dévoiler mais c'est si lourd de porter seule son histoire, de déconvenue en catastrophe, elle qui n'a cessé de trébucher depuis si longtemps, toujours choisi les chemins sans issue, fait les mauvais choix, pris les pires décisions, sans imaginer chaque fois, si encore elle avait fait exprès – Ada sourit non loin d'elle. Et elle l'a si mal enterré, son passé, qu'elle le traîne comme un boulet, à ruminer sur ce qui l'a amenée ici, et les erreurs, et les folies, et les directions manquées.

Et Moe, à mesure que son histoire se déverse, perçoit ce courant d'air étrange dans ses entrailles nouées au point que rien n'entre ni ne sort, et pourtant ce souffle minuscule qui pousse et ouvre une brèche, une lueur infime, gratte, soulève et s'arque, cela vient au milieu d'une phrase, quand l'enfant est né, sans prévenir, à ce moment-là et pas un autre, il naît et c'est Moe qui hurle une fois encore, et s'effondre d'un coup, sanglotant, ne peut plus rien arrêter, rien sauver, rien aimer, il ne reste que les mouchoirs que les filles lui tendent en l'entourant.

— Pleure un bon coup, dit Marie-Thé, ça ira mieux après.

— Mais va pas nous faire toutes chialer, dit Jaja, merde, j'ai les larmes, ça y est.

Poule prend le petit des bras de Moe. *Il va être tout mouillé*. Un haussement d'épaules coupé par les sanglots, et Nini-peau-de-chien accuse.

— Tu as vu où ça nous a menées, ta réflexion, Marie-Thé.

— Comment ça, c'est ma faute ?

— C'est pas toi qui as dit que c'était malheureux de voir un bébé ici ?

— Mais c'est Jaja qui a continué !

— Ah voilà, faut bien que ça retombe sur moi !

Je suis désolée, désolée, je ne voulais pas – et Moe sourit pour la première fois, ravalant ses hoquets, *C'est pas grave, il fallait que ça sorte, et puis comme ça vous savez pourquoi je suis là, au moins*.

— Ouais, dit Jaja. Pour rien.

Moe ouvre les bras en signe d'impuissance, ne répond pas. Ada s'est levée pour resservir du thé. Pendant quelques instants, le silence est à peine entrecoupé de bruits de gorge. Le petit est revenu sur les genoux de Moe, comme avant. Comme s'il n'y avait rien eu.

— J'ai quand même une question, chuchote Moe.

Et les filles, trop heureuses de voir son regard s'éclairer à nouveau, acquiescent avec de vigoureux coups de tête.

— Vas-y, sourit Marie-Thé.

— Si c'est indiscret vous me dites…

— Tu imagines quelque chose d'indiscret ici ? s'amuse Jaja. Non mais franchement ?

— Ou de gênant, je ne sais pas.

Nini-peau-de-chien glousse sur son banc.

— Y a plus rien qui nous gêne. On répond à tout.

— D'accord, en ce cas. C'est sur, euh, la voiture.

Et Moe sent d'un coup la promesse envolée, et les attentions tendues, sourcils froncés, elle ne leur laisse pas le temps, elle secoue la tête et interroge d'une voix douce :

— Il y avait qui, avant ? Pourquoi elle était vide ?

Et elles cinq à la dévisager avec leurs regards de menteuses, comme si elles n'avaient pas compris, elles qui ont presque promis de dire, elles essaient d'échapper à la question, mais pour Moe c'est pareil que quand on achète une maison, elle veut savoir pourquoi, et après qui, pas se contenter du haussement de sourcils de Nini-peau-de-chien qui hasarde :

— Y avait quoi où ?

— Non, articule la jeune femme en vérifiant que l'enfant s'est endormi dans ses bras. C'est pas ça que j'ai demandé.

Jaja tourne la tête vers Ada, *Qu'est-ce qu'elle dit ?*, et Moe reprend, il y avait bien quelqu'un avant elle à la place 2167, ce n'est pas qu'elle ait le droit d'être au courant mais un peu tout de même, puisqu'elle a repris la voiture, avec son histoire, et les restes de parfums sur le velours des sièges. Les autres n'ont pas besoin de la ménager, bien sûr elle imagine que les fins sont difficiles ici, juste qu'on lui raconte. Qu'elle apprivoise sa nouvelle maison. Mais seuls des mentons baissés lui répondent, et des regards qui se fuient, *Vous avez dit que vous répondriez à tout*, rappelle-t-elle, mais aucune ne veut être la première à l'ouvrir, quel souvenir peut-être, trop dur, trop frais, elles se surveillent et s'implorent, et Jaja râle.

— Bravo Nini. Tu nous la referas, hein.

— Et puis ? Qu'est-ce que ça peut faire si on le raconte ? C'est une grande fille, non ?

— Elle a peut-être pas besoin d'entendre des trucs comme ça. Pour le moral, y a mieux.

Moe intervient, *Je me doute que ce n'est pas une belle histoire, j'ai dit. Je voulais juste savoir. C'est tout.*

Jaja croise les bras.

— Moi, j'raconte pas.

— Ça lui fera rien à Jo, là où elle est, objecte Marie-Thé.

— C'est qui, Jo ?

— Chut, ordonne Ada en montrant du doigt les autres rues.

Derrière les voitures, derrière le ronronnement de la ville, les pas des gardiens qui patrouillent. De semaine en mois, Moe s'habituera à les entendre, apprendra à les reconnaître de loin, jamais aussi bien que Jaja qui donne l'impression de les sentir venir, mais elle saura qu'ils sont là. Alors tout le monde baisse la voix, suspend ses gestes. On continue à remuer un repas dans une casserole, à ranger la cour, ou sa voiture ; mais le regard traîne par en dessous, cherche à les localiser. Les oreilles se tendent pour les repérer, qui se rapprochent peu à peu, puis passent, puis s'éloignent. Toujours le bruit des godasses sur le sol, rien d'autre, en général les gardiens ne se parlent pas, et les chiens vont en silence.

Après, Jaja chuchote, *C'est bon.*

Après, les langues se délient dans des murmures, un cercle plus serré encore autour du feu, que les mots n'aillent pas au-delà de leurs silhouettes à elles six et même celle du petit qui respire paisiblement, bienheureux lui pourvu qu'il y ait du lait et des bras pour le câliner – un récit comme un secret, ne pas attirer le malheur, ne pas réveiller les vieux démons.

— C'était la dernière arrivée, chuchote Poule.

— Moins d'un an.

— Une fille de notre âge, dit Nini.

— Une fille chouette, travailleuse, enfin elle allait bien dans notre quartier.

— Mais il y a eu un problème et… on est toutes coupables hein, on l'a laissée faire, ça nous arrangeait lourd aussi, ce qu'elle nous rapportait…

— Sauf Ada, Ada lui a dit cent fois, et surtout à la fin, elle voyait bien.

— L'a pas écoutée.

— Si on avait su que ça finirait comme ça.

— Oui, les interrompt Moe, mais qu'est-ce qui s'est passé alors ?

Et les filles penchées en avant dans leur conciliabule se taisent soudain et lèvent les yeux sur Ada qui n'a pas bougé, assise droite sur le banc, Ada qui prend la parole dans un souffle.

— Elle est tombée amoureuse d'un gardien. Au début, c'était des cadeaux, cela profitait à tout le monde, comme elles ont dit, ça n'engageait pas à grand-chose. Et puis il a passé de plus en plus de temps avec elle, aux cultures, dans la voiture le soir, ça avait l'air sérieux. Vous vous souvenez, les filles, le chien restait dehors, assis là à l'attendre, au début il nous faisait peur.

— Il était bien, ce chien, commente Jaja.

Poule hoche la tête.

— Jamais jappé, jamais grogné. Il attendait c'est tout.

Ada les laisse dire, opine à petits coups de menton. Reprend.

— Ils ont voulu partir ensemble, Jo et Nathan, refaire leur vie, mais tu vois, on ne quitte pas la ville comme on veut. Il faut racheter sa liberté très cher, ils n'avaient pas les moyens ; alors ils ont décidé de s'enfuir. Ils se sont donné rendez-vous un jour de brume avant l'aube, au bout des grilles, elle a fini par me le dire. J'ai essayé de la dissuader, j'ai tout fait. C'était impossible que cela marche. Et elle nous mettait en danger aussi : qui aurait cru que nous n'étions pas au courant, que j'avais tenté de la faire changer d'avis, je ne donnais pas lourd de notre peau tu sais. Elle y est allée quand même. Elle est revenue deux heures après.

Poule renifle de l'autre côté du feu, les autres détournent le regard. La vieille s'interrompt, mal à l'aise, met quelques instants à continuer.

— Lui, ils l'avaient pendu aux grilles avec son chien. Elle les a trouvés en arrivant là-bas.

— Pendus.

— Sans doute qu'ils ont été tués avant, et accrochés là pour lui servir de leçon à elle, et puis à ceux qui auraient voulu filer, ça a remis les choses en ordre c'est sûr.

— Alors elle est revenue.

— Oui. Elle a reposé ses affaires dans la voiture sans rien dire. Et elle n'a plus jamais parlé.

Jaja secoue la tête, *Même les plantes ça n'a pas marché. Elle voulait pas. Elle avait quelque chose de cassé à l'intérieur*. Et Ada soupire.

— Au bout de deux ou trois mois, elle a pris un couteau sans qu'on la voie et elle a attaqué un groupe de gardiens. Elle savait qu'ils tireraient en la voyant armée. Elle n'attendait rien d'autre.

Le silence, encore, et faux, toujours, rempli de bruits pour empêcher de penser. Moe regarde les filles et leurs yeux mouillés qui brillent aux flammes du foyer, et puis la voiture sur le côté. C'est comme ouvrir la porte d'une maison dont le propriétaire a été assassiné : on se demande où, comment. S'il reste du sang quelque part, et la mémoire dans la tôle et le tissu des sièges. Les vibrations entrées au fond du métal, qui n'oubliera rien, et peut-être une ombre au ciel, légère et tenace, à vous servir de nuage qu'il pleuve ou qu'il s'ensoleille.

Ada tend les mains vers le feu.

— Ici, toutes les voitures ont une histoire qui ressemble à celle-là. C'est leur destin, tu vois.

Dans les plantations, une heure avant la fin de la journée, ils sont venus la voir. Ils sont venus et elle ne les a pas regardés, comme on lui a appris, alors ils l'ont appelée et elle a fait semblant de ne pas entendre, tétanisée tandis que penchée à côté d'elle Marie-Thé s'étrangle, *Qui est-ce qu'ils cherchent, non, non, s'il vous plaît, que ce ne soit pas nous*, mais elle Moe sait déjà, et elle sent leurs pas lourds sur la terre qui vibrent jusqu'à elle, le silence autour, elles travaillent vite, toutes les cinq ce jour-là, et la sueur ce n'est pas le soleil ni le trop-plein de chaleur.

Les pas s'arrêtent. Regarde toujours pas.

Ils disent son nom.

Alors il faut bien qu'elle se relève est-ce qu'elle a le choix, les mains crochées sur les hanches à essayer de redresser son dos moulu, elle s'essuie le front, est-ce à elle vraiment, cette voix minuscule quand elle répond enfin : *Oui*. Lorsqu'ils lui demandent de les suivre, elle jette un regard effaré aux filles, une lueur de panique à l'intérieur, vous ne m'avez pas prévenue que, mais à croiser leurs visages défaits elle comprend aussitôt, on n'est jamais venu les trouver elles, c'est la première fois, la peur la submerge, les larmes montent.

Et ce timbre trop aigu encore, comme si elle n'osait pas poser la question.

— Pourquoi ?

— C'est à propos de votre dossier.

— Il y a un problème ?

Mais quel problème, franchement, si c'était pour intégrer une entreprise ou un club peut-être, une compétence à vérifier, une recommandation à discuter, mais là, là ! Quoi sinon un piège, ou alors une erreur, si elle a de la chance, oui c'est ça, sûrement une confusion, et elle le dit : *Il doit y avoir une erreur*, en même temps qu'elle sait qu'elle a tort, et l'un des gardiens tend la main vers elle en claquant de la langue, mécontent.

— Tu nous suis, maintenant.

Dans le bureau où on la laisse, une femme lui offre un verre d'eau, lui montre une chaise sur laquelle elle tombe à demi. Compulse des papiers, et Moe voudrait crier, qu'on lui dise pourquoi on l'a amenée dans cette pièce à perdre quelques-uns de ses précieux centimes, parce qu'elle en a besoin, n'a presque plus de couches pour l'enfant, elle fera comment après ? La femme l'observe entre deux feuilles. Finit par poser ses mains sur la table.

— Vous êtes arrivée ici il y a une semaine.

Les dates se brouillent dans la tête affolée de Moe, elle réfléchit dans tous les sens, essaie de deviner ce que serait la bonne réponse, on est quel jour déjà, remonter le temps, les urgences de l'hôpital c'était mardi, celui d'avant, une semaine oui, cela lui semble possible – la femme continue en reprenant ses papiers :

— Avec un enfant.

Et elle rajuste ses lunettes en regardant Moe, esquisse un sourire, qu'elle aimerait y croire Moe à ce sourire dont les coins s'ouvrent sur la pointe des canines, un rictus, une faim immense, il est là le piège, elle se raidit, attend.

— Que va-t-il devenir, cet enfant ?

La femme a posé la question très doucement, une voix basse, pleine, vibrante. Moe retient sa respiration.

— Je, euh… je l'élève…

— Bien sûr. Mais ce que je veux dire, c'est… quel avenir allez-vous lui offrir en vivant ici ?

— Je, j'ai… le projet de repartir chez moi.

— Ah. Et comment allez-vous faire ?

— Quand j'aurai assez d'argent. Pour l'avion.

La femme s'éclaircit la gorge.

— Bien. C'est une intention louable. Cependant, je ne veux pas vous décourager mais tout le monde, en arrivant, a ce même projet ; et savez-vous combien ont quitté notre ville ces dix dernières années ?

Moe secoue la tête. Pas la force de répondre.

— Six personnes. Ramené au nombre d'habitants vivants et morts, cela représente zéro virgule zéro cinq pour cent.

Silence.

— Vous comprenez ?

Moe avale sa salive sans un mot, et la femme soupire.

— Cela signifie que vos chances de quitter cette ville sont quasiment nulles. Savez-vous pourquoi ? Parce que, avant, il vous faudra faire la preuve que vous n'allez pas échouer une nouvelle fois dans la rue et redevenir une charge pour la société, ce serait un pas en avant pour deux en arrière, voyez-vous, alors on exige des garanties, une somme que vous avez économisée et qui vous permettra de tenir un moment une fois dehors, le temps de trouver du travail. Et puis il y a… un droit de sortie, si on peut l'appeler comme ça. Et tout ça fait, écoutez bien, dix mille euros pour la somme de réserve que vous devez présenter, et cinq mille pour la sortie. Les dix mille, vous partez avec, bien entendu ; mais les cinq mille, c'est pour la ville. Voilà. Quinze mille euros. C'est marqué là.

Elle pose un papier sur la table, croise le regard égaré de Moe qui calcule terrifiée, si elle gagne six euros quarante par jour dans les champs – treize ans, il lui faudra treize ans pour quitter la ville, et cela n'a plus rien à voir avec le simple prix d'un billet d'avion.

— Mais comment fait-on ?

La femme ouvre les bras, un geste de fatalité.

— On reste.

— Mais…

— Croyez-moi.

— La logique ne voudrait pas que le plus grand nombre possible de personnes se réinsèrent ?

— Plus maintenant. Ça, c'était avant.

— Pourquoi cela aurait-il changé ?

— Parce qu'on s'est rendu compte que les exclus rechutaient à quatre-vingt-deux pour cent.

— Et alors il vaut mieux les laisser enfermés ?

— En choisissant cette voie, parallèlement, on a fait baisser la délinquance de près de quarante pour cent. Vous voyez le rapport ?

— Je ne suis pas une délinquante.

— Vous ne l'êtes pas tous, c'est vrai.

— On ne peut pas prendre des décisions uniquement sur des chiffres. Ce sont des humains qui vivent ici, pas des pourcentages. Des individus. Pas des moyennes !

— Je suis d'accord avec vous sur certains points ; malheureusement, on ne refera pas le monde cet après-midi. Êtes-vous prête à écouter ce que j'ai à vous dire ?

Moe renifle en hochant la tête, anéantie par ce qu'elle vient d'entendre, et le chiffre se bouscule encore à son front, zéro virgule zéro cinq pour cent, quelle force colossale faut-il pour faire partie de ceux-là, et quels arrangements, pour gagner quinze mille euros quand on est payé deux mille par an, moins le loyer, mille deux cents de reste. Si on n'achète rien. Ses mains sur son visage. Quelque chose se fissure au-dedans d'elle. La voix de la femme en face se faufile à travers ses doigts serrés.

— Nous vous proposons de faire adopter votre enfant par des gens qui pourront lui donner tout ce dont il a besoin.

— Le faire adopter ?

— Il aurait une maison, une bonne école, une chambre à lui avec des jouets, des parents qui travaillent…

— Mais c'est moi sa mère !

— Réfléchissez. Je comprends… je sais que vous êtes attachée à votre fils, mais si vous l'aimez vraiment, est-ce que vous pouvez lui souhaiter de grandir dans une voiture, d'aller trimer dans des champs toute son adolescence sans autre perspective d'avenir, sans vie sociale, sans projet, pour finalement mourir dans cette même voiture ? Vous pouvez espérer cela pour lui ?

— Non, je… mais on m'a dit qu'il y avait des écoles ici, où il pourra aller quand il aura trois ans.

— C'est vrai. Il ira à l'école, et il restera ici. Si vous regardez les choses en face, ça lui servira à quoi ?

— Je… je veux quitter cette ville.

— Vous ne pourrez pas.

— J'essaierai.

— En vain. Vous le savez.

— Je n'abandonnerai pas mon petit.

— Ce n'est pas l'abandonner, ce dont je vous parle.

— Mais c'est le mien ! C'est mon enfant ! Il a besoin de moi. Il ne connaît que moi.

— Non. Il a besoin d'un toit, de nourriture, de chaleur, d'amour – l'amour, c'est tout ce que vous pouvez lui offrir, et d'autres peuvent le faire aussi.

— Ce n'est pas pareil. S'il n'a pas sa mère…

— Ne vous bercez pas d'illusions. En hiver, quand il fera dix degrés dans votre voiture avec le chauffage ridicule auquel vous avez droit, que votre enfant sera malade pendant six mois parce que vous n'arriverez plus à lui mettre des vêtements secs, et qu'on vous nourrira de féculents en attendant les nouvelles récoltes, vous croyez que votre amour, ça suffira pour qu'il arrête de dépérir ?

— C'est horrible ce que vous dites.

— C'est réaliste. C'est ce qui vous attend. Je travaille ici depuis dix ans, croyez-moi, je connais.

— Je veux quitter cette pièce.

— Réfléchissez encore. Regardez ce papier – elle fait glisser un formulaire vers elle –, si vous acceptez de le signer, vous offrez une vraie vie à votre fils.

Moe se lève, la chaise bascule sous la poussée, un cri guttural presque, désespéré.

— Je ne signerai pas !

— Ne le condamnez pas tout de suite.

— Je-ne-signerai-pas !

Et elle court jusqu'à la porte fermée, tambourine, secoue la poignée pauvre folle, comme si sortir du bureau allait la sauver, et enlever de sa tête les phrases épouvantables, la vision blanche et sans fin des années à venir.

La femme la rejoint, tourne la clé dans la serrure, *Voilà, il suffit d'ouvrir, calmez-vous, ne vous mettez pas dans cet état*.

— D'accord. D'accord, vous ne signez pas. Mais écoutez-moi encore. Votre fils a six mois. Jusqu'à un an, il peut être adopté. Après, les gens n'en voudront plus. C'est comme ça. Alors allez-y, élevez-le. Bavez-en une saison, de la pluie, du froid, des accidents et des carences. Vous savez où est mon bureau maintenant : quand vous serez décidée, revenez me voir. Je serai là.

*

Elle s'est ouvert les lèvres à force de se mordre pour ne pas hurler, et quand elle est arrivée dans la ruelle en courant, la bouche en sang, les filles se sont précipitées vers elle, qu'est-ce qui s'est passé, où ils t'ont emmenée, ils t'ont fait quoi Moe, tu saignes ils t'ont frappée – et elle, les écartant de son chemin, les yeux chavirés, sanglots enfouis dans la gorge, elle est allée jusqu'à

Ada qui attendait en portant le petit contre elle, a tendu les bras, et la vieille sans un mot lui a remis l'enfant, le nez au creux de son cou, il rit, elle pleure, *Non, non.*

Un instant elle a cru qu'ils le lui voleraient pendant son absence, et la femme dans le bureau ne serait qu'un prétexte, car ont-ils besoin d une signature dans cette ville-là vraiment, un instant qui a duré vingt minutes, le temps de retrouver son chemin, de décamper le long des rues en ignorant les voix qui la suivent, *Hé la belle, c'est moi que tu cherches ? — Viens donc te reposer ici, j'ai un bon matelas*, à un moment un homme a couru à côté d'elle en murmurant des ordureries et en essayant de la toucher, c'est là qu'elle a commencé à pleurer, l'enfant et elle tous les deux en danger, tout le temps, comment pourraient-ils en sortir indemnes de cette vie-là.

Assise sur le banc devant le feu, elle s'est calmée à petits coups, quand sa respiration a bien voulu redescendre. N'a pas lâché l'enfant avant qu'il s'assoupisse et là encore, elle a hésité à le déposer dans la voiture, elle aurait voulu fermer à clé en laissant la fenêtre entrouverte. Elle se retourne souvent pour surveiller. Et puis c'est le contrecoup, une fatigue immense, la même lassitude que les matins de grand chagrin lorsqu'on espère que les douleurs de la veille sont des rêves, juste des rêves, et que la réalité vient taper à la tête et à la conscience – alors on se souvient que tout est vrai même si on essaie de dire le contraire, et les crampes dans le ventre et le halètement du souffle se remettent en place, et les yeux brûlent déjà, à regretter le point qu'on a perdu en s'endormant, où la souffrance est telle qu'elle s'anesthésie elle-même, comme une maladie dévorant le corps qui la porte, engourdissement étrange, jusque dans les sanglots et les mots brisés.

Personne ne lui a demandé de raconter. Passé le premier réflexe, quand les filles ont vu l'effroi sur son visage et les larmes noires dans la terre, elles se sont tues. Elles ont préparé le dîner en parlant d'autre chose, laissant Moe enroulée autour de l'enfant, ses murmures à son oreille, ses bras qui l'encloisonnent. Ont mangé la même bouillie que les soirs précédents, mélange de pâtes et de tomates abîmées distribuées à la fin des journées aux cultures, un morceau de lard acheté par Jaja et qu'elles ont coupé en lanières très fines, le faisant revenir avant de l'ajouter à l'ensemble, le goût grillé et salé les rend joyeuses, *On devrait le faire plus souvent*, dit Marie-Thé.

Après, quand la nuit tombe à petits pas, elles trempent leurs lèvres dans le thé en attendant que le sommeil les prenne, frissonnant malgré la douceur de l'air, penchées en avant pour sentir la chaleur du feu, et Moe ferme les yeux, savoure les instants pendant lesquels elle oublie presque, et qu'Ada vient interrompre avec sa voix basse.

— Alors ils ont voulu te le prendre.

Encore une fois, comment elle sait Ada.

Moe la regarde. Comment tu sais.

Je les connais va.

Comment tu as deviné. Cela aurait pu être n'importe quoi d'autre.

Il faut que tu en parles pour que la peur s'en aille.

Les filles se sont redressées, attentives. Elles ont compris. *Quelle horreur*, dit Poule. Nini-peau-de-chien se lève d'un coup. *Attendez.* Elle disparaît dans sa voiture, ressort aussitôt un sachet à la main, se justifiant à demi – Moe saisit le regard hésitant coulé vers Ada.

— Ça a été une journée difficile. À un moment, on a pensé que Moe ne reviendrait pas, on ne savait pas trop, et toi Moe, ce qui t'est arrivé on ne le souhaite à personne. La trouille hein. Alors on a mérité un peu de réconfort.

Elle leur tend à chacune un papier rond et doré.

— Nom de Dieu, jure Jaja dans un chuchotement.

Poule ouvre de grands yeux, *Où t'as eu ça.*

— Je les ai achetés avec ma paie. Je les ai pris pour une occasion où ça vaudrait le coup.

— Mais t'as mis trois jours de salaire là-dedans.

— Non, non. Pour le plaisir que ça va nous faire.

Jaja répète, extatique : *Nom de nom. Un rocher. Un truc bourré de chocolat.*

— Et un par personne, tremble Poule.

Nini-peau-de-chien s'est arrêtée en dernier devant Ada qui lève la main en silence. Un geste de refus discret, visage pincé de la vieille Afghane, mais les filles n'ont pas le temps d'y prêter attention, Nini a hoché la tête en reprenant le chocolat et souri de toutes ses dents en se retournant, cette drôle de joie forcée malgré la déception, elle s'exclame : *On ouvre ?*

Avec beaucoup de lenteur elles enlèvent les papiers. Jaja murmure :

— Vous allez le manger comment ?

— D'un coup, assurent Poule et Marie-Thé en chœur.

— En plein de minuscules bouchées pour que ça dure plus longtemps, réfléchit Nini – et Moe acquiesce, *Moi aussi*, interroge Ada du regard : *Mais toi tu n'aimes pas ça ?*

Ada ne dit rien. Elle va remplir sa tasse de thé à la petite casserole sur le feu et se rassied en retrait, presque loin d'elles. Un coup de coude et Poule fait un signe à Moe : *Laisse tomber. Laisse.*

— Bon, soupire Jaja, on a chaud, on a du chocolat, on est bien, qui s'y colle pour raconter une histoire et qu'on s'endorme ?

Marie-Thé se met à rire, *À chaque fois qu'on part là-dessus, on finit sur des choses horribles.*

— Parce que nos vies sont horribles, martèle Jaja.

— Faut pas dire ça, tressaille Poule.

— C'est pas vrai peut-être ?

— Je peux demander quelque chose ?

Et toutes ensemble elles se tournent vers Moe qui vient de parler et qui ajoute : *Je ne veux pas vous refaire le coup de l'autre jour mais ça me tracasse depuis que je suis là, alors voilà, je me demande, si je pouvais avoir la réponse, sûrement il y a une bonne raison, enfin, j'ai une question, si vous voulez bien.*

— La dernière fois que tu as posé une question, se méfie Marie-Thé, c'était rien qu'un sale piège. Mais essaie toujours.

Et Moe contemple le feu orange, et de l'autre côté les voitures, et la roulotte et ses couleurs à peine passées, rouge et vert et jaune avec ses volets bruns un peu bancals, les décorations peintes sur les flancs, guirlandes de fleurs ou de fruits, les trois marches en bois qui mènent à la petite plate-forme, puis à la porte, puis à l'intérieur qui lui est apparu comme un rêve quand elle est venue chercher l'enfant une ou deux fois, si seulement elle aussi – ce refuge improbable qui parade au milieu des voitures mortes, affiche ses teintes radieuses, un soleil parmi des carcasses malades, Moe ouvre les mains en regardant Poule.

— Pourquoi toi, tu as une roulotte ?

Histoire de Poule

— Ah, dit Poule.

— Ah ha ! rit Marie-Thé.

Moe lève une main, *Si ça gêne*... Nini explique, *Mais non ; c'est juste que tout le monde veut toujours savoir. Nous, on la connaît par cœur, l'histoire*.

— Moi je veux bien la réentendre, soupire Jaja. Elle est quand même plus jolie que les nôtres.

Poule proteste : *Jolie ?*, et Jaja rectifie : *Moins moche. Enfin, c'est mon avis*.

Poule regarde sa roulotte, la loupiote accrochée au seuil de la porte, inutile depuis des années, depuis que la dernière bougie s'est éteinte et qu'elle n'a pas voulu en racheter, avec ses genoux cassés qui l'empêchent de travailler tous les jours, trop peu d'argent, pourtant elle aimerait revoir vaciller la flamme derrière les vitres intactes, donner des reflets à la peinture et au vieux bois, elle se contente de la lumière du feu, ne s'assied plus sur les marches comme avant, avant que les filles bricolent les bancs, avant d'arriver ici. Et ce n'est pas que cela ravive la souffrance d'y penser et de trouver une nouvelle fois les mots pour dire son histoire, depuis tant d'années, tant d'apprivoisements, ce ne sont pas les souvenirs douloureux qui la font hésiter mais au contraire, parler des temps heureux, s'y couler avec joie, elle sait qu'elle en rêvera la nuit qui suit et les rêves redonneront vie aux trente années qui ont précédé ce curieux aboutissement, la ruelle et les filles, des filles qui changent. Elle Poule s'est installée longtemps après Ada, Jaja venait d'échouer là elle aussi, à l'époque il n'y avait pas Marie-Thé et pas Nini-peau-de-chien, Moe encore moins, voilà, elle fait partie des anciennes à présent, elle a trente-sept ans, et c'est cela sa vie, alors convoquer sa mémoire et se sentir, pour quelques heures, légère et bouillonnante, quel intérêt, se rappeler pour mieux accuser le coup en se réveillant le lendemain, vraiment.

— Raconte, encourage Jaja. Je sais que tu vas le faire.

Et Poule la fixe bien droit dans les yeux, elle a des yeux bleus trop beaux Poule, qui vous abîmeraient les vôtres tellement ils brillent comme un océan un jour d'été, des billes d'azur sur un visage rond parsemé de taches de rousseur, un sourire qui ne va pas avec la dureté de la ville. Malgré les années, la violence glisse sur cette sorte de bienveillance qu'elle a en elle. Se rebeller oui, elle aussi, elle a essayé. Avant même d'être ici. Mais cela ne marche pas, ou alors, pas avec elle, peut-être que Jaja, elle, tire sa force de sa faculté de dire non, de croiser les bras d'un air revêche, que rien ne la fera bouger ni changer d'avis, mais Poule. Il a bien fallu se résoudre à cette infinie douceur. Et il lui suffit parfois de contempler les murs de la roulotte, quand elle s'endort, pour consentir à cette vie-là, ne retenir que la chance qu'elle a eue de conserver sa maison et ses livres et ses photos, la vaisselle qu'elle partage avec les filles, la deuxième banquette pour accueillir Ada quand il fait froid ou que les journées sont trop longues à celles qui ne vont pas aux cultures.

Alors elle dit simplement : *Oui.* Et elle grignote son rocher de chocolat en se léchant les doigts, attend que les autres aient fini elles aussi, ne pas écourter le plaisir, la saveur sur la langue, au fond du palais, dans le nez quand elle ouvre la bouche et que l'odeur emplit l'air juste devant, quelle folie Nini, on en a toutes besoin, de notre argent. Et pendant qu'elle s'imprègne du parfum du cacao, laissant à l'intérieur de ses joues des miettes qu'elle traque de minute en minute avec une joie inextinguible, les souvenirs affluent en désordre, porte ouverte dans sa tête, et cela toque et cogne, qu'elle parle bien d'eux surtout, car Moe a raison, il y a une histoire dans ce qui l'a amenée à la Casse, comme toutes les autres filles en vérité, un agrégat de destins rognés, de trajectoires atrophiées, des existences qui auraient pu être belles et que quelque chose, à un moment, a obligées à dérailler. Et ce n'est pas une curiosité morbide qui les fait s'écouter les unes les autres, et boire leurs paroles et écarquiller les yeux, mais une sidération chaque fois renouvelée, comment cela a été possible – comment ces vies-là ont dû basculer un jour sans autre solution envisageable, par quel tour de passe-passe, par quel dieu joueur. Imaginer des aboutissements plus heureux ne sert à rien maintenant qu'elles sont là elles six, et pourtant elles ne peuvent s'en empêcher lorsque les récits se terminent et qu'elles restent silencieuses, ce temps mélancolique où elles soupirent ensemble, où toutes leurs phrases commencent par *et si...* – mais il n'y a plus de conditionnel à présent, qu'un gâchis sur lequel personne ne reviendra, et un lendemain immuable qui a vaincu leur force et leur désir au fil des années. Poule pour ne pas souffrir trop souvent a compris qu'il fallait abdiquer, elle n'a jamais expliqué de quoi, une idée comme ça, parfois elle prononce le mot à voix basse, *abdiquer*, et cette fierté ridicule, peut-être simplement le mot sonne bien dans sa tête, elle en a fait quelque chose de beau, a enlevé sa violence en l'acceptant tout nu tout laid qu'il était, elle dit *abdiquer* comme on dit *gagner*, de la même façon qu'elle sait colorier dans ses yeux un ciel de traîne et mettre du soleil sur les jours de pluie.

Et à cet instant elle sourit au feu, et elle murmure :

— Bon.

Jaja se frotte les joues. *Ah.*

Moe les observe qui toutes ont joint leurs mains, cinq prières muettes, et ces si grands regards qu'aucune grille n'arrêtera, elle sent leurs esprits courir au-dehors, leur présence se distiller, remplissant l'espace, au-dessus d'elles les étoiles s'allument. Alors Poule ouvre la bouche, articule le premier mot, puis le deuxième, et les quatre autres bouches s'ouvrent en même temps et en même temps chuchotent les mêmes mots, elles les connaissent par cœur, dans cette étrange communion qui fait des frissons à Moe soudain, elle voudrait les réciter avec elles, la prochaine fois, oui la prochaine fois. Et l'histoire ne s'amorce pas du tout de la façon qu'elle attendait, peut-être pour elle n'y a-t-il d'histoire que ce qui commence par *Il était une fois*, seulement ce n'est pas ce que dit Poule, et cela la déroute, jusqu'à ce que les premiers mots enfin ensemble donnent cette phrase qui lui résonne dans le ventre :

— Tu te souviens des attentats de Paris en novembre 2015 ?

Ada a les mains posées sur ses genoux ; les autres les enfouissent entre leurs jambes et les tordent et les serrent, une façon de garder la peur un peu plus loin d'elles, de l'éloigner de leurs gorges, de leurs cœurs déjà bleuis, et Moe se rappelle, des jours à ne parler que de cela sur l'île, à suivre les images mille fois repassées sans se lasser d'essayer de comprendre ou d'infléchir cette histoire-là, mais le passé ne se revisite pas elle le sait maintenant, une fois que la vie a déserté, eh bien. Cent trente corps dévastés, qui n'ont rien vu venir, ou au contraire et c'est pire, cent trente anges d'un coup, qu'est-ce qu'Ada a pensé ce jour-là ? Moe pleurait sans retenue devant la télévision, et ses sœurs, et la grand-mère aussi, l'île entière ravinait de chagrin, et la terre, et le monde, pour des inconnus, pour des symboles. Alors bien sûr Moe se souvient. Il suffit d'évoquer la date, parce que un treize, c'est comme un trèfle à quatre feuilles ou la main de Fatma, cela doit porter bonheur – pas porter atteinte, et pourtant ces chairs déchirées, ce sang noir et figé. À son tour elle serre ses mains l'une contre l'autre, et Poule n'a pas bougé, ce pâle sourire sur les lèvres, Moe comprend déjà, ne veut pas hocher la tête, pas faire de signe, pas donner son accord à ce que ce treize novembre revienne ici au milieu d'elles – et puis Ada pose un doigt sur son bras, à peine un frôlement, cela pourrait être un insecte.

— De toute façon c'est déjà arrivé.

— Oui, dit Moe dans un souffle.

Et Poule reprend, parce que l'histoire commence enfin.

— Moi j'y étais.

Après il faut effacer les visions terribles au fond de son regard, ne pas les partager, brouiller leur reflet pour ne pas entraîner les autres dans cet abîme dont elle ne sortira jamais tout à fait, quand on y a laissé tant de choses, et Poule malgré les années ferme les yeux pour se couper des corps arrachés, bouche ses oreilles pour ne plus entendre les cris qu'elle n'a jamais réentendus, des cris de guerre et de mort, nous avions perdu l'habitude pense-t-elle. Et elle ajoute pour ne pas se sentir surprise par les ténèbres, et les mots la brûlent en sortant :

— Avec mon mari.

Moe la regarde.

— On s'était mariés deux mois plus tôt.

Les larmes dans les yeux d'en face, elle refuse Poule, elle murmure avec un geste vers elles toutes : *Non*. Penchée en avant, elle roule son pantalon et le remonte, chevilles, péroné, et vers le haut du tibia les cicatrices apparaissent une à une, puis les genoux, striés de blanc et de mauve, avec des creux qui n'existent pas sur les genoux de Moe ni sur ceux des autres filles, sillons de chair boursouflée et évidée à la fois, comment elle fait pour marcher encore Poule, nul ne le sait, et en voyant les blessures elle se demande elle-même à quel moment tout cela cassera, d'un coup c'est sûr, quand elle tombera pour ne plus se relever, tels les chevaux se brisant une jambe sur les pavés de Paris, il y a longtemps, avant les voitures, avant les moteurs, avant que l'on puisse imaginer des villes comme celle-ci.

Elle réajuste son pantalon, lisse le tissu du plat de la main et ne relève pas encore la tête quand elle ajoute, pour Moe car les autres connaissent l'histoire :

— Lui, il est mort.

Et vraiment cela pourrait être la fin de son récit, personne n'y trouverait à redire, car du désespoir à la Casse il suffit d'un pas, une toute petite dégringolade, le chemin est si bien tracé. Mais Poule n'est pas venue ici après les attentats. N'a pas sombré – ou pas au point que cela se voie, ou pas trop, ou peut-être certains soirs d'ivresse, quand le vide se fait trop crochu au fond du ventre, à vous empoigner et à vous tirer dans un coin de vous-même. Alors quand on se rend, une heure ou une nuit, on pourrait remplir l'univers de sa détresse, parfois cela est arrivé elle s'en souvient, et chaque fois elle a colmaté, avec de l'alcool et des sanglots, chaque fois repartie, au petit matin, au travail.

Avant le treize novembre, elle était graphiste. Après aussi. Pour rester assise derrière un ordinateur, hein, est-ce qu'on a besoin de ses genoux, elle dit en souriant. Si ça se trouve, ils étaient bousillés depuis longtemps.

Jaja se met à rire soudain, et son rire est l'appel d'air qu'elles attendaient toutes, une brèche qui leur permet de se rendre compte qu'elles ont cessé de respirer, et elles ouvrent la bouche en avalant des goulées de nuit à pleins poumons, renversées en arrière, écrasées et apaisées en même temps, le goût du chocolat est amer sur la langue.

— Je me demande bien pourquoi on te laisse nous raconter ça, murmure Marie-Thé, vu qu'à chaque fois ça nous fiche le moral par terre.

— Et pourquoi tu dis oui, reproche Nini-peau-de-chien.

Ada acquiesce, *Et vous oubliez : pourquoi Jaja rit chaque fois au même moment.*

— C'est vrai, ça, grogne Nini.

— C'est nerveux, se défend Jaja. J'vous ai déjà expliqué. J'y peux rien, ça me prend quand Poule parle de ses genoux.

— Mais franchement, ça te fait quoi, ses genoux ?

— Je sais pas ! Ça me fait rire, c'est tout.

— T'es con.

— Ça t'embarrasse, que je rigole de tes genoux ? s'écrie Jaja en se tournant vers Poule.

— Mais non.

— Même, ça l'amuse, se moque Nini.

Poule sourit.

— C'est pas grave. Et vous savez pourquoi ? Parce que…

Elle ouvre les bras vers les filles.

— Parce que tout ce que je viens de raconter, c'était le plus difficile. J'aurais pu en rester là, avoir eu une vie formidable et, le treize novembre, m'écrouler pour de bon. Sauf qu'après… ça a été. On n'y croit pas, hein ? Mais ma vie est redevenue formidable. C'est pour ça que je peux la raconter mille fois.

Histoire de Poule *(suite)*

Bien sûr tout ne s'est pas arrangé tout de suite, parce qu'elle n'a pas compris, Poule, que les choses avaient changé et que faire comme avant n'avait plus de sens. Pour tout le monde, en famille ou au travail, elle est une victime ; son corps déchiqueté en témoigne. Une question de temps, pense-t-elle tandis que ses genoux cicatrisent lentement, sont réopérés, qu'elle marche avec des béquilles pendant presque un an. La chair guérit peu à peu, et la douleur coupable de la mort d'Adrien ne la réveille plus en pleurs toutes les nuits, ni bientôt toutes les semaines. Enfin s'estompe. L'énergie qu'il faut pour venir à bout de sa propre rééducation l'aide à se concentrer sur la vie, la sienne, la seule qui vaille, s'oblige-t-elle à croire, pour ses parents, ses amis, pour ceux qui l'entourent. Pour elle-même – un peu. Au fond elle s'en fout. Elle s'en veut tellement d'avoir manqué disparaître qu'elle se plierait à tout pour se faire pardonner. Y compris au travail où elle se sent redevable des six mois d'arrêt que lui valent ses genoux explosés.

C'est un simulacre de vie qu'elle reprend alors, un comme si, oubliant la parenthèse du treize novembre et de l'année qui suit, boitant à peine à force de volonté, de séances de kiné et d'absorption de la douleur. Adrien ne lui manque plus. On lui demanderait si elle l'a jamais aimé qu'elle hésiterait à répondre. Elle sait que quelque chose cloche.

Cela se dénoue un an après les attentats. Par surprise, dira-t-elle ensuite en se regardant dans un miroir parce qu'alors elle est seule, absolument seule, et il lui faut encore quelques mois pour reconnaître que cette fraction de seconde où elle entend à la radio l'annonce d'une nouvelle attaque terroriste en pleine rue, faisant quatre-vingt-quatre morts, est l'instant salvateur pour elle, le moment où le sens lui échappe, où elle saisit enfin ces mois inutiles et la vacuité de son existence, une paroi fragile que l'information vient éclater de plein fouet, et en allumant la télévision les mains tremblantes elle comprend que tout va changer cette fois, la précédente c'était trop tôt, trop de douleur, juste à vouloir réparer les plaies et les éclats. Elle ignore encore à quel point elle a raison ce jour-là, comment le monde va s'enliser en quelques années dans une haine qui excusera tout, reniant ses dernières valeurs pour se protéger croit-il, fermant les yeux sur des combats absurdes et silencieux, et finalement, au bord de l'implosion, séparant et enfermant, choisissant d'aligner des milliards d'euros et de dollars afin de tenir loin de lui la menace avérée ou fantasmée des exclus, fanatiques ou athées, sans distinction aucune si ce n'est celle de la précarité, il suffit qu'un appel téléphonique les désigne et qu'une patrouille les cueille au coin d'une rue. Dans ces villes casses qui portent si bien leur nom, Poule sait maintenant qu'il y a quatre-vingt-dix pour cent de gens comme elle, des ratés, des broyés, un peu mauvais, un peu voleurs, ni plus ni moins que ceux qui restent du bon côté. Les fous du djihad s'en sont allés se faire sauter ailleurs ; le petit nombre qui vit ici se préoccupe davantage de survie et d'arrangements que de religion.

Mais encore une fois, jamais Poule n'a décidé, à cet instant devant la télévision avec les images en boucle de corps blessés et de cadavres drapés, d'un quelconque projet moral, social ou politique. Rien que pour elle : voilà ce qui va l'amener à tout quitter du jour au lendemain, postant un mot d'excuse à ses parents, promettant des nouvelles, suppliant qu'on lui laisse une chance de ne plus être regardée comme une victime. Être oubliée : un rêve qu'elle commence en achetant un cheval de trait et une roulotte, une impulsion venue de nulle part, ahurissante, elle n'aime ni les voyages ni les chevaux.

Elle part sur des routes qu'elle ne cessera d'arpenter pendant des années, sillonnant l'Europe – l'Europe ? s'écrie Moe –, tant que la terre lui permet de traverser les pays, tant que la mer ne l'arrête pas. Et pourtant plusieurs fois elle va jusqu'au bord des océans, sachant d'avance qu'il faudra rebrousser chemin, elle pose la roulotte sur les galets ou derrière les dunes, pour quelques jours, sauf si on la déloge avant, regarde l'eau, écoute le ressac chaque nuit, fenêtres ouvertes sur le va-et-vient des marées. Ici et là elle envoie une carte à ses parents, promesse tenue. Trop enthousiaste, ils n'y croient pas sans doute, mais que comprendraient-ils du calme qui a envahi Poule à mesure qu'elle va à côté du cheval – un auxois solide dont la robe devient rouanne au printemps –, du bruit régulier des fers sur le macadam ou les cailloux, qui la berce à la façon d'une comptine et qu'elle entend encore le soir en s'endormant, de l'étonnement chaque jour renouvelé de n'avoir pas de but, quand elle finit son thé et qu'elle harnache le cheval.

Poule se tait un moment, occupée à se remémorer les gestes pour atteler la roulotte, l'endroit où elle a rangé le collier désormais inutile, si jamais le monde se remettait en marche, s'il fallait repartir. Les premières années à la Casse, elle se savait prête. Aujourd'hui c'est une autre histoire, il y a la fatigue, la lassitude de tout ce temps immobile, ses genoux qui ont perdu l'habitude, et vieilli. Elle se retourne parce que Moe lui parle, qui lui semble si loin, et sa voix si feutrée, est-ce le feu qui déforme les sons, elle la fait répéter.

— Tu as vécu de quoi toutes ces années ?

— J'avais vendu mon appartement, ça me faisait de l'avance, et puis les indemnités après les attentats. Mais surtout, ce sont les gens qui m'ont aidée. Je pense que c'est grâce au cheval et à la roulotte, pas à la pauvre folle qui les menait et qui avait décidé de ne plus s'arrêter, cela attisait la curiosité, on se disait qu'une fille qui vivait comme ça ne devait pas être bien dangereuse. Chapardeuse peut-être, oui, les gens ne m'ont pas souvent laissée entrer dans leur maison, ils se méfiaient. Mais ouvrir un bout de pré pour la nuit, apporter de l'eau et parfois du grain au cheval, m'offrir du pain, du saucisson ou du fromage, des fruits quand c'était la saison, des légumes aussi, ça je n'ai jamais manqué de rien ; certains d'entre eux me donnaient un panier le matin au moment de repartir.

Et puis il y a les poules. Très vite, elle en achète trois, qu'elle met en cage à l'arrière de la roulotte, les trimbalant toute la journée, déroulant un grillage pour les mettre à picorer le soir. Après avoir été brinquebalées au pas du cheval, elles tanguent toujours un peu quand elles retrouvent le sol, tels des marins débarquant après plusieurs mois de mer, s'habituent cependant, dorment à l'intérieur s'il fait trop froid. Ce sont des pondeuses ; Poule accumule les œufs, les offre en échange des cadeaux qu'on lui fait sur la route. Chaque jour, elle prend soin de noter au crayon la date sur les coquilles, pour ne pas se mélanger, et pour rassurer ceux à qui elle les tend, voyez, ils sont marqués, n'ayez pas d'inquiétude.

Moe sourit. *C'est pour ça que…*

— Oui, c'est pour ça qu'on m'appelle Poule. Parce que j'ai traîné mes cocottes avec moi pendant des années. Je les avais encore en arrivant ici.

Quand les poules meurent, elle en rachète. Pareil pour le cheval, qu'elle use tant et plus à parcourir les routes du monde : le premier s'écroule un jour à midi, sans prévenir, cassant net un des brancards. Immobilisée une semaine, Poule en profite pour repeindre la roulotte, la gorge nouée, revoyant son bel animal fléchir sans une plainte, tout se passe si vite, elle accourt, pose une main sur l'encolure à terre, caresse les naseaux frémissants, quelques mots elle a le temps, appeler à l'aide en vain au milieu des prairies – peut-être un dernier sursaut qu'elle ne saisit pas et le cheval s'immobilise les yeux ouverts, elle n'a jamais oublié, des yeux morts qui continuent à regarder l'herbe d'un côté et le ciel de l'autre, quand le camion vient enlever l'auxois, elle ne regarde pas. Elle sait désormais que les chevaux ne sont pas éternels.

Après, elle se contente de les garder quatre ou cinq ans. Cinq ans pour quinze ou vingt mille kilomètres et cent quarante fers râpés jusqu'à la corde : c'est assez pour un cheval décide-t-elle en rendant à regret son deuxième auxois, une jument butée et attachante, elle aura toujours des juments par la suite, car l'élevage qui les lui vend propose de les reprendre ensuite pour en faire des poulinières, Poule acquiesce, ne veut pas qu'on les envoie au couteau, s'il faut remettre cent ou mille euros chaque fois, eh bien.

De quoi vit-on quand on vit ainsi, a demandé Moe, et Poule a répondu en partie seulement ; car le souvenir de ces années de vagabondage se compte moins en argent qu'en rencontres, et c'est cela qu'elle se rappelle, les gens croisés, les pierres qu'on lui a lancées parfois, plus souvent les soirées avec des familles inconnues qui l'accueillent, tous ensemble, les vieux qui racontent des histoires, les jeunes qui jouent de la musique, les enfants s'endorment dans les bras de leurs mères. Ils la rejoignent au bord du feu qu'elle allume, dans un pré, sur une friche, au seuil d'une grange lorsqu'il pleut et qu'on les abrite, le cheval, la roulotte et elle, sous prétexte d'apporter de quoi manger ils s'asseyent, partageant sans un mot un dîner de lard et de pain, de fromage ou de volaille, et bien d'autres choses qu'elle découvre, soupe de farine de maïs grillé, omelette aux mille épices, viandes fumées indéfinies, légumes qu'elle croyait disparus. Ils prennent leur part du feu tous, approchant leurs mains, elle sent les odeurs de travail et de tabac tout contre elle, de lait et de crème, offre le thé toujours, faisant réserve de menthe chaque fois qu'elle en voit au bord des chemins, la roulotte embaume de tiges séchées qu'elle plonge dans l'eau bouillante par bouquets de trois ou quatre. Elle s'aperçoit que sa venue est une fête, une brèche dans la monotonie des jours de campagne ; par sa présence, elle paie cent fois sa nourriture et le morceau d'herbe où l'on met pâturer le cheval. Ils en parleront durant des semaines, de son passage, ils lui donneront un surnom à elle Poule, qu'elle ne saura jamais, sauf à entendre les marmots qui jacassent en contemplant raides d'envie sa drôle de maison sur roues, et l'année suivante ils iront prévenir en piaillant que la fille à la roulotte est revenue.

Combien de fois a-t-elle fait le récit de sa vie, Poule, pour combien d'yeux grands ouverts, de sourires fascinés – mais aussi, qu'y avait-il de fascinant, vraiment, dans le témoignage d'une cassure si profonde que le retour à la normale n'était pas possible, dans une errance qui sans doute aurait été infinie si d'autres choses n'avaient altéré son cheminement, quoi sinon un renoncement absolu, un vide perpétuel que seules ces rencontres d'un soir ou deux ou trois, quand l'hospitalité se faisait douce, venaient occuper pour ne pas finir d'un coup de fusil dans la gorge.

Et dans sa mémoire elle convoque de vieux visages et de vieilles voix, car cela fait bien loin, les endroits et les gens qu'elle a aimé retrouver sur son chemin chaque année, ou tous les deux ans, selon, s'étonne encore de la pareilleté avec la ruelle et les filles d'ici, longues soirées autour d'un feu, rassemblés par le déclin du jour et le partage d'un repas, quelques paroles comme si on se connaissait depuis toujours, un temps de suspens avant que les flammes ne s'éteignent tout à fait et que l'on voie à nouveau la lumière des lucioles dans la nuit – alors les femmes se lèvent en s'aidant les unes les autres, enveloppant les enfants dans les châles, et elles poussent du pied les hommes ensuqués par la douceur du soir et un peu trop d'eau-de-vie, rappellent que demain il faudra se lever tôt, les murmures elles et eux, Poule reste seule.

Combien de fois donc cette histoire-là, qu'elle déroule sans y penser tant les mots sont familiers. Combien de fois a-t-elle terminé son récit sans se rendre compte qu'elle était arrivée à la fin, car son regard porte toujours plus loin, bien sûr elle a raison de laisser sa dernière phrase en suspens puisque rien n'est encore joué, pas fini, pas perdu. Cette volonté qu'il lui a fallu lorsque, trois ou quatre fois toutes ces années, on lui a proposé de s'arrêter là, de dételer son cheval fourbu, et planter la roulotte dans les herbes hautes, le travail il y en avait, elle pourrait aider à la ferme, à l'usine ou chez les vieux, le bout du chemin, un peu de repos enfin. Mais elle a dit non. Poser ses affaires, c'est renoncer. S'installer, c'est s'attacher. Une sorte de maladie qu'elle a dorénavant, avec ses jambes qui avancent toutes seules tant elles ont pris le pli de voyager et ses genoux flingués qui enflent dès qu'elle reste deux jours à la même place, et le cheval, qu'en fera-t-elle ?

Elle repart.

Vrai, certains matins lui peinent, qu'il s'agisse de fatigue ou de cette terrible tentation sédentaire, jusque dans le regard las de ses juments épaisses, elle se demande à quoi sert son voyage, un pèlerinage inutile et désuet, cela fait si longtemps que les attentats ont meurtri Paris. Dans le miroir, elle voit une femme encore jeune, chevelure folle et traits tirés, vêtue de pulls informes, elle sent que l'aventure touche à son terme, ne sait pas comment l'arrêter, le vide l'effraie.

Moe a raison, la question de l'argent revient forcément quand un beau jour elle ouvre sa dernière enveloppe. À l'élevage, on refuse de lui céder une nouvelle jument pour rien, il faut qu'elle rajoute au bout, ne peut plus, avec tous les chevaux que je vous ai pris, dit-elle. Tant pis, elle garde l'autre. Quelques mois plus tard, n'a plus de quoi payer la ferrure, qu'importe, la jument ira pieds nus, comme avant les guerres, avant que l'homme ne force la nature, et les sabots font cet étrange bruit mat en se posant sur le sol, Poule met plusieurs jours à s'habituer, sursautant et surveillant, réduit les distances.

De nourriture, elle l'a dit, elle ne manquera jamais, ni d'un coup de main qui lui permette de repartir. Avec éblouissement, elle se regarde vivre sans un sou, ne va pas plus mal, ni elle ni le cheval, ni les poules qui caquettent toute la journée dans leur cage à l'arrière et continuent à tituber quand elle les libère, et elle qui d'année en année arpente ces routes qu'elle sait par cœur désormais, frappe aux mêmes portes, on l'accueille comme une amie parfois, on la dépanne, on la cajole le temps d'une nuit ou deux, si elle restait là ce ne serait pas pareil. Peut-être n'est-ce que la promesse tacite de son départ qui fait qu'on la tolère de cette façon, elle s'en moque, se repaît des sourires et des gentils, restreint ses circuits, moins loin à l'étranger, plus souvent en France où elle se sent chez elle. Les gens qui la connaissent le mieux supplient qu'elle s'installe pour quelques jours, organisent des rencontres où on l'assaille de questions sur son incroyable mode de vie, elle s'y plie avec grâce. On l'envoie chez des amis à quarante kilomètres pour le même spectacle ; quand elle arrive le surlendemain, tout est prêt, l'écurie, le dîner, l'eau chaude pour le bain. Elle savoure ces pauses tardives, dort mal parce qu'elle mange trop, perçoit ce trouble au fond d'elle, qui grandit à mesure qu'on lui redonne une place qu'elle n'a pas demandée, illégitime toujours, elle comprend que rien n'est guéri, rien n'est effacé. À la fin de l'été, elle se met en retrait, retrouve son existence austère, rit de sa solitude. L'année suivante elle refuse tout.

Et cela pourrait durer une éternité puisqu'on lui donne plus que ce qu'elle espère ; les mains ouvertes sur l'absence et le manque, elle contemple émerveillée les routes qui s'ouvrent devant elle, le pas du cheval avançant inexorablement vers l'avenir, et c'est là le problème, l'avenir, car il faudrait que les choses s'immobilisent pour ne pas changer, que le temps se suspende, mais elle n'y pense pas, elle a confiance, Poule, ne devrait pas, elle oublie qu'elle n'est pas seule, elle oublie encore une fois que les chevaux ne sont pas immortels, et quand elle fait un geste Moe se penche pour mieux distinguer.

— Là, dit Poule. Derrière la route, où il y a le panneau.

— Oui. Il y a quoi là-bas ?

— C'est là que ma dernière jument est morte.

— Comme l'autre, d'un coup ?

— Oui. Elle est tombée ici. Il n'y a pas de hasard hein.

— Alors tu es venue.

— Voilà. J'ai vu ce fichu panneau sur lequel il y a marqué : *Centre d'accueil du Haut Barrage. Accès limité. Personnes autorisées seulement.* Je suis allée à la réception pour expliquer. J'ai demandé si je pouvais m'installer là et garder ma roulotte, je n'avais pas beaucoup de solutions. À cette époque, il restait pas mal de place et ils ont accepté.

Poule ferme les yeux.

— Voilà, à présent tu sais pourquoi j'ai une roulotte et pas une voiture.

— Et pourquoi on t'appelle Poule.

Nini renifle dans un coin, *C'est vraiment triste cette histoire*.

Jaja est allée toquer à la vitre de Moe tôt le lundi matin. Quand elle a vu les yeux à demi ouverts à l'arrière de la voiture, elle a fait un geste, mimant de la main un rectangle sur sa poitrine en articulant en silence : *Ton badge*. Moe a répondu d'un signe, un mot lui aussi muet, pour ne pas réveiller l'enfant qui dort. *J'arrive*. Le jour n'est pas encore levé.

Pour ne pas trop attendre, il faut être dans les premiers. Et puis si on traîne, souvent il manque des choses.

Moe a posé Côme dans les bras de Poule et Poule lui a donné son propre badge. Chaque fois pareil, a dit Jaja : trois qui vont à la distribution, trois qui restent, on fait des tours. Sauf pour Ada qui reste toujours. La vieille prépare le thé et le café qu'elles avalent d'un trait avant de partir.

— Tu crois qu'il va pleuvoir ? demande Marie-Thé sans s'adresser à personne en particulier.

— M'est avis qu'on ferait mieux de prendre un foulard pour la chaleur plutôt qu'un ciré, soupire Jaja.

— D'accord. Si ça se met à l'orage, tu me devras un gâteau.

— Et puis. Je suis pas Madame Soleil, moi.

— Je te fais confiance sur ce coup-là.

Jaja répète en hochant la tête : *M'est avis qu'on va plutôt cuire qu'être mouillées.*

Elles s'en vont avec les six badges et les six sacs, Jaja, Marie-Thé et Moe. Il y a déjà une file d'attente quand elles arrivent près du bâtiment où le camion livre la nourriture en début de semaine – quatre centres disséminés dans la ville, un pour l'ouest, un pour le sud, un pour le nord, un pour l'est, deux mille habitants chaque fois, et bien que beaucoup aient les mêmes arrangements qu'Ada et les filles, il reste toujours au moins mille personnes à faire la queue. *On s'y est pris trop tard*, râle Jaja, *on va manquer la matinée.*

Marie-Thé hausse les épaules.

— Une fois sur deux, c'est pareil, on est trop court pour aller aux cultures le matin. Ça ne changera pas grand-chose.

Moe regarde les gens devant elles, ceux qui s'agglutinent bientôt derrière et se bousculent, trichant pour gagner une place, leur marchant sur les talons. Elles se sont séparées pour suivre chacune une file, et à côté Jaja gueule : *Ça avancera pas plus vite en poussant !* Marie-Thé a chuchoté à Moe d'enfourner les badges bien au fond de ses poches, le chaos du lundi est une aubaine pour les voleurs et, quand le badge a disparu, on peut bien promettre et jurer aux gars de la distribution, il faut aller déclarer la perte à l'accueil et demander un double, cela prend trois jours, au bout de trois jours le tour est perdu pour la nourriture, on verra la semaine suivante, c'est ce que dit toujours la Chiasse avec son vache de sourire qu'on lui écraserait bien sur la tête, voilà, pendant une semaine, on dépend de la charité des autres ou on claque ses économies pour acheter quelques boîtes de conserve à l'épicerie. Marie-Thé s'est fait avoir au début, pas la première semaine mais la deuxième, elle ne s'y attendait pas, au moment de montrer le badge pour récupérer son sac d'aliments, plus rien dans la poche, n'avait pas senti pas vu, et pourtant Dieu qu'elle a mis le bazar à brailler devant eux que c'était une honte, une ville de salauds tous autant qu'ils étaient, dépouiller une fille qui vient d'arriver ; mais malgré ses regards meurtriers, le badge n'est jamais revenu. Pendant une semaine, ce sont les filles qui l'ont nourrie, Ada aussi qui lui a avancé l'argent pour une ou deux bières, le vin était trop cher, Marie-Thé tremblait parce qu'elle picolait sec jusque-là, *C'est rien c'est le manque*, a dit la vieille, *ça va passer, c'est la meilleure façon que ça passe*.

Alors Moe enfonce loin les badges dedans son jean et garde les mains par-dessus, on peut bien la chahuter qu'elle n'enlèvera pas ses doigts des rectangles de plastique auxquels ils sont collés, jusqu'à ce qu'elle les tende aux types en uniforme derrière le comptoir, et encore elle les lâche à peine.

— On ne voit rien, gronde un des hommes en vérifiant sa liste, donnez-moi ça.

Il part dans le bâtiment avec les deux badges et Moe se retient de l'appeler, elle a beau savoir que le garde va piocher là-bas les sachets et les boîtes auxquels elle a droit, et s'il s'enfuyait avec, s'il disparaissait, avec sa chance à elle, s'il essayait de la tromper en ne lui donnant que la moitié des choses, elle inspire profondément, du calme, du calme. Se remémore les consignes de Jaja, *Tu vérifies surtout, il y a une liste dans le sac, il faut tout sortir et recompter, souvent ils en volent au passage, les gens vont gueuler derrière, t'inquiète pas, ils font tous pareil, c'est pour ça que c'est long.* Mais elle ne peut pas s'empêcher de tressaillir quand vient son tour et qu'elle renverse le contenu du sac sur le comptoir, car autour d'elle les voix fusent aussitôt, *C'est pas vrai ! — Mais qu'elle dégage ! — Elle se dépêche oui ? — Allez, merde !*, et pourtant ces voix elle les entend depuis qu'elle attend, qui accompagnent chaque habitant déversant son maigre trésor pour s'assurer que tout y est, mais cette fois c'est elle la cible et elle transpire, s'y reprend à deux fois car une boîte lui échappe, elle ne se souvient plus si elle l'a déjà comptée ou non, et elle n'a pas besoin d'entendre les autres la traiter d'idiote tant elle se martèle les mots en regarnissant les sacs, *Idiote, idiote !* C'est si simple de faire des courses.

Elle pense au petit supermarché près de chez Rodolphe, où elle choisissait dans les rayons, remplissait son panier, tendait une carte bleue ou des billets de banque. Voudrait crier, au lieu de quoi elle sent la sueur lui couler sur le corps avec une odeur aigre, ses mains qui tremblent en attrapant les sacs, elle se sait écarlate et honteuse, offerte aux moqueries et aux remarques acides, et cette horrible impression de ne pas être à sa place, seule parmi tous, non elle n'est pas comme eux, ne ressemble pas à ces loqueteux aux yeux fous, aux doigts en forme de griffes pour attraper ou chaparder, aux bouches qui ne savent s'ouvrir que sur des injures. Elle ne veut pas devenir l'un de ces êtres résignés et féroces :

elle a sa fierté, elle, sa discipline, ses cheveux lavés même au savon, la tête haute, et ce regard sans aménité qu'elle porte sur eux les autres. Et puis, tandis qu'elle repart, on la pousse, quelqu'un dans la file d'attente, un coup qui fait mal, elle trébuche, met un genou à terre. Perd un sachet de pâtes et une bouteille de lait, quelques conserves, les ramasse à la hâte. Autour d'elle, les éclats de rire, énormes, démesurés ; elle croit que c'est pour autre chose mais quand elle lève les yeux elle voit bien qu'on l'observe, on la montre du doigt – oui c'est d'elle que l'on rit. Et elle prend leur mauvaiseté de plein fouet, sidérée, agenouillée plusieurs secondes à les dévisager, eux, leurs gestes d'insulte, leurs voix mêlées pour la clouer à terre, ils ne savent même pas qui elle est ni pourquoi ils la blessent, juste le plaisir de contempler sa faiblesse, s'ils pouvaient ils la piétineraient, il suffirait de si peu, s'il n'y avait les gardiens qui s'approchent en jouant de la matraque.

— C'est quoi, ce bazar ? demande l'un d'eux.

Un autre repousse les habitants en les menaçant, la main posée sur son pistolet semi-automatique ; et ça recule bien vite là-dedans même si les protestations fusent toujours, noyées dans la foule.

— Allez !

— On n'a pas que ça à faire !

Le premier gardien pousse du pied une boîte de conserve pour la ramener vers Moe. *Magne-toi un peu, la fille. Ça fait du désordre, tout ça*. Elle allait remercier : les mots se coincent dans sa gorge. Elle attrape la boîte et se relève en claudiquant.

Quand elles repartent chargées toutes les trois, il s'est passé deux heures et Moe n'a pas ouvert la bouche. Jaja marche au pas de course.

— C'est pas marrant, hein ?

Moe répond d'un soupir et la fille brune reprend :

— Ouais, j'ai vu que tu t'étais fait bousculer mais ils étaient en train de me servir, je pouvais pas t'aider. Faut pas t'arrêter à ça. C'est des merdes, ces gens-là.

— Mais tous… tous…

— Je sais. Oublie !

C'est trop difficile d'effacer la scène de sa tête et Moe y pense la journée entière, en mâchant sans faim les petits pains au thon préparés par Ada pour le déjeuner, en traversant la ville avec les filles pour rejoindre les champs l'après-midi, en se penchant sur les pieds de tomate pendant des heures. En regagnant la ruelle le soir, et elle a le nez baissé tout le trajet, persuadée qu'on la regarde en riant du bord des quartiers, en la montrant du doigt, *C'est elle qu'est tombée ce matin, c'est elle l'idiote*. Marie-Thé a beau lui donner un coup de coude, elle ne lève pas les yeux, rivée aux semelles de Jaja qui va devant elle, à demi cachée dans son ombre et tenant le bout de sa chemise comme si la fille brune pouvait la protéger, qui se retourne en sentant le contact.

— Tu fais quoi, là ?

Moe s'excuse, balbutie quelques mots. A peur.

Le sentiment que les choses lui échappent – l'enfant qu'on veut lui prendre, la fuite impossible, les humiliations, et ce n'est qu'un début elle en est certaine, bien que rien ne permette de dire qu'il en sera ainsi, seulement la conviction ancrée là au fond de son ventre, elle n'a pas fini de sombrer, et oui la peur, parce qu'elle a toujours eu cette sensibilité à ce qui va arriver, visionnaire, marmonnait sa grand-mère, pourvu qu'elle se trompe, pourvu que son instinct se soit effondré. Et ni les paroles réconfortantes ni les caresses ne l'apaiseront autour du feu tandis qu'elles dînent toutes les six, car elle n'espère qu'en Ada, et Ada est muette.

Que Moe ne devrait pas se ronger les sangs ? Ada ne le dit pas.

Que la spirale de la chute s'arrête forcément ? Non plus.

Qu'elle s'en sortira avec de nouvelles égratignures mais qu'enfin elle y arrivera, à les emmener l'enfant et elle hors de cette ville, et à reprendre une vie normale ? Ada soupire et regarde le feu.

Et les filles se grattent la tête elles aussi, indécises, et Jaja chuchote :

— S'il y avait une solution, hein. Si c'était simple. On serait déjà toutes parties.

Au début de la nuit, Moe se lève et sort sans bruit de la voiture, se dirige à l'arrière, s'accroupit, cela fait longtemps qu'elle a cessé d'avoir honte de pisser la nuit dans un pot. Le matin elle le vide en allant aux sanitaires, tôt avant l'affluence mais jamais suffisamment tôt pour être vraiment tranquille, à croire que le mouvement ne s'arrête jamais car les gens prennent leur douche à minuit, à trois heures ou à six, désaxés dans cette ville sans rythme et sans équilibre, et Moe c'est certain préférerait y aller après le travail mais tout le monde s'y retrouve alors, mélangeant sa sueur et sa crasse en longs filets gris que des tuyaux de plastique évacuent à grand-peine. Et ça, vrai, elle ne veut pas, ni entendre le vacarme et les gros rires, ni s'entasser et tremper ses pieds dans les bacs d'eau sale, alors elle se force à s'éveiller dès l'aube, frissonnante, elle laisse l'enfant qui dort encore, s'éloigne son pot dans une main et la serviette dans l'autre.

Elle connaît bien les pas à faire la nuit en longeant la voiture, l'endroit précis, là où elle est invisible, un recoin dans l'angle droit protégé par des tôles et un jeu de bâches déchirées, elle serre son tee-shirt sur sa gorge, pas qu'il fasse froid mais toujours cette appréhension dans l'obscurité et la sensation ridicule de se protéger parce qu'on se recroqueville, elle balaie l'espace du regard pour surveiller – et alors elle la voit.

À quelques mètres, la silhouette marche sur la pointe des pieds, courbée en avant et les bras écartés comme un balancier, sans doute cette lenteur qui la ferait chanceler sinon, un être indolent et précis à la fois, gestes décomposés, un mime, un fantôme. Moe se rhabille en silence, toujours baissée dans sa cachette. Le cœur qui bat. Elle a reconnu Nini-peau-de-chien.

Qui rase la voiture de Jaja, avançant avec précaution, dépasse le feu dont il ne reste que des braises, arrive à la hauteur de la 306. Un regard à l'intérieur, machinal sans doute, mais quelque chose l'arrête et Moe sait bien quoi, il n'y a que l'enfant dedans, Nini se redresse d'un coup, en alerte. Tourne la tête devant et derrière, affolée soudain, et Moe se relève lentement avec un signe de la main pour la rassurer, la fait sursauter au contraire, un cri, si bref si étouffé qu'il se perd dans la nuit, Nini se faufile jusqu'à elle.

— Je, euh…, murmure Moe en montrant le pot par terre.

Nini chuchote une main sur le cœur.

— La vache, qu'est-ce que tu m'as fait peur !

— Mais qu'est-ce que tu fais ?

— Écoute, tu m'as pas vue d'accord ?

— Mais…

— D'accord ?

— Nini, tu vas où comme ça ?

— Elle est jolie, hein ? – et Nini tourne sur elle-même en faisant voler sa robe – je l'avais en arrivant, je la garde pour les occasions.

— Quelles occasions ?

— Réveille-toi, Moe ! On est le 14 juillet. C'est la fête !

— Mais… ici ?

— Et pourquoi pas ? Tu veux venir ?

— Quoi ?

— Viens avec moi !

— Mais tu vas où ?

— Danser, rire, boire… Gagner de l'argent, même.

— Je ne comprends pas.

— Habille-toi.

— Nini, il est deux heures du matin.

— C'est là que ça commence à être bien. On est samedi, Moe, demain c'est repos. On dormira jusqu'à midi !

— Parle pour toi. Moi, avec Côme…

— Fais pas ta vieille. Allez viens !

Alors elle la suit, Moe, la curiosité l'emporte, et les yeux brillants de Nini-peau-de-chien, elle enfile un jean et un pull, ferme la voiture à clé. Au moment de quitter la ruelle, une angoisse la saisit, elle ralentit, s'immobilise, les mots lui viennent, *Je ne peux pas*, que la main de Nini prenant la sienne pour l'emmener l'empêche de dire, la voilà qui court dans les rues sombres derrière le rire de la jeune femme, *Tu vas voir, tu vas voir*.

Il y a quelque chose de terrifiant dans ces quartiers obscurs qu'elles traversent ensemble et Moe n'imagine pas que Nini les arpente seule, et pourtant elle le connaît, le chemin, elle file sans hésiter, sans s'effrayer des lumières basses qui font des ombres au coin des ruelles ni des silhouettes qui les interpellent, Ada dit qu'il ne faut jamais sortir le soir c'est dangereux, Nini rit encore, si on écoutait tout ce que dit la vieille. Moe regarde autour d'elle, cherche des repères pour mémoriser la route, la cabane en tôles bleues, le transformateur électrique, trop de changements, de bifurcations dans lesquelles Nini s'engouffre en chantonnant, jamais elle ne s'est donnée à voir ainsi, cet allant, cette fièvre, tandis qu'elle Moe se sent rétrécir à mesure que leurs pas les éloignent du foyer et des filles, que d'autres lueurs, d'autres bruits apparaissent, éclairant la nuit. *On est où*, demande-t-elle. À l'angle d'un bâtiment – les sanitaires d'un autre secteur – Nini se fige, ouvre les bras. Vingt mètres et elles seront sur la place qui vibre de cris et de musique.

— Le nord !

Les jambes qui flanchent, Moe, non, pas s'écrouler, pas peur, elle essuie la sueur sur son front.

— Mais c'est le quartier de…

— Le plus pourri oui. Et le plus vivant !

Après, Moe ne sait plus, elle se souvient que Nini l'attrape par le bras et s'élance vers la fête le chaos, la foule les enveloppe, car il y a du monde, cent personnes peut-être, les rires, l'alcool, le tabac et ce parfum si singulier de la marijuana, sont-elles encore dans la ville, Moe a du mal à le croire, tout est si différent. Un homme les aborde, enlaçant Nini, *Tu es en retard, ma belle — Regarde je suis venue avec une amie*.

La place est saturée de corps et d'odeurs, peaux blanches, mates et noires, femmes enveloppées de tuniques bariolées retournant des épis de maïs sur des grils incandescents, longues filles élancées dans des tissus sombres, la musique les agite, des guitares sorties d'on ne sait où, des tambours improvisés sur des planches ou des casseroles – et ces hommes qui les regardent en fumant, qui s'approchent, *Me laisse pas seule*, dit Moe, et Nini éclate de rire : *Profite !* Plusieurs groupes se sont formés en marge du rassemblement, des agglutinements compacts, serrés autour d'un point invisible, Moe écarquille les yeux, *C'est quoi ?*

Nini a un sourire en coin.

— Le feu d'artifice !

— Le feu… ?

— Ici, c'est un des rares endroits où on capte du réseau. Je crois bien qu'ils ont installé un relais pirate dans une voiture vide. Alors tu vois, ils sont sur les téléphones à regarder le spectacle.

— Ils ont des téléphones ?

— Oui. C'est pas trop permis en principe, mais dès que tu te débrouilles, tu peux en avoir un.

— Tu en as un, toi ?

— Et qu'est-ce que j'en ferais ? J'ai perdu mes amis, ma famille m'a tourné le dos quand ça a basculé pour moi… si c'est pour voir du foot ou de la téléréalité, franchement… je demande ici et là si j'ai besoin. C'est toujours moins cher que d'acheter un téléphone au marché noir. Allez viens, on va essayer de voir, nous aussi.

Nini joue des coudes, avance parmi les silhouettes qui protestent, Moe collée dans son dos. Pas facile de s'approcher, et elles se font rabrouer dix fois. Moe tapote l'épaule de Nini dans un chuchotement, *C'est pas grave*. Mais l'autre ne l'écoute pas, souriant aux gens qu'elle bouscule, levant une main pour attirer l'attention de l'un des hommes qui tient un téléphone sur lequel ils sont tous penchés.

— Martial !

L'homme lève à peine le nez, la reconnaît. Écarte les corps autour de lui dans un sourire, *Nini. Viens, viens !*

Et le sentiment qui envahit Moe, après, oscille entre l'émerveillement et le ridicule, à pousser des cris avec les autres lorsqu'une pluie d'étincelles jaillit sur l'écran de douze centimètres, un tout petit feu d'artifice, vraiment, pour la première fois il faut baisser la tête pour le regarder, pour la première fois il n'est pas au ciel. Pourtant l'émotion la submerge. Peut-être les cinquante voix s'exclamant en chœur chaque fois qu'une fusée éclate, qui résonnent contre elle ; ou la futilité joyeuse d'un monde perdu qui se donne par bribes sur un téléphone en couleurs. Cela dure dix minutes, à Paris le feu d'artifice est terminé depuis deux heures, les chaînes d'information passent des extraits. Le journaliste balaie la foule, des visages heureux, des gens qui crient, font des signes à la caméra, et c'est comme si ces gens-là dans la vraie ville les regardaient dans les yeux, eux rivés au téléphone de Martial, comme si c'était pour eux qu'ils agitaient les mains, autour de Moe, certains répondent d'un geste, *Salut les gars, salut !*

Quelques instants plus tard, Martial referme le téléphone.

— On arrête. La batterie ne tient plus la charge et j'ai un coup de fil à passer.

Bien sûr il y a des soupirs, des grognements. Mais le petit attroupement se disperse, rejoint d'autres groupes en espérant en voir davantage. La plupart vont chercher à boire, se mettent à chanter ou à danser. Nini emmène Moe au milieu de la place noyée de monde, tourne sur elle-même, s'envole au rythme des guitares. Cela sent fort les épices et la sueur. Moe a beau essayer de se fondre dans cette masse qui ne veut pas d'elle et fait bloc, elle reste aux portes, se trémousse comme les autres, qui lui tournent le dos, cherche Nini du regard, l'a perdue soudain, s'affole.

— Nouvelle ?

Elle sursaute, un cri au bord des lèvres qu'un sourire interrompt, des yeux doux devant elle, il tend la main.

— Je m'appelle Jonas, et toi ? Tu viens d'arriver ?

D'abord elle ne répond pas, intimidée par l'homme en face d'elle, grand et blond, très maigre ; il est à peine plus âgé qu'elle. Et ces yeux bleus oui, qui lui mangent le visage derrière les longues mèches de cheveux solaires, si souriants mais – avec au fond une lueur d'une brutalité sans nom. Elle sait que, dans quelques mois, elle aussi aura cette dureté dans le regard. C'est la ville qui veut ça. Alors elle hoche la tête.

— Ça fait une dizaine de jours que je suis là.

— Je t'ai jamais vue.

— Je… je ne sors pas beaucoup.

— Tu veux une bière ?

— Une bière ?

La première gorgée lui fait fermer les yeux de plaisir. Jonas a un petit rire.

— C'est bon, hein.

— Plus que ça.

— Vas-y, il y en a d'autres.

— Mais je croyais que…

— Que ?

— Enfin, qu'il n'y avait rien dans cette ville.

— Oui mais. Ici, ce n'est pas vraiment la ville.

— C'est ce qu'on dit. Le nord, ce n'est pas pareil.

— Voilà. Le quartier de tous les trafics. Dangereux mais tellement plus riche. Le seul point commun avec les autres, ce sont les voitures ; pour le reste, on trouve de tout.

— Je ne comprends pas comment c'est possible… et puis avec les gardiens…

— Oh. Tout a un prix.

— Et, euh… tu es là depuis longtemps ?

— Quelques années. Je me débrouille plutôt bien. Une autre bière ?

— Un verre de vin blanc ?

— Connaisseuse. Je reviens.

L'incroyable voyage hors du temps, hors de la Casse dans cette nuit étrange, et pour un peu Moe croirait qu'elle a rêvé, pas ce soir-là mais les années précédentes, qu'enfin elle se réveille après un long cauchemar, retrouvant l'existence là où elle l'avait laissée, bruyante et joyeuse, un goût d'inconscience, d'innocence ou de liberté, ou les trois à la fois, et à travers les mèches folles de ses cheveux, la tête renversée pour suivre le rythme, Moe oublie la voiture trop petite, le travail exténuant, l'enfant pour qui elle se bat. Nini-peau-de-chien se balance contre elle dans un rire en saccades, la sueur sur leur peau à toutes les deux, les verres qu'elles tiennent malgré la danse et qui se renversent à demi, elles chantent à tue-tête,

Moe ne connaît pas les chansons, improvise et pouffe, redemande du vin. *Je t'avais pas dit que ça serait génial ?* s'exclame Nini. Jonas est tout près d'elles, les sépare parfois en passant un bras autour des épaules de Moe, elle sait à quoi il pense, ce qu'il espère, elle s'en moque ; au moment de repartir, elle lui fera des promesses – les hommes croient toujours aux promesses.

Nini la prend par la main, la tire en arrière, s'écroule avec elle sur un banc.

— Tiens !

Elles se brûlent en mangeant le maïs grillé piqué sur une tige de bois, recrachant les grains noircis, la bouche affolée par les épices et les saveurs mêlées, sucré et salé, le parfum suave qu'elles picorent à tour de rôle. Moe se met à rire, *C'est dégueulasse — Je suis bien d'accord*, dit Nini, *vas-y, balance, on retourne danser. — Il est quelle heure ?*

À cinq heures, la musique s'assourdit et les rythmes s'apaisent, un bruit de fond presque, la place est jonchée de corps assis et de verres encore pleins, de bavardages et de rires, on s'adosse les uns aux autres pour ne pas verser ni derrière ni sur le côté, une foule basse et titubante marmonne, raconte, se touche et glousse, Nini-peau-de-chien a disparu avec son homme depuis une heure. Jonas suit le regard inquiet de Moe.

— Elle reviendra pas.

— Pourquoi tu dis ça ?

— Parce que tu la cherches.

— Elle ne doit pas être loin.

— Hé. Je la connais. Je te dis que tu la reverras pas cette nuit.

— Mais…

— Mais quoi ? Tu crois qu'elle a pas mieux à faire que se souvenir que tu es là ? Tu es une grande fille, Moe. Tu peux te débrouiller toute seule.

— Je vais rentrer alors.

— Hein ?

— Je suis fatiguée.

Moe n'ajoute pas que la place désertée par la musique lui fait peur soudain, quand il ne reste que des hommes et des femmes abrutis d'alcool, la moitié des gens repartis sans qu'elle s'en soit aperçue, pour la première fois depuis des heures elle regarde vraiment, les bouteilles vides, les couvertures à même le sol sur lesquelles des couples halètent sans même se cacher sous les applaudissements des autres, à peine dénudés, un désir court et brutal, elle serre les lèvres, se détourne. Jonas a mis la main sur sa nuque, elle n'aime pas la pression trop ferme, la façon dont il la ramène vers lui pour l'embrasser – elle esquive, se glisse, il se lève avec elle. Ne dit pas un mot quand elle s'éloigne, se contentant de marcher dans ses pas, il la rattrape, s'installe à côté d'elle en passant un bras autour de ses hanches. Moe dit : *Non.* Il rit. Elle l'écarte d'un geste.

— On se revoit bientôt.

— Tu plaisantes.

— Vraiment je veux rentrer. Je suis rincée.

— Et t'as pas oublié quelque chose ?

Elle a accéléré le pas et il la pousse dans l'obscurité, l'obligeant à trébucher — *Arrête !* Elle se rattrape, met une main sur le mur.

— Demain je te promets…

— Y a pas de demain.

— Jonas…

— Tu crois quoi, que je vais payer des verres toute la nuit pour rien du tout ?

Elle essaie d'échapper aux bras qui la soulèvent, crie soudain – Jonas rit encore, *Vas-y, appelle, ils vont tous venir voir.*

Le métal du capot sur lequel il l'allonge s'enfonce dans une plainte, elle se débat, les larmes aux yeux, et griffe et mord, jusqu'à ce que Jonas cogne, fort, alors elle met les deux mains sur son visage pour se protéger en pleurant, et lui la forçant, arrachant tout, pantalon baissé, elle crie une nouvelle fois quand elle le sent arriver tout contre elle, non s'il te plaît, pas ça, pas comme ça, mais il n'y a plus que son souffle à lui, son souffle et ses mots enfiévrés, *Ta gueule salope.*

*

Après elle ne sait plus.

Après la douleur et la honte, le corps souillé, les rires autour d'elle. Quelques instants, quelques dizaines de secondes qui durent des heures. Elle ne se souvient plus quand Jonas s'est retiré, se reculant enfin, la laissant glisser au sol et se replier sur elle-même. Elle a entendu le bruit de la fermeture éclair qu'il a remontée. Et puis ses pas qui s'éloignent sans hâte.

Elle a retrouvé le chemin de la ruelle avant l'aube, s'est enroulée autour de son ventre brûlant sur la banquette de la voiture, sans regarder l'enfant endormi, s'il comprenait à travers ses paupières fermées, s'il devinait la détresse – elle s'est enfouie sous la couverture, oubliant tout et descendant jusqu'au tréfonds de la terre, dévastée et saccagée, suppliant que cela n'ait pas eu lieu ; quand Jaja est venue taper à la vitre deux heures plus tard parce que le petit déjeuner était prêt, elle n'a pas bougé.

Et pourtant il a bien fallu demander, et il a bien fallu en parler. Parce que prendre le risque de – non, elle ne veut pas Moe, se tient les entrailles des deux bras tant elle tremble juste à l'idée, et elle a regardé la caravane d'Ada pendant des heures tandis que Poule ravie s'occupait de l'enfant, et celui-là déjà était de trop, alors un autre, n'y pas compter, elle le sait, il faut s'en occuper tout de suite. Aux filles elle a dit qu'elle était malade, et Nini-peau-de-chien est venue lui caresser les cheveux, *Je suis désolée, on a trop bu hein. — Ne me touche pas, Nini, enlève tes mains, va-t'en.* Elle se retient de hurler.

Quand Ada ouvre la porte de la 306 et s'assied à côté d'elle, elle lui raconte et s'effondre.

*

Sur les étagères, la vieille prend quatre récipients transparents, quatre pots dont les mélanges à l'intérieur ont des nuances lumineuses, feuilles vert pur, ou mêlées de jaune, et bleues, et blanches. Sur chaque pot cependant, la même étiquette : *herbes sacrées.*

Ada murmure pour que Moe entende, oui des herbes sacrées, il ne s'agit pas de soigner un rhume ou une sciatique cette fois, prendre une vie cela ne peut qu'être extraordinaire, cela se fait avec tant de respect, et tant de peine.

— On n'est pas sûr, dit Moe dans un souffle.

— Dans l'intention c'est la même chose. Que l'enfant soit en toi ou non, tu vas le tuer.

Parle pas comme ça, Ada, voudrait supplier Moe, pas tuer, c'est juste se protéger – sinon il faut attendre, a objecté la vieille, même si dans deux ou quatre semaines, c'est plus compliqué bien sûr, on n'est jamais certain, on peut attendre malgré tout, mais Moe ne veut pas, Ada insiste.

— S'il y a vraiment un enfant, pourquoi ne pas le porter jusqu'au bout et le donner à la naissance ?

— Je ne supporterai pas de vivre avec ça en moi.

— Tu en es sûre ?

— Tu ne veux pas m'aider ?

— Évidemment si. Seulement, tu ne dois pas avoir de regrets. Et puis cela fait mal.

— Même s'il n'y a rien ?

— Oui. Les plantes abortives provoquent des convulsions et des hémorragies, c'est obligé. Fœtus ou pas, c'est pareil.

— Est-ce que c'est dangereux ?

— Moe, s'ils ont légalisé l'avortement dans le monde de l'autre côté, c'est pour que les femmes arrêtent de mourir avec ces méthodes-là. Oui, il y a un risque. Je ferai une dose légère parce que c'est très tôt.

— Mais cela marchera.

— Oui.

— Des herbes sacrées. C'est promis, hein.

Ada fait glisser les pots bleus sur le côté.

— Deux herbes sacrées, la sauge et l'hysope. L'hysope, on ne la trouve pas ici, même en montant vers le barrage. Je dois l'acheter aux trafiquants. Les trois autres poussent un peu partout.

Elle met les mains sur les deux derniers pots, *Et l'herbe de feu, et l'herbe de grâce. Il y a tout pour te délivrer. Va t'allonger, je te l'apporterai bientôt. Poule gardera l'enfant jusqu'à demain, tu ne seras pas en état.*

— Qu'est-ce que je vais dire aux filles ? Si ce n'était qu'une cuite, je n'aurais pas besoin de tout ça.

— Elles ont déjà compris.

*

Et ce sont deux choses bien différentes que vouloir s'assurer de, et sentir ses entrailles cogner aux parois comme si le diable les dévorait et le sang se déverser au-dehors en caillots noirs, il y avait un enfant c'est certain, avec ces parties de sa chair qui se délitent et viennent en formes molles, Ada dira après que c'est impossible, rien n'existe encore à ce moment-là, le corps se nettoie et c'est tout, il tousse et se contracte et crache ses impuretés, c'est ce que tu voulais, petite, ces saletés-là tu les as peut-être depuis des années.

Mais encore une fois, cette douleur elle ne pensait pas, et la terreur que trop de choses s'échappent, si les viscères descendent, si les boyaux s'avalent, est-ce qu'Ada saura les remettre, est-ce qu'il suffit de les repousser à l'intérieur et que tout revienne peu à peu, elle crie : *Je me vide*, mais ce n'est que la sueur qui inonde le drap, et la peur, et les mains écrasant son ventre qui pulse et qui vomit.

Si elle était du bon côté du monde, celui où on avale des cachets pour ne pas avoir mal, mais la vieille l'a prévenue, ici cela n'arrive qu'une fois, après on sait, après on fait attention. Pourquoi tu y es allée, Moe, tu ne vois pas depuis que tu es là, Nini-peau-de-chien c'est une folle, ce qu'elle veut ce n'est pas vivre, c'est se brûler les ailes pour mourir plus vite, tu entends ce que je dis, vous les jeunes, vous ne tiendrez pas si vous continuez comme cela. Moe murmure : *À quoi ça sert de tenir.*

Les heures se dévident, des éternités agrégées les unes aux autres, un univers de souffrance dans lequel aucun geste n'est anodin, même respirer il faudrait arrêter, mais les entrailles entrent en spasmes et éructent, se serrent et s'enserrent, à croire qu'on les tient dans une ficelle que l'on tire pour les étrangler, puis qu'on les relâche dans un élan brutal, et la douleur s'allonge jusqu'au cœur, irradie l'être, compte trois cela ira mieux après, compte lentement surtout.

Une journée et une nuit, et le corps se rend, vide absolument, tout est là épars, sur la couverture gâchée, sur les chiffons salis, sur la peau rouge et bleue et noire qui s'est déchirée sous les griffures des ongles, cela vient sans que Moe en ait conscience, la souffrance s'étale, se noie, Ada la voit quitter les chairs épuisées, alors elle sait qu'elle peut laver la femme désemplie et que tout n'est pas vain, elle donne les compresses à Jaja, elle dit :

— Va chercher Côme.

Et Jaja court chez Poule, revient avec le petit encore endormi parce que l'aube du jour suivant n'a pas commencé, elle le tend à Ada, Ada le pose sur le ventre nu de Moe et Moe ouvre les yeux et sourit à l'enfant, *Voici la vie* dit la vieille, *voici une belle chose. Rappelle-toi cela.*

*

Mais l'autre chose cependant, celle de l'obscurité, suivra Moe pendant des semaines. Elle n'ose plus se déplacer seule, ni au travail ni aux douches, ni même se soulager la nuit au bout de la voiture, et elle a rentré le pot qu'elle dissimule au fond du coffre et qu'elle couvre d'un plastique pour l'odeur. Elle retourne aux champs trois jours après le viol, bien qu'elle n'arrive pas à le nommer encore, dans sa tête les images lui font assaut, d'une violence inouïe, elle crie chaque nuit, réveille l'enfant. *Laisse-le-moi quelques jours*, propose Poule, et le petit rit en voyant les couleurs dans la roulotte, essaie d'attraper les fils qui pendent des vieilles broderies, et les boutons et les breloques dans lesquels la lumière se reflète en faisant des étoiles. Moe hoche la tête.

— Oui, il sera mieux.

Elle boit les tisanes qu'Ada prépare pour calmer le feu dans ses entrailles et cicatriser l'intérieur, mange peu, du riz surtout, le café Ada le lui interdit, elle n'y touche plus d'une semaine. En attendant de reprendre le travail, elle reste assise des heures sur le banc, devant le feu éteint qu'elle est chargée de rallumer le soir quand les autres rentrent des cultures, qu'enfin l'air se teinte d'une joie fatiguée, les filles ont toujours des choses à raconter. Mais avant cela il a fallu patienter depuis l'aube, tourner et retourner les images et les pensées dans sa tête, se plier sur son ventre malade, nettoyer le sang qui coule encore – et sur ses mains elle contemple avec détachement les traces de ce sang-là, un rouge vermillon, bien sûr elle voudrait que cela s'arrête mais le voir ainsi clair et fluide, quelque chose la rassure après le ferment noir du jour précédent, elle sent son corps se libérer, jusque-là ce n'était que poison.

Elle compte aussi, le nombre de femmes qui viennent trouver Ada, pour leurs enfants, pour leur homme, pour elles-mêmes, quand elle est aux champs elle ne voit pas ce va-et-vient incessant et la foi dévorant le regard de celles qui cherchent de l'aide, pourtant dans le bâtiment central la consultation médicale est pleine toute la journée, elle passe devant avec les filles en allant travailler. Sont-ce les infections courant dans les locaux suroccupés, les blessures mal soignées qui gangrènent, les médicaments périmés ou les rumeurs à elles seules qui renvoient tant de gens dans la ruelle, et les femmes en arrivant ont toutes les mêmes gestes, hésitent à entrer dans le cercle du feu, patientent au bord, elles savent qu'Ada les voit – Ada qui se lève et jamais ne dit non, ne demande rien, le plus souvent on lui offre un peu de nourriture en échange, du bois pour le foyer ou une écharpe chaude, de l'argent quand ce sont les habitants du nord parce que la ville entière connaît leur richesse toute relative, d'ailleurs les gens du nord viennent peu, faut-il que ce soit grave lorsqu'une de leurs femmes s'avance. *Tu n'as jamais eu de problème quand quelqu'un meurt malgré tes remèdes ?* interroge Moe.

Mais la vieille sourit, depuis le temps qu'elle vit là, elle a soigné la moitié de la ville ; pas une famille qui n'ait eu affaire à elle, et bien sûr qu'on finit par mourir, mais combien de guérisons pour un décès, combien de plaies refermées, de fièvres sorties, d'enfants sauvés alors non, les ennuis on ne lui en cherche pas, ici ils disent que quand elle se penche sur un mal et qu'on meurt quand même, c'était le destin, ou la volonté divine, ou simplement l'heure, enfin ça n'était pas négociable, aurait-on été emmené au Val-de-Grâce que ça n'aurait rien changé.

Dans l'ombre de la caravane, Ada vérifie le séchage des plantes qu'elle va chercher chaque semaine, effeuille, trie les fleurs, coupe et broie, étiquette. Fait des mélanges aussi, le nez baissé dans un vieux livre saturé de notes si mal écrites qu'elles sont illisibles à tout autre qu'elle, et chauffe et cuit et réduit. Par les portes ouvertes, l'odeur acide des herbes macérées se répand dans la ruelle, donne des éternuements, pique les yeux, lui tourne la tête parfois, mais rien ne l'empêcherait d'arpenter tous les sept jours les recoins de la vallée pour faire sa récolte. Les versants de la montagne sont à elle ; par une sorte d'accord tacite, les gardiens des hauteurs la laissent passer depuis qu'elle a guéri un de leurs chiens, un grand dogue gris hargneux, une vraie gale que cette bête et sûr elle avait été empoisonnée et quelques dizaines de pouilleux s'en frottaient les mains d'avance, mais Ada s'en moque, que le chien soit méchant, repêcher la vie elle a ça dans le sang, ils ne sauront jamais comment elle a pu le sauver il était déjà mort. Et la rancune à vrai dire a fait long feu, car la vieille collecte ses herbes pour les soigner eux tous sans distinction, personne ne se souvient qu'elle ait refusé ses potions ou ses cataplasmes une seule fois, même aux salauds du nord qui violent et dépouillent et vendent des drogues ou des armes.

Ainsi lui sont ouverts les chemins interdits, qui donnent accès au haut plateau, là où les herbes l'attendent, là où elle contemple songeuse la ville ramassée autour du lit de la rivière et que le barrage protège en même temps qu'il est une terrifiante menace – qu'on l'ouvre, et ils seront tous emportés, les hommes et les voitures écrasés contre les grilles.

Mais comment tu as appris, se demande Moe en retournant une bûche dans le feu, comment tu connais les plantes alors que plus personne ne s'intéresse à ça, est-ce que c'était ici, est-ce que c'était avant, pourquoi tu es là, pourquoi quelqu'un comme toi, qu'est-ce qui t'est arrivé. Le soir elle pose la question aux filles qui se mettent à rire, et comme Ada les rejoint, elles expliquent, Ada la méchante, la *dangereuse* – la vieille a les yeux qui s'étirent dans un sourire quand elles prononcent le mot, hoche la tête, oui c'est bien ça, dangereuse, et Jaja s'écrie :

— Moe, tu n'as pas compris que s'il y en a une qui a une raison d'être là, c'est bien elle ?

Histoire d'Ada

Moe, est-ce que tu sais quel est le plus beau pays du monde ? C'est… Eh non.

Ada s'interrompt. *C'était, je crois.*

Mais cela fait si longtemps qu'elle l'a quitté. L'Afghanistan.

Ce pays qu'Ada a toujours connu en guerre. Depuis des années, les villes ne sont que des fantômes, des blocs de pierres éventrés, déchirés, épars. Des moellons empilés à la va-vite pour faire des abris de fortune, de ceux qui sont destinés à durer une saison et qui vont rester dix ans, et que l'on ne sait plus, en hiver, comment réchauffer. Les campagnes ont été moins touchées paraît-il : mais même aujourd'hui, personne n'a trouvé le moyen de déjouer les terres truffées de mines pour aller exploiter les prodigieuses réserves de minerais que renferme le pays. Alors, dire que les zones rurales ont été épargnées…

Lorsque Ada naît, l'Afghanistan porte, pour quelques mois encore, le nom de royaume. C'est cette image qu'elle retiendra, celle que ses parents murmurent entre eux à voix basse, quand ils croient qu'elle n'entend pas : un royaume, et des petites filles qui rêvent toutes d'être des princesses. Certaines le sont devenues. À ce moment-là, elles siègent au Parlement.

Ada et ses parents habitent à Tâloqân, une petite ville située à deux cent cinquante kilomètres au nord de Kaboul. Ce sont des Turkmènes ; leurs propres aïeux ont fui leur pays et les réquisitions forcées du régime soviétique, s'installant sur les pourtours du fleuve Amou-Daria qui leur rappelle la route par laquelle ils sont arrivés. Comme la plupart des réfugiés sédentarisés au nord de l'Afghanistan, ils élèvent des moutons à queue grasse, dont ils tirent viande, fromage, laine et astrakan. Ils vivent aussi des fruitiers plantés là, quand l'hiver n'est pas trop long et l'été pas trop sec. Ada se souvient d'une vie pauvre ; elle n'est pas malheureuse. À huit ans, elle porte une jupe, et surtout elle va à l'école, comme ses deux frères et son autre sœur. Elle a décidé de devenir médecin. Si elle obtient une bourse à la fin du lycée, elle ira à l'université de Kaboul. La vocation lui vient de son grand-père, qui vit avec eux tous depuis qu'il est veuf. Une sorte de révélation quand, il y a quelques mois, elle a vu le vieil homme couper le feu.

C'est Karan qui est tombé dans les flammes. Un petit garçon turbulent, elle le connaît bien, sa famille habite à quelques maisons de là. Souvent il papillonne autour d'elle en chantant qu'il l'épousera quand il sera grand ; mais il aura toujours trois ans de moins qu'Ada et elle se moque de lui, le pousse du coude, un peu sèchement parfois. À cinq ans, il ne connaît rien aux filles. Elle préfère la compagnie de ses amies d'école : les garçons l'agacent.

Karan courait dans la maison en faisant mine de chasser un renard. A trébuché dans l'angle, là où se trouve la pierre du foyer, là où le feu brûle tout l'hiver. Ada et le grand-père ont entendu les cris jusque chez eux. La petite a voulu sortir.

— Non, a dit le grand-père.

Il sait que les cris annoncent le danger. Ils sont seuls tous les deux, le reste de la famille est parti surveiller les moutons. Lui, avec sa jambe abîmée par une chute, n'a plus l'énergie de crapahuter derrière les bêtes ; alors il garde la petite. Et si Ada file au-dehors, le grand-père ne pourra pas la suivre. Pas la prévenir, ni la protéger. C'est pour cela qu'il répète plus fort, devant son air hésitant à elle : *Non.*

Mais quand on vient le chercher quelques minutes plus tard, il n'a d'autre choix que de l'emmener avec lui.

— On va faire quoi ? demande Ada avec un mélange d'excitation et d'inquiétude dans la voix.

Ils n'ont pas loin à aller mais le froid les saisit. Le *badisad obistroz* souffle du nord-est, déposant une pellicule de glace sur leurs cils. Le grand-père se presse. Il connaît les histoires de ceux qui ont perdu leurs yeux quand le gel les a pris par en dessous.

En entrant dans la maison des voisins, Ada pense d'abord que c'est une bête qui crie. Il n'y a rien d'humain dans cette plainte gutturale entrecoupée de stridences, même si elle ignore quel animal pourrait mugir de la sorte, avec ces hurlements à faire se lever les morts. Elle ne veut plus avancer. Le grand-père la contourne. Alors elle regarde malgré la peur, la curiosité l'emporte. Aussitôt après, elle recule jusqu'au fond de la pièce en hoquetant.

Le grand-père n'a pas cillé, lui. En a vu d'autres, dans ces pays qui n'ont connu que la guerre. Il observe le dos du garçon, la peau cloquée, boursouflée, les chairs déjà suintantes. Entre ses doigts écartés devant son visage pour ne pas voir, mais un peu quand même, Ada le suit des yeux.

L'écoute.

N'entend pas d'abord, tant les cris couvrent les bruits de la maison, et la bouche du grand-père qui murmure tout bas. Il y a juste ses mains qui s'étendent au-dessus du corps et passent dans une sorte de caresse qui ne touche rien, surtout rien, un tressaillement dans les maigres bras ridés. Et puis cela recommence, les mains du vieil homme en suspens, épiant l'affreuse brûlure, et au quatrième passage Ada se rend compte que le hurlement a cessé.

Le petit garçon sanglote en silence.

La voix du grand-père, presque inaudible. Ada dressée sur la pointe des pieds saisit quelques mots. *Feu de Dieu, perds ta chaleur...*

Karan renifle encore une fois. *Tu as toujours mal ?* demande le vieil homme.

— Plus beaucoup.

Le grand-père souffle trois fois sur la brûlure.

La mère du garçon les raccompagne en les bénissant, portant jusqu'à la maison un gâteau qu'elle leur offre. Ada n'a rien dit. Elle attend que la porte se referme pour lever les yeux :

— Tu as fait comment ?

Mais elle n'aura pas de réponse et elle ne pourra que constater, de jour en jour, au chevet de Karan, le blanchissement de la peau brûlée et l'incroyable cicatrisation. Elle a compris que c'était le secret de son grand-père. Et elle aussi, elle veut le faire.

*

Mais Ada n'a pas le don – pas encore. Elle va jusqu'à se brûler elle-même pour imposer les mains sur sa jambe, récitant une prière qu'elle ne connaît pas et qu'elle invente à demi, soufflant en vain sur la plaie qui la brûle. Son grand-père s'émeut de ses efforts et de ses larmes. Lui prédit trois choses pour la consoler : d'abord qu'elle apprendra à guérir par les plantes – car cela, elle en sera capable, pour peu qu'elle écoute. Ensuite, qu'elle Ada deviendra médecin, puisque aujourd'hui les filles vont à l'université. Et enfin qu'elle aura le don de couper le feu à son tour, mais pas tout de suite, car ainsi vont les règles de la transmission : il faudra d'abord que son grand-père meure. En entendant les trois prophéties, Ada recule. Elle ne veut pas imaginer la vie sans son grand-père, ne conserve que les deux premières promesses, comme des trésors.

Le rêve qui la tient est cependant de courte durée : l'année suivante, les troupes soviétiques envahissent l'Afghanistan. Kaboul devient le théâtre d'affrontements permanents. Pendant les dix années qui suivent, plus d'un million d'Afghans seront tués et près de quatre millions s'enfuient, abandonnant un pays ravagé par la guerre. Il n'est plus question d'aller à Kaboul : les campagnes offrent une sécurité toute relative mais bien meilleure que dans les grandes villes où le conflit se cristallise.

En attendant, Ada apprend les simples et les remèdes, les herbes qui soignent, apaisent, dénouent. Pendant des années, sous le regard sévère de son grand-père, elle acquiert les bases ; et comme elle sait lire et écrire, ses parents lui achètent un grand cahier sur lequel elle note tout, les noms, les formes, dessinant les feuilles et les fleurs, les alliances, les effets, les questions. Les pages sont barbouillées de schémas, de texte et de signes qu'elle seule est capable de comprendre. Elle n'oublie rien. S'il lui manque l'expérience du grand-père, davantage que lui, Ada fait des liens, des hypothèses, des essais, tendue vers l'avenir et la conviction que tout peut s'améliorer. Rarement en une seule fois : elle piège des mulots dans la campagne, les met en cage et leur donne ses potions, applique ses baumes, parfois après les avoir blessés elle-même. Il en meurt régulièrement.

Parce qu'elle a guéri sa meilleure amie cependant, qui souffrait du ventre, on lui demande de plus en plus de conseils. Elle accompagne le grand-père aussi souvent que possible dans ses visites aux malades, toujours en retrait, toujours humble derrière celui qui détient les savoirs ancestraux. Elle passe des heures à consigner ses observations. Plante des herbes, observe la pousse, récolte, sèche, se trompe aussi, quand elle mélange les espèces l'une sur l'autre et que les substances actives s'annihilent les unes les autres, l'infusion ne vaut plus rien, ni les plantes qui ont pris le moisi ou passé un an, il faut tout jeter, elle recommence. Perçoit que du séchage dépend la qualité des remèdes, avant même les dosages, et qu'il lui manque toujours une infinité d'herbes, de fleurs, d'écorces – alors elle cherche les plantes communes, une espèce d'assortiment de base pour soigner la plupart des petits maux. Elle équilibre les doses, ajoute, retranche, invente de nouvelles drogues. Son grand-père observe, sceptique puis intéressé, donne son avis. Elle l'écoute avec attention, fascinée par le pouvoir des fleurs, des feuilles, des racines, le monde revient à sa source, se dit-elle, car tout se guérit par la terre – sauf ce qui doit mourir, et alors aucun remède, aucune potion n'y pourra rien, quand le destin s'en mêle.

En 1989, l'Armée rouge en est à ses derniers mois de présence en Afghanistan. Un espoir insensé s'empare d'Ada : elle va pouvoir gagner Kaboul. Elle a alors dix-huit ans. Bien sûr, elle a arrêté l'école depuis longtemps, faute d'enseignants, faute d'avenir aussi, et comme nombre de petites filles elle a préféré jouer dans la campagne plutôt que faire des études qui ne lui serviront à rien, dit-elle, si elle doit se marier, rester à la maison et élever des enfants. Seules la botanique et la phytothérapie n'ont cessé de la passionner. Mais elle est prête à tout réapprendre pour retrouver son rêve et devenir médecin. Une seule chose lui échappe : une fois les Soviétiques partis, la guerre ne s'arrête pas.

Ce départ va même créer une nouvelle rupture, ouvrant la porte à une première guerre civile. Au même moment, à l'ouest, du côté de l'Irak, la guerre du Golfe s'enclenche. L'Afghanistan, déchiré par des luttes intestines, entre lentement dans le conflit le plus terrifiant de son histoire, opposant bientôt les ethnies, les religions et les régions.

Alors Ada ravale encore une fois ses désirs, continue à soigner par les plantes. De toute façon, les médicaments se font rares. À Tâloqân, qui se trouve sur le chemin du Kazakhstan, les réfugiés de plus en plus nombreux bénéficient de ses remèdes lorsqu'ils installent leurs tentes pour la nuit et viennent quémander un peu d'eau et de nourriture. Ils racontent l'état terrifiant du pays, la montée en puissance des talibans, qui grignotent le territoire ville après ville. Au début, la population entière les soutient ; mais quand le communisme s'efface du paysage afghan pour laisser place à une guerre interne entre factions rivales de moudjahidines, la perplexité l'emporte. Il n'y a plus d'ennemi extérieur : la guerre devient un entre-soi.

Dans les villes, l'islam radical progresse. Des signes. Des femmes remises au voile, alors que beaucoup de filles avaient cessé de le porter depuis trente ans qu'il était facultatif. Des hommes de longue barbe, au visage taillé à la serpe, tout en robe et en regard mauvais, qui insultent les femmes dans la rue, les exhortent à rentrer chez elles. Personne n'imagine que bientôt la dictature fondamentaliste va priver ces femmes de tous les droits patiemment acquis, ni études, ni métier pour elles, ni même le droit de marcher dans la rue sans un homme pour cautionner leur présence dans un espace devenu exclusivement masculin.

À Tâloqân, les tensions entre clans moudjahidines se sont accrues. À vrai dire, elles servent davantage à régler des différends locaux, des histoires de petits pouvoirs, des vieilles rancunes qui n'attendaient qu'une occasion de resurgir ; tout se mélange sur fond d'opposition politique et religieuse, les querelles familiales, de voisinage, les dissensions entre amis qui se brouillent, entre membres d'un même camp qui vont se dénoncer les uns les autres et parfois tuer sans état d'âme, pour un mot de trop – qu'il ait été dit aujourd'hui ou il y a trente ans, à propos du régime islamiste ou à propos de l'échange inégal entre l'âne du grand-père et la mule de l'oncle, qui a laissé à tous un petit goût amer dans la bouche. Et Ada voudrait bien que ses parents parlent moins fort lorsqu'ils expriment leur soutien à Massoud, car tout le monde n'est pas si modéré ici, et elle voit comme les conversations s'arrêtent à son passage, le cédant à des chuchotements furieux, elle entend les mots de colère qui n'avaient jamais été prononcés, *Et les Turkmènes, là...*

Avec son grand-père, elle regarde le monde se disloquer. Il est trop tard pour que cela s'arrête, elle le sait. Elle voit dans les yeux du vieil homme que les choses vont s'emballer, elle le sent tout entière aussi, incapable d'expliquer d'où lui vient ce sombre pressentiment. Son frère aîné veut partir rejoindre Massoud. Elle le supplie de se taire.

*

Quand ? Une nuit.

Pourquoi ? Elle ne le saura jamais.

Seulement que sa longue marche commence là.

Et sans doute aurait-elle été tuée dans son sommeil si cette nuit-là elle n'avait pas veillé avec son frère dans le jardin, tous les deux comme avant – mais avant ils regardaient les étoiles, avant ils ne parlaient pas de guerre et de mort. Peut-être est-ce une soirée prémonitoire.

Sombres, lui et elle.

Elle voudrait qu'ils se réfugient au Pakistan. Lui essaie de la convaincre qu'il faut se battre. Elle dit : *Je ne crois pas. Il n'y a pas de solution.*

La conversation en restera là.

Pas qu'ils se disputent ou qu'ils aient fini d'argumenter : mais de l'autre côté de la maison, le portail vient d'exploser.

*

Ada ne sait pas ce qui s'est passé. Elle a entendu sa mère hurler : *Sauvez-vous !*

D'autres cris. De qui ?

Les cris ne se reconnaissent pas. Ils déforment les voix.

Ada serait restée là, tétanisée par le bruit. Mais son frère lui a pris le bras et l'a traînée, presque de force, jusqu'à la petite porte au fond du jardin.

Elle regarde la maison, marchant à reculons.

Il la secoue et l'emmène.

Cours ! !

Des balles, ce sont des bruits de balles.

Ada a les yeux écarquillés dans la nuit, la bouche ouverte sur une plainte. *Maman ?*

— Cours ! hurle son frère.

Et à la deuxième rafale, Ada le suit.

*

Ils décampent à l'aveugle dans les bois qui entourent la maison, enjambant les branches et les pierres. Des cris les poursuivent ; ceux-là sont de rage. Des détonations, trop proches. Ada sent les vibrations quand les balles des fusils se figent dans l'écorce des arbres autour d'eux. Elle ne se retourne pas. Seul l'ordre de son frère se répète à l'infini dans sa tête.

Cours.

Cours, cours, cours.

Combien de temps ?

Jusqu'à ce que son cœur s'arrête. Que ses jambes se dérobent. Elle tombe. Entend sa respiration comme un vieux moteur qui ne veut pas démarrer. Cela fait des heures qu'elle fuit. Marcher, courir, marcher, courir. Ne penser à rien d'autre. Les yeux rivés à l'obscurité devant elle, son salut, son avenir.

Tombée.

Il n'y a plus de bruit derrière elle, nulle part. Que celui du vieux moteur poussif au fond de sa gorge.

Son frère n'est pas à côté d'elle.

Elle écoute la forêt.

Mais rien.

Lorsqu'elle se remémore les balles de fusil dans la nuit, les bruits sourds d'impact contre les arbres, mais peut-être était-ce un corps – lorsqu'elle comprend qu'il ne la rejoindra plus, elle se lève et se remet en route.

Elle ne pleure pas.

Ça ne sert à rien de pleurer.

Histoire d'Ada *(suite)*

J'ai marché jusqu'au Kazakhstan, dit Ada. Jusqu'à Taraz. Tu vois ?

— Non, avoue Moe en baissant la tête.

J'ai marché plus de mille kilomètres.

Il m'a fallu trente et un jours.

*

Une fois à Taraz, Ada se fond dans un petit groupe de migrants, une caravane d'une vingtaine de familles poussée par la guerre ou le manque de travail. Il ne fait pas bon voyager seul quand on est une femme. Tout le monde sait que le Kazakhstan est l'une des voies les plus empruntées pour rejoindre la Russie – mais aussi que les sans-papiers sont une manne pour alimenter les réseaux de prostitution européens. Rallier Moscou, un non-sens pour une Afghane qui sort de dix ans d'occupation soviétique ; mais on lui dit que les choses ont changé depuis la dislocation de l'URSS. Et le désordre est tel, là-bas, que tout reste possible. La caravane avance de nuit pour ne pas être repérée. Souvent, Ada contemple avec une sorte de sidération muette cette colonne de gens à la fois criarde et invisible, une masse forcément voyante et pourtant silencieuse dès que l'obscurité tombe et que l'on se met en marche ; même les bébés endormis semblent s'être donné le mot pour ne pas faire un bruit. Peut-être à ce moment-là y a-t-il un dieu qui les protège.

Deux mois plus tard, Ada est à Astana. Elle a le sentiment que le plus dur s'achève, quand ses pieds guérissent lentement et que les plaies se referment sur les deux mille cinq cents kilomètres parcourus depuis la nuit terrible ; à présent, elle est dans un pays libre. Sans argent, elle n'a pas d'illusion sur les difficultés qui l'attendent pour gagner Moscou, s'en remet à la communauté afghane. Il paraît qu'en Russie les organisations humanitaires prennent en charge les réfugiés. Elle sait qu'elle y arrivera. Cela va lui demander encore trois mois. À l'arrivée à Moscou, malgré les portions de trajets qu'elle a réussi à faire en bus ou en train, la plante de ses pieds sera recouverte d'une corne grise qui ne partira jamais.

— Regarde, dit-elle à Moe.

Elle enlève ses sandales.

— Je peux marcher pieds nus dans la neige. Je ne sens plus rien.

*

Après, ce sera plus simple. Ou du moins le croyait-elle. La leçon lui servira : il ne faut jamais écouter les rumeurs.

À la Croix-Rouge de Moscou, elle rencontre des infirmiers français. Son nouveau rêve est né : elle n'a plus qu'une idée en tête, voir ce pays dont ils parlent avec ferveur, à portée de main – il suffit de prolonger la quête vers l'ouest. Elle aussi veut sa part de terre dorée. L'appel téléphonique qu'elle réussit enfin à passer à Tâloqân la conforte dans son choix : elle écoute une tante en pleurs lui dire qu'ils sont tous morts. Son père, sa mère, ses frères, sa sœur. Son grand-père. Dès lors, elle sait qu'elle ne retournera jamais en Afghanistan. Une haine viscérale pour le pays qui l'a vue naître a surgi en elle. S'éloigner encore, voilà son désir le plus puissant. Puisqu'elle est seule dorénavant.

Plus personne avec elle. Plus de famille. Des poignées de sable qui ont coulé entre ses doigts et dont il ne reste rien, pas même une photo, que sa mémoire à elle Ada, béante. Chaque jour, elle pense à ses morts, dessine leurs visages dans sa tête. Pour ne pas oublier.

Elle oubliera quand même, avec le temps. Sauf l'amour qu'il y avait entre eux, et la prophétie de son grand-père, lorsqu'elle s'aperçoit que le don lui est venu de barrer le feu, un soir qu'elle prend la main d'une femme qui s'est brûlée sur le gaz d'une vieille cuisinière.

Alors oui, partir vers l'ouest.

Ce qu'elle ne sait pas, c'est qu'on ne veut pas d'elle, là-bas en France. Moscou n'est pas une passerelle mais un point d'arrêt, une place immense où les hommes s'usent à survivre devant les frontières fermées de l'Europe. La seule façon de sortir de Russie est illégale ; la seule façon d'entrer en France est illégale. Entre les deux, le parcours ressemble à l'enfer.

Au moment où Ada croit pouvoir se reposer enfin, la sauvagerie de la clandestinité va requérir toutes ses forces. Après trois mois bloquée à Moscou, un groupe mafieux qui l'a identifiée depuis des semaines lui propose une dette d'honneur. Cent cinquante mille francs pour arriver en France ; une fois là-bas, elle travaillera jusqu'au remboursement complet de la somme. Qu'elle ne s'inquiète pas surtout. Ils la contacteront. Ils sont partout. Comme beaucoup de réfugiés partis les mains vides, elle accepte.

Mais elle ne veut pas raconter à Moe la traversée bestiale, la Biélorussie, la Pologne, l'Allemagne. Les passeurs, le voyage sans fin, les terreurs. Elle voudrait oublier ces mois où ils ont été traités comme des animaux, de ceux que l'on transporte dans d'immenses camions pour les emmener à l'abattoir et à qui les réfugiés disputent un peu de place, un peu d'air pour respirer. Elle prie souvent pour ne plus entendre les gémissements des autres clandestins dans le faux plafond de ce camion qui les a emmenés pendant trente heures, une cachette si exiguë qu'une fois allongés sous la tôle ils ne pouvaient plus tourner la tête. L'affolement, la démence de certains d'entre eux au bout d'une journée, quand il faut faire ses besoins sur soi, quand la soif et l'enfermement rendent fous, et le soleil tapant sur le haut du camion, poussant la température à quarante-cinq degrés, parfois plus. Plusieurs sont morts dans le faux plafond, sans que personne ne s'en rende compte. Ou alors parce qu'ils ne suppliaient plus qu'on leur ouvre, qu'ils ne cognaient plus la tôle pour obliger le chauffeur à arrêter le camion – en vain. À un moment oui, Ada s'est dit que ceux-là étaient morts. Au changement de passeur, au milieu de la nuit, des hommes ont descendu les corps et les ont laissés par terre sur le côté. Ada elle, durant ces trente heures, a respiré lentement un air brûlant. N'a pas écouté, rien, ni les pleurs ni les hurlements. Elle ne pense plus. Seules ses lèvres murmurent en silence les sourates qui l'empêcheront de mourir. *Allah est la Lumière des cieux et de la terre. Sa lumière est semblable à une niche où se trouve une lampe...* Le camion s'arrête à la frontière de la Pologne. On les abandonne au bord d'un champ, eux et les morts allongés côte à côte. Ada hésite, et puis fouille les poches et les vestes des cadavres en retenant sa respiration, essayant de ne pas les regarder. L'argent qu'elle trouve, elle le partage avec les autres femmes. Personne n'y trouve rien à redire. Les regards, elle s'en moque.

Les hommes agrippent les chauffeurs qui remontent dans les cabines, *Et nous, on va où ? On va où ?*

Des heures de marche à suivre un autre passeur. Ada sent à quel point ils sont à sa merci. Elle a entendu parler des réfugiés vendus par les guides aux autorités étrangères, les fuites stoppées net, à échouer dans des centres d'accueil misérables avant d'épuiser tous les recours pour obtenir des papiers, et souvent être expulsé, revenir en arrière, retourner en Afghanistan – tout cela pour rien.

Et après les chemins épuisants, un nouveau camion. Cette fois cela lui fait peur, maintenant qu'elle sait comment c'est, dedans. Mais dans celui-ci ils se cachent simplement sur le plateau du haut, au milieu des moutons. Ensuite il y aura le train. Et puis un jour, l'arrivée.

Non elle ne veut pas en parler. Il y a toujours les cris dans sa tête, des hommes et des femmes en train de mourir près d'elle dans les camions du salut.

Elle aura mis un an pour aller de Tâloqân à Strasbourg.

*

Sur le territoire français, une famille afghane l'accueille.

L'envoie plus loin.

Et encore.

Ada parcourt l'est, descend peu à peu, au gré des solidarités de la petite communauté. Chaque fois, elle reste trop peu de temps pour s'installer et trouver du travail. Elle fuit sans comprendre, apprend que l'on peut vivre sans papiers mais avoir un logement, un travail, une carte bancaire. La police est omniprésente dans les conversations.

Son errance s'arrête à Clermont-Ferrand.

Elle est hébergée dans une famille de quatre enfants. Le père est maçon. Le lendemain de son arrivée, elle l'accompagne, est embauchée comme apprentie. Pendant des semaines, elle charge les bétonnières, transporte le ciment, prépare les auges. Répond quand on la siffle depuis la toiture, apporte chevrons et lattes, passe des milliers de tuiles. Empile des cartons de carrelage – les déplace s'il le faut. Balaie, range, tasse dans le camion pour la déchetterie, fait du feu quand c'est possible, pour brûler les chutes de bois. Nettoie les chantiers chaque soir.

Trois mille francs par mois.

Si elle devait payer son loyer, il ne lui resterait rien pour manger. Elle sait qu'il faut que les choses changent. Mais faire quoi ?

Le week-end, elle traîne dans les rues de Clermont. Et un jour tombe en arrêt devant une herboristerie.

Entre, Ada.

Derrière le comptoir, il y a une dame qui lui paraît très vieille et qui lui sourit. Qui dit : *Bonjour.* Et aussi, Ada le comprend, quelque chose comme : *Que puis-je faire pour vous ?* Mais elle parle si mal le français, la jeune Afghane, baragouinant quelques mots avec un accent insupportable. Elle répond simplement, *Bonjour*, montre d'un geste les herbes et les pots en ajoutant pour expliquer qu'elle n'achètera rien, *Moi, voir. Regarder.* Elle ne déchiffre pas les étiquettes ; mais devant plusieurs bocaux elle s'illumine. Articule les noms des plantes de mémoire, en latin, alors la vieille dame s'approche, opine, rectifie la prononciation. Montre du doigt, sur son corps, les organes que chaque herbe soulage. Ada renchérit. Une heure après, elles sont toutes les deux à jacasser dans la boutique, criant des mots en latin en se frottant la tête, le ventre ou le dos, hilares, quand une cliente entre et les contraint enfin à se taire.

— Ça a peut-être été les années les plus heureuses de ma vie, murmure Ada. En tout cas après la guerre, après un an sur les routes, après cette terrible absence d'accueil en France, la rencontre avec Simone ressemblait à l'entrée au paradis pour moi.

Car Simone l'embauche aussitôt. Non qu'elle en ait vraiment besoin : l'herboristerie fonctionne bien mais la vieille dame, à petits pas comptés, y suffit. Seulement il y a dans les yeux d'Ada cette brillance qui l'a subjuguée, une vivacité, un sourire éclatant, de ceux qui, elle le sait, cachent les grandes douleurs. Elle décide de l'aider à sa façon : lui apprendre le français, l'initier au commerce des plantes, l'héberger aussi, dans sa grande maison vide en pleine campagne, à un quart d'heure de la ville. *Il faudra que tu passes ton permis de conduire*, dit-elle en manœuvrant sa Citroën. *Je ne vois plus très bien.* En fait, Simone n'est pas si vieille, mais la vie l'a usée. Un mari parti avec une jeune femme des pays de l'Est le jour de ses cinquante ans, un fils unique mort dans un accident de voiture l'année suivante et sa belle-fille évanouie dans la nature avec son petit-fils, qu'elle ne reverra jamais. Il lui reste son herboristerie ; elle s'en occupera jusqu'à sa mort, affirme-t-elle. Sa solitude ressemble à celle d'Ada – à cela près que Simone, elle, habite un pays en paix depuis soixante-douze ans.

Dans la maison trop grande et trop froide, la vieille dame n'occupe qu'une immense pièce, chauffée par un poêle à bois. L'arrivée d'Ada les oblige à en repenser l'organisation. L'Afghane va construire, à l'intérieur même de la salle, deux cabanes en planches qui leur feront chacune une chambre. Elles vivent ensemble en permanence, à la boutique, à la maison. Une drôle de famille minuscule qui se recrée.

Ada souvent, le dimanche à la belle saison, s'assied au-dehors et passe des heures à contempler la vue qui s'offre à elle. Un hectare de terrain et, derrière, les prés et les forêts. Les collines, les montagnes du Puy-de-Dôme. Un espace infini – et surtout, ce calme sidérant, ni cris ni claquements de fusil, pas d'alertes, pas de bagarres. La nuit, le hululement des chouettes. Simone appelle, le café est prêt. Ensuite Ada ira s'occuper du potager. Quand elle est arrivée, seul un rectangle de six mètres sur deux était sarclé, couvert de haricots et de salades. À présent, sur deux cents mètres carrés, elle cultive de quoi les nourrir, Simone et elle, la moitié de l'année ; et sur cent autres mètres, elles ont planté des herbes médicinales.

Ada n'a pas de papiers. Sa présence sur le territoire français est désormais illégale, elle se sait tolérée – jusqu'à ce que.

Un à un, comme on le lui avait prédit lors de son entrée en France, elle a épuisé tous les recours pour obtenir le statut de réfugié. La vie chez Simone ne lui pèse pas, au contraire. Mais la précarité de sa situation l'inquiète.

— Parce que, dit Ada en regardant Moe, quand tout va bien, à quoi tu penses ?

— Moi ?

— Oui. Quand tout semble parfait – presque.

— Que, euh… À l'argent ?

— Non.

— L'amour ?

— Non, Moe. Quand tout va bien, ce à quoi tu penses, c'est que ça ne va pas durer.

Et l'avenir montrera à Ada qu'elle a raison de se faire du mauvais sang. Qu'il suffit que le climat social et économique se durcisse dans les années 2000 pour que, au sein d'une ville de province profondément touchée par le chômage, on commence à murmurer à la vieille Simone qu'il faudrait que l'étrangère laisse sa place ; qu'il y a tant de Français qui n'ont plus de travail. Question de patriotisme, n'est-ce pas. Bien sûr la petite Afghane est admirable. Mais l'époque a changé, et les regards, et les priorités. Simone s'en étrangle de colère dans la boutique.

C'est pourtant là qu'ils vont venir la chercher, Ada. En pleine journée, au milieu des bocaux d'herbes séchées. Dénoncée par – qui ? Qu'importe. Les gendarmes poussent la porte, Simone est partie faire une course. En une fraction de seconde, Ada entrevoit la suite : la prison, le temps d'être expulsée. Retrouver l'Afghanistan dix ans après, quand elle ne connaît plus personne et que personne ne souhaite son retour. Perdre tout ce qu'elle a construit de petit bonheur quotidien ces neuf années à Clermont avec une vieille dame trop seule. Et devant les gendarmes qui n'ont encore rien dit, elle avance les mains en signe de rejet et crie : *Non !*

Après, elle ne sait pas pourquoi. Sa pensée déborde les mots, elle reconstituera plus tard ce qui l'a traversée dans une fulgurance : si elle commet un délit, ils la garderont en France. En prison, mais en France. Et il faut que ce soit quelque chose de grave, pas une injure ou une claque, non, quelque chose comme des ciseaux posés sur le comptoir pour faire les paquets et qu'elle attrape d'un coup, les brandissant tel un poignard, un geste brutal, désespéré, elle frappe, la poitrine, les côtes lui semble-t-il. C'est une femme gendarme qu'elle blesse ainsi, sans réfléchir, une mère de trois jeunes enfants qui restera deux semaines dans le coma et gardera toute sa vie des séquelles respiratoires, le juge sera inflexible. Ada est condamnée à dix ans de prison. Simone qui vient la voir lui dit : *J'ai quatre-vingt-un ans maintenant et je suis malade, tu le sais. Quand tu sortiras, je serai morte. Mais j'ai vu un avocat pour essayer de t'aider le jour où tu seras à nouveau libre : on n'y avait pas pensé, on est sottes. Je vais t'adopter.*

*

Parole tenue : deux ans plus tard, Ada est officiellement la fille de Simone. Le mois suivant, la vieille dame vient lui annoncer qu'elle ferme l'herboristerie, sans délai, un vendredi soir à dix-neuf heures. Elle ne rouvrira pas le lundi. Peut plus. Elle dit, *Le bout du rouleau.* Et aussi qu'elle a accompli ce qu'il fallait. Ada s'étonne, essaie de la convaincre derrière la vitre du parloir, Simone ne cède pas.

Elle meurt le week-end même dans la grande maison redevenue vide.

— Oh, murmure Moe.

Ada hoche la tête.

— Pauvre Simone. Elle l'avait senti, je suis sûre. Et ces dix années de tranquillité toutes les deux, ça s'est écroulé par ma faute. Elle est morte toute seule.

— Et toi alors, tu as fait quoi ?

— Moi ? Au bout de cinq ans, comme j'avais une conduite exemplaire, on m'a proposé de me transférer ici, quand les centres ont ouvert. Ils avaient besoin de place dans les prisons. Ça avait l'air plus souple, il n'y avait que des caravanes au début, avant que la surpopulation oblige à ramener de simples voitures. Je me suis dit, Pourquoi pas ? Là où on s'est tous fait avoir, nous les pionniers, c'est que les peines de prison se sont effacées au profit du règlement des Casses.

— Je ne comprends pas, dit Moe.

— C'est tout bête. Une fois ma peine effectuée, je croyais pouvoir sortir, évidemment. Et c'est là que j'ai découvert le piège. Il fallait montrer patte blanche. C'est l'histoire des quinze mille euros à aligner pour être autorisé à quitter la ville.

Jaja serre les poings, *Oui, les salauds.*

— C'est la vie, sourit Ada.

Et cela fait vingt ans un peu plus un peu moins, son existence entière s'est découpée en longues tranches, vingt ans en Afghanistan, dix ans à Clermont-Ferrand, cinq ans en prison… vingt-cinq ans dans la ville-Casse qu'elle connaît par cœur, la seule chose qu'elle aurait voulu c'est être enterrée et non pas incinérée, mais cette fois il n'y a pas de passe-droit, elle s'en moque, Ada, elle dit qu'elle ne finira pas ici.

— Ah oui, ironise Marie-Thé, cette lubie.

La vieille lève un doigt.

— Tu devrais me prendre au sérieux. Mon histoire n'est pas terminée : un jour je quitterai cet endroit et j'irai vivre libre, au milieu des arbres, pour me consoler de toutes ces années de gris et d'enfermement.

— Et tu nous emmèneras avec toi, soupire Jaja en souriant.

— Exactement.

— Je crois que, depuis que je suis là, je t'ai toujours entendue dire ça. Ça fait une paie, hein.

Dimanche, les gardiens sont dans la ruelle. En soi cela n'a rien d'extraordinaire ; patrouille, toujours. Leurs pas, on les connaît par cœur. Mais tout de même, quelque chose dérange Jaja qui surveille, oreilles aux aguets, une vieille habitude dont elle ne s'est jamais défaite. Oui cela la chagrine, parce que ça y est, on est au mois d'août.

Au mois d'août, ce sont les vacances. Pas que cela change grand-chose à la Casse bien sûr, personne ne part, personne ne bouge. Mais eux. Tout ce mois-là, les matons les ont gagnées, eux, leurs vacances. Ils ont beau embaucher pour l'été, on sent les effectifs étriqués, la surveillance de loin en loin, moins de rondes. Alors s'ils remontent la rue pour venir ici, c'est qu'il se passe quelque chose, et Jaja se coule sans un bruit derrière les voitures, court vers la petite cour où les filles font à demi la sieste, écrasées de chaleur, un dimanche d'août, vraiment, ce n'est pas normal.

Et si Jaja ne montait pas la garde, reconnaissant les pas et les voix des matons à cent mètres, les sifflements qui les accompagnent de quartier en quartier les auraient prévenues de toute façon, ces stridulations comme des oiseaux, ou des portières grippées, avec un seul mot d'ordre, alerter la ville entière, lorsqu'ils remontent la rue du sud, bifurquent vers les cantines ou inspectent l'épicerie centrale numéro deux, longent la grande artère de l'ouest en épiant les voitures sans que l'on sache pourquoi. Y compris ceux qui trafiquent avec eux les matons, quand la terre résonne de leur présence, grincent des dents en murmurant *les salauds*, on ne devient pas amis parce qu'on fait de l'argent ensemble ils le savent, juste on se tient par les couilles et ça oblige à sourire, au moins un signe de la main, que les hommes assis sur des parpaings ou des planches abîmées concèdent une fraction de seconde, jamais ils ne feront plus, si les gardiens veulent savoir quelque chose, qu'ils y viennent.

Et d'ailleurs ils s'approchent les cerbères, puisqu'ils sont là pour ça, prendre la température des pouilleux, chercher des réponses, fouiner à mettre leur sale gueule partout, que même une pomme dérobée au verger ils écumeraient la ville pour la retrouver, par principe ils disent, mais les principes quand il s'agit de leurs affaires ils les oublient un peu vite, ces fils de, comme si voler un fruit parce qu'on crève de faim était pire que marchander des kilos d'héroïne, de cocaïne ou de crack qu'ils iront écouler vers les villes, les autres, les vraies, celles où l'argent permet de se défoncer un peu plus chaque jour.

Alors forcément quand ils remontent une ruelle par deux avec les chiens sur les talons, ça se tient au garde-à-vous là-dedans, ce n'est jamais la fête, jamais une bonne nouvelle, et Jaja comme les autres siffle entre ses dents, *Les salauds*. Ada a mis les filles à empiler le petit bois derrière le feu, elle n'a pas eu besoin de leur rappeler de baisser la tête – regardaient déjà au sol et sous la terre si ç'avait été possible, le mieux qu'elles auraient vu, c'étaient les pieds des matons, et eux reçus par les cheveux masquant les visages penchés. Moe serre sa main sur sa poitrine, livide. Aucune d'elles n'a besoin de parler, la même pensée les tétanise, ils sont venus chercher l'enfant. De force, puisque la négociation n'a pas abouti. Et à cet instant, toute peur évanouie, Moe sent une colère immense gonfler au fond d'elle. Elle ne les laissera pas faire elle le jure ; pas comme l'épuisement aux champs ou la souffrance la nuit, quand elle ne dit rien, recroquevillée sur elle-même. Cette fois il s'agit de sa chair – un regard vers la voiture où le petit dort, elle peut y être en quelques enjambées, le bras armé de la pince à feu qu'elle laisse chauffer sur les braises. Viser les yeux. De toute façon il n'y a pas d'avenir pour elle.

Au moment où elle se redresse, la bouche déjà ouverte sur des mots tonitruants, sur une rage que rien ne sapera, Jaja l'empoigne et la fait trébucher vers elle, collant son visage contre le sien. Moe se débat dans un murmure déchaîné. *Laisse-moi, je vais les crever, ils ne me le prendront pas. — Attends, on ne sait pas. Tais-toi. Tais-toi, je te dis.* Elle tire encore sur le col de Moe qui tousse et s'agenouille, rouge, souffle coupé, et puis l'exaspération de ne pas s'arracher à l'étreinte, les veines courent sur le bras de Jaja, Moe les observe, des ruisseaux de sang et de nerfs, est-ce qu'elle peut y échapper, si elle mordait la chair, mais Jaja répète dans un chuchotement :

— Attends.

Comme les gardiens s'approchent, elles se lâchent, ramassant sans un mot les branches éparses. Elles sentent les regards sur elles, cachent leur respiration trop courte en leur montrant le dos, encaissant les questions silencieuses. Pas parler. Pas lever les yeux. *Donne*, dit Jaja sèchement. Moe lui tend son fagot.

Faire comme s'ils n'étaient pas là.

Ils les observent toujours. Évaluent.

— Le bonjour, messieurs.

Ada est là derrière, qui a parlé fort. Tournée de l'autre côté, elle attire leur regard ailleurs, bien obligés. Ses prunelles plantées sur eux, et son dos et sa tête droits, on dirait qu'elle fait deux mètres, Ada, tant elle les toise et les écrase, et l'un des gardiens tique en faisant mine d'enlever une saleté de sa veste. Les yeux de la vieille attendent qu'il ait fini, l'attrapent aussitôt. Elle ne dit pas un mot. Les force à parler les premiers, car elle ne demandera rien, pas même si elle peut faire quelque chose pour eux, ce sont eux qui ont besoin d'elle, sans quoi ils ne seraient pas là, et vrai elle n'aime pas les trouver dans sa ruelle et pourtant elle se sait protégée, elle Ada, ils doivent faire attention avec elle, ne peuvent pas la brusquer, un symbole ici, une icône, et lorsque le plus vieux prend la parole c'est avec précaution.

Voit pas que les filles ont les oreilles tendues vers lui, les gestes suspendus pour entendre mieux. *Non*, supplie Moe dans un murmure.

— Il y a des vols à l'épicerie du secteur.

Jaja ferme les yeux en exhalant un soupir, lève le pouce en signe de victoire. Moe essuie les larmes qui sont venues sans qu'elle les remarque, s'étrangle en riant à moitié, *Un voleur, ils cherchent un voleur.*

— Chut, dit Marie-Thé.

Bien sûr les gardiens qui s'adressent à Ada sont convaincus que jamais elle, c'est évident, évident. Mais ils sont obligés de se renseigner partout, sans quoi on leur reprocherait de faire des privilèges ; et puis il y a les filles. Est-ce que la vieille a remarqué quelque chose, l'une d'elles qui aurait de la nourriture plus qu'avant, qui mangerait plus, ou différemment, un papier déchiré, une odeur.

— Ici, messieurs, répond Ada d'un ton glacé, ici on met tout en commun, et c'est moi qui garde l'ensemble.

— Des œufs surtout, et du fromage, continue le gardien sans l'écouter.

Elle ouvre la porte de la caravane, dévoilant les étagères où la nourriture côtoie les remèdes, *Mais peut-être voulez-vous vérifier.*

— Des bouchées en chocolat.

Autour du feu, les filles ont ouvert les yeux d'un coup, se font violence pour garder le nez au sol, doigts serrés sur le bois pour escamoter les cris qui leur viennent. La vieille ne cille pas, rien dans le regard, rien dans la voix toujours qui claque.

— Je répète : voulez-vous vérifier ?

Et elles cinq là-bas, quatre regards grands ouverts sur Nini-peau-de-chien qui baisse la tête, se cache derrière les paupières closes, tremble un peu, Moe se demande soudain si c'est parce qu'elle ressemble à un chiot terrifié qu'on l'appelle ainsi mais il n'y a pas de raison que, et pourtant on dirait une bête battue, repliée sur elle-même, avec ses mains qui ne savent plus où se poser, alors Moe jette des brindilles à côté d'elle et murmure, pour l'occuper :

— Va les mettre là-bas d'accord ?

Nini se précipite, forme le fagot. Un signe de tête imperceptible. Les autres ne la regardent plus de peur de trahir quelque chose, essaient d'être naturelles mais dans leurs gestes, trop distantes ou trop familières, il n'y a plus de juste mesure, l'angoisse les bouleverse, les gardiens oui elles les gèrent – mais le mensonge et le danger inouï que Nini leur fait courir si c'est bien elle, et comment pourrait-il en être autrement. Des bouchées en chocolat.

Là-bas les hommes n'ont pas osé fouiller la caravane d'Ada.

Moe épie la vieille par en dessous. Rien ne transparaît que cette colère froide et polie devant les gardiens qui reculent et remercient, se raclent la gorge. Bientôt leurs pas désertent la ruelle. Et il suffit d'un claquement de langue quand les filles relèvent la tête et se retiennent de crier, bredouillant d'effroi, *T'es pas malade ? — Nini tu déconnes ? C'est toi ?*, oui, un claquement de langue d'Ada les fait taire aussitôt, pas leur affaire à elles, et les gardiens sont encore trop proches pour que l'on se risque au moindre bruit, des oreilles ils en ont à croire qu'ils les laissent près de vous. Jaja enrage.

— Putain de dimanche. Le seul jour où on travaille pas, on se le fait pourrir.

— Tais-toi, grogne Marie-Thé.

— Ça, je peux bien le dire, quand même ?

— Tais-toi. On n'a pas besoin de ta mauvaise humeur en plus.

Et peut-être que l'échange aurait enflé, parce que la tension les rend fébriles et qu'elles se défient déjà du regard les deux, ce méchant air qu'elles prennent, si elles pouvaient ouvrir la terre dessous leurs pieds. À véritablement parler elles n'ont rien à se reprocher l'une l'autre et c'est bien le tragique de ce moment-là, il faut juste que l'orage se fasse, la peur les submerge, demande des comptes. Mais elles n'ont pas le temps, ni de prononcer les mots qui les dépasseraient ni de ravaler leur exaspération inutile, car Ada les prend de vitesse une nouvelle fois, Ada qui s'est avancée vers le feu derrière lequel elles sont là dressées comme des teignes, et qui dit un seul mot, coupant court à tout le reste.

— Nini.

*

L'être qui sort de la caravane ensuite, ce n'est plus vraiment Nini. Une fois que la vieille a fermé les portes sur elle et que Nini s'écroule sur un banc près des autres, son visage n'est plus réellement le visage qu'elle avait en entrant, non, un amalgame de traits blancs et tirés, de chair affaissée, pas qu'on l'ait touchée ou frappée ou quoi que ce soit, mais les filles effrayées voudraient savoir ce qui a pu être dit pour engendrer la métamorphose qu'elles ont sous les yeux, l'effondrement d'un corps et les sanglots qui n'en finissent pas de les paniquer elles quatre, et dans ces pleurs pas de souffrance ni de rage mais un désespoir nu, immense, quelque chose qui préférerait mourir que continuer à vivre ainsi, dont elles savent toutes que cela leur viendra tôt ou tard, pour un morceau de chocolat ou bien pire, ou bien moins. Alors elles laissent faire, attendant que l'épuisement ait raison des larmes, Moe se tient en retrait, se désiste, qu'elles règlent cela entre elles ; elle pressent que ce n'est pas la première fois, ignore tout des années passées, ne veut pas s'en mêler, et puis elle lui en veut à Nini, pour l'autre nuit, sans elle rien ne serait arrivé, elle peut toujours pleurer, va. Et pourtant elle aussi lui sourit, au moment où elle croise son pauvre regard, *On n'est pas des monstres*, murmure Jaja en haussant les épaules, et Poule renchérit, *C'est sûr, mais Nini, pourquoi tu continues ?*

Elle peut toujours expliquer entre deux sanglots, ça leur fait mal, elles toutes, il faut que Nini se taise, vivre elles ont laissé cela de côté, il ne reste que la survie ; qu'on parle de gourmandise, d'envie et de paresse, du corps d'un homme, de la peau d'un bébé, elles ne le supportent pas, voudraient avoir tout oublié pour ne pas sentir le manque jusqu'au fond de leurs entrailles, si seulement elles ne savaient pas. Mais quand bien même la fatigue et les années les auraient amputées de cette mémoire-là, la seule présence de Nini leur rappelle, Nini qui fugue certaines nuits, affamée d'amour, et qui ne trouve que des étreintes fugaces, Nini qui vole des sucreries, qui rêve tout haut d'une vie à venir. Elles la détestent quand elle est comme ça. La volonté exténuée qu'il leur faut pour la ramener vers elles, qu'elle consente à cette existence dans la ville et dans la ruelle, toutes les six, est-ce que ce n'est pas si mal au fond, elles ont le sentiment de la trahir quand elles disent cela – et n'est-ce pas ce qu'elles font, à l'agripper pour l'empêcher de s'éloigner, pour la garder près d'elles et plus bas que terre, qu'une seule d'entre elles s'échappe et l'ordre du monde vacille, il faudrait tout remettre en question, cette vie-là, les voitures rouillées, les minuscules victoires lorsqu'elles achètent un gâteau fondant ou un poulet pour un anniversaire.

— Qu'est-ce qu'elle t'a dit ? murmure Poule.

Mais Nini secoue la tête, murée dans le silence, et c'est Marie-Thé qui ajoute :

— Tu comprends pourquoi Ada est en colère ? Si tu te fais prendre, c'est toute notre ruelle qui va subir. On a beau avoir Ada pour nous protéger, si elle n'est plus crédible hein. Si elle n'arrive pas à tenir une fille comme toi.

— Comme Jo, c'est ça ! – et Nini a levé sur elles un regard furieux. Moi j'aurais fait pareil, je ne vais pas passer les cinquante ans qui me restent à juste m'user dans un taudis pour zéro avenir !

— Je te rassure, glisse Jaja méchamment, à ce rythme-là c'est pas cinquante ans qu'il te reste.

— Et puis ? Tant mieux !

Marie-Thé s'interpose.

— Dis pas de bêtises, Nini. On veut seulement que ça se passe le mieux possible pour tout le monde.

— Et le mieux, c'est de vivre comme des rats pendant quatre-vingts ans ?

— Arrête.

— Mais réponds ! Elle te plaît, ta vie ? Regarde. Regarde !

Elle ouvre les mains en tournant sur elle-même, montre les vieilles autos, la casserole bosselée sur le feu, les fils électriques qui pendent. L'enfant que Moe est allée chercher dans la voiture, les bras encore électrisés par la peur qu'elle a eue, qu'ils soient venus pour lui.

— Tu as envie qu'il ait cette vie-là, lui ? C'est ça que tu espérais pour lui ?

Moe se pince les lèvres et baisse la tête, mortifiée. Elle crierait bien à ce moment-là, rien qu'une injure, pour que cela sorte, *Ta gueule !* ou autre, non, pire, quelque chose de méchant pour lui faire mal, à Nini, avec sa rage stupide, ou alors se lever et lui balancer la casserole d'eau brûlante sur le visage, mais l'enfant tout contre elle, l'enfant – elle se tait, blême et rancunière, le nez dans les cheveux du petit Côme, au moins elle a cela, qu'on ne lui enlèvera pas, bon sang si elle ne l'avait pas, avec toutes ces paumées, elle deviendrait dingue c'est sûr.

Le lendemain matin, Moe pense encore à Nini-peau-de-chien. Elle a eu du mal à dormir, la tête traversée par des idées insensées, entre colère et désespoir, avant de se rendre compte que ces filles-là – les quatre, et même Ada, toutes les cinq dans la ville-Casse – sont seules. Pas d'homme. Pas d'enfant. Il n'y a que Moe. Alors bien sûr elle comprend cette sorte de résignation à rester là, quand rien ni personne n'a les bras ouverts pour vous accueillir ou vous accompagner dehors, quand on se dit que peut-être de l'autre côté, dans ce monde qui a changé sans vous attendre, ce sera pire. Mais elle Nini. Pourquoi est-ce qu'elle y tient tant, à cette existence ailleurs qu'elle imagine comme une fête ? Quelles illusions, quelles certitudes ? Et cette façon de leur faire la leçon, comme si elle savait, elle, comme si les filles façonnaient elles-mêmes leur prison à force d'enterrer leurs désirs et leurs petits morceaux de bonheur – Moe regarde Côme avec une joie féroce parce que oui, elle est la seule à l'avoir, la seule avec cette furieuse raison de s'échapper, et cela fera la différence, elle en est certaine, d'avoir quelqu'un pour qui se battre, un avenir auquel ne pas renoncer, une page à écrire.

Mais tout de même. Si seulement elle avait la force, l'envie de Nini.

À côté d'elle, le petit balance d'avant en arrière et tourne à la façon des arbres quand ils sont pris dans une tempête, un minuscule arbre qu'un rien emporte, et il faut la main de Moe glissée soudain dans son dos pour le rattraper alors qu'il verse sur le côté les yeux agrandis par l'inquiétude, elle rit, *Je ne vais pas te laisser tomber n'aie pas peur*, le rassied, le cale un peu, *Là, tu tiens maintenant ?*

Et lui les mains virevoltant comme les ailes d'un papillon, bouche grande ouverte sur un cri de joie muet, il la regarde et elle secoue la tête.

— Si tu bouges, tu vas encore glisser.

Mais il n'écoute pas, tout entier à ce corps qu'il maîtrise à peine, à ce qui passe dans ses yeux et que Moe ne comprend pas, jubilation, fierté, ivresse, si le bonheur est de tenir assis, et elle le lâche doucement – un instant il tangue à nouveau, bras battant par réflexe, Moe est là tout près pour le retenir, non, il s'immobilise, contemple autour de lui le monde enfin plat. Très vite, il baisse la tête ; regarder en l'air est si difficile, et l'équilibre et les muscles trop faibles de son cou, alors il ouvre les doigts pour les refermer sur la terre, des deux mains, et s'agiter de plus belle en clignant des yeux parce que la poussière lui revient avec le vent, les paupières rougies et le brillant des pupilles. *On y va*, crie Jaja quelque part derrière, et Moe se penche, embrasse l'enfant en le tendant à Poule, elle murmure : *Bravo mon cœur, tu es un grand, petit Côme.*

Elle s'est habituée à l'appeler par son nom à présent, pas que cela lui vienne encore naturellement mais elle y arrive, savoure les instants où sa bouche s'arrondit sur cette sonorité douce, *Côme*, parfois elle le répète en silence, quand elle est seule et que personne ne l'entend, pour le plaisir, pour rattraper le retard des six premiers mois. Elle ne sait pas si l'enfant, lui, reconnaît son nom. Veut croire que oui, au moment où elle rentre des champs le soir et que, disant son nom, elle le voit tourner la tête vers elle, l'entend pousser ce petit cri de joie, et peut-être n'est-ce que le son de sa voix à elle, qu'importe, l'enfant n'a jamais été si réel, si incarné que dans cette ville-poubelle où cinq femmes ont demandé un jour comment il s'appelait.

Alors voilà, Moe donne le petit à Poule et, comme chaque matin, elle ajoute un remerciement, n'y manque pas, même si elle rapporte parfois aussi un carré de chocolat ou une bouchée de pâte d'amandes – elle la connaît la gourmande –, *Il ne fallait pas*, dit Poule avec un sourire ravi, à d'autres, et Moe trouve autant de plaisir à voir l'éclat dans ses yeux que si elle mangeait elle-même la friandise.

La première fois, elle a eu du mal : offrir une sucrerie à Poule, c'est renoncer à une demi-journée de salaire ou presque. Faut-il que ces salauds en profitent pour que cela coûte aussi cher, eux ou ceux qui paient si misérablement les travaux des champs, cela revient pareil, enfin, quatre heures de fatigue pour quelques grammes de sucre, une honte. Et puis l'enchantement de Poule, et la satisfaction de pouvoir lui rendre un peu, quelque chose d'autre aussi qui la gagne depuis bientôt sept semaines qu'elle est ici, bien sûr l'argent lui manque, mais pas en vain, la présence et l'aide de ces cinq femmes-là, elle s'en rend compte, n'ont pas de prix, Ada avait raison le premier jour. Vrai, Moe donnerait ce qu'elle gagne si cela suffisait à les rendre presque heureuses, elle oublierait le chemin du retour, l'avion, tout, jusqu'à ce que la réalité la rattrape et qu'elle réajuste son regard sur le monde qui l'entoure, la voiture trop petite et le bruit de la pluie sur la tôle qui l'empêche de dormir, les ruisseaux d'eau le lendemain, charriant avec eux des papiers gras, des mégots et mille saletés qu'elle préfère ne pas reconnaître, les gueulements qui ponctuent l'espace de jour comme de nuit, les mains toujours à l'affût pour détrousser, une jupe ou un portefeuille, la crasse partout, dans l'air, sur la terre, sur le bout des doigts, même manger les récoltes des cultures qui poussent dans le lit de la rivière, elle se demande si elle n'a pas tort.

Mais qu'importe, elle y va chaque jour, trottant sur les talons de Jaja et Nini-peau-de-chien, accompagnant Poule et Marie-Thé le vendredi et le samedi, alors elle s'embarrasse d'y penser mais elle se sent bien, comme en famille, tandis qu'elles cinq jacassent sur la route et que malgré la fatigue il y en a toujours une pour raconter une histoire, et malgré l'anxiété qui leur serre le ventre toujours une pour faire rire. Bien sûr l'argent ne rentre pas vite dans sa pochette, il reste de la place autant qu'on veut, mais elle refuse de penser aux années qu'il lui faudra au bout du compte, accumule sans regarder, des piécettes qu'elle transforme en billets à l'épicerie, cela les arrange toujours d'avoir de la monnaie. Au fond d'elle l'idée a germé d'une liberté telle que la rêve Ada, toutes ensemble, une illusion bien sûr, mais elle voudrait les sauver elles cinq, a posé la question à la vieille un jour, est-ce que c'est vraiment quinze mille euros comme lui a dit la femme qui voulait prendre l'enfant, comme a dit Ada elle-même l'autre soir – et la vieille Afghane a souri et lui a mis la main sur l'épaule. *Oui, petite. C'est quinze mille euros et rien de négociable. Tu vois, rien que pour toi, tu auras du mal.* Moe a hésité.

— Quinze…

— Oui. Pour nous six, cela fait quatre-vingt-dix mille euros. Si encore ils n'exigent rien pour le petit Côme.

— Mais comment… qui pourrait…

— Les trafiquants. Les commerçants, les voleurs, les balances. Parfois ils y arrivent.

Un ballon qui se dégonfle d'un coup, c'est curieux comme Moe se sentait pleine d'allant en questionnant Ada, certaine qu'il y aurait matière à discuter – un prix de groupe, c'est ça, ma fille ? raille la voix de la grand-mère dans sa tête, une fleur, parce que tu as un joli sourire et que tu veux sauver le monde ? Ben voyons. Et un tapis rouge, aussi. Tu n'as toujours pas compris où tu étais tombée ? Ce n'est pas le monde normal, ici, tête de piaf.

Et cet effondrement intérieur, quelques instants à peine, elle sait que c'est inutile, qu'Ada a raison, même sa propre liberté elle la regarde s'éloigner, prenant du retard chaque jour qui passe, tandis qu'elle s'épuise à cueillir les pommes et les poires en se faisant mal aux bras.

Et Moe marmonne toute seule sous les fruitiers, les yeux rougis par le soleil qui n'en finit pas de brûler, ou est-ce cette pauvre résignation épouvantée, elle en pleurerait de découragement, supporter tout pour avoir seulement le droit de vivoter, pas d'espoir, pas d'horizon, elle veut partir, elle, elle n'a tué personne, rien qui justifie qu'on l'enferme dans cette ville infâme, non, elle se laisse tomber par terre en sanglotant, Nini-peau-de-chien s'agenouille à côté d'elle.

— Eh bien.

— J'en ai assez. J'en peux plus. C'est pas une vie tout ça.

— Je sais, Moe. Mais qu'est-ce qu'on y peut ? Faut pas ruminer comme ça, tu vas te faire du mal.

— Mais comment vous faites pour tenir depuis des années ?

— On s'habitue... et puis on rêve toutes de s'en aller.

— Puisque c'est impossible !

— Pas complètement.

— Tu parles.

— Je t'assure. Tu sais, moi, j'ai de l'argent de côté. Je suis sûre que je vais y arriver.

— De l'argent ?

— Oui. C'est Ada qui me le garde.

— Mais tu as vu ce qu'il faut ?

— Eh... j'en ai pas mal. Tu veux que je te dise ? Presque six mille euros. En quatre ans.

— Mais... c'est énorme ! Mais d'où...

— Oh, c'est pas joli à expliquer. La vieille m'en veut beaucoup pour ça. Mais c'est mon affaire. De toute façon, vu où j'en suis avec elle.

— Raconte-moi.

— Moe, je t'ai déjà entraînée dans un truc pas terrible. Alors…

— S'il te plaît.

— Écoute, je te dis, et tu oublies. D'accord ?

— Vas-y.

— Tu imagines bien que ça peut pas être très moral, hein ?

— Nini.

— Oui. Euh, voilà.

Les hommes, Moe. Dans la ville, ils sont plus nombreux que les femmes, va savoir pourquoi, pourtant la précarité ne choisit pas, ou alors elles sont plus malignes les femmes, elles esquivent les contrôles, elles ne picolent pas, on ne les attrape pas à la sortie des bars ou au bord des rues ivres mortes, quoi qu'il en soit il y a presque trois hommes pour deux femmes ici, tu vois ? — *Je crois que je vois*, murmure Moe d'une voix tremblante et serrant ses bras autour de son ventre par réflexe.

À l'est et au nord, là où on trafique le plus, il y a de l'argent. Il paraît que certains ont de quoi partir dix fois, mais la Casse les protège, alors ils restent, dehors ils redeviendraient minables. Voilà où va Nini-peau-de-chien la nuit, Moe est bien placée pour le savoir, Nini qui fait payer son corps, *Regarde*, elle dit en redressant le buste, *est-ce que ça ne vaut pas de l'or, ça ? Maintenant on n'en parle plus. Tu as promis. Mais Moe… moi je vais partir. Je vais accélérer. Dans cinq ans, je ne serai plus là.*

Elle s'est relevée, Moe, Nini-peau-de-chien l'a aidée et elle s'est laissé faire, trop sonnée, pourtant elle avait juré que Nini ne l'approcherait plus, et voilà qu'elles se retrouvent aux fruitiers toutes les deux, quand Jaja a été envoyée aux pommes de terre parce qu'elle est plus solide, oui elles deux côte à côte et se faisant des confidences, Moe a les larmes aux yeux, elle dit : *J'en aurais tellement besoin, de cet argent. Mais je ne pourrai pas.*

— Bien sûr, la rassure Nini. Tu voulais que je t'explique, alors je t'explique. C'est tout. Tu dois me trouver écœurante.

— Non… C'est juste que je ne sais pas comment tu y arrives.

— J'ai du mal. Voilà. C'est clair comme ça ? J'essaie de penser à autre chose mais c'est pas facile, chaque fois, j'ai envie de pleurer. Alors je me concentre sur l'idée que je vais pouvoir quitter la ville un jour. Ça m'aide – un peu.

— Et tu n'es jamais tombée enceinte ?

— Moe, ça se négocie, ça. Moi j'ai exigé qu'ils me fournissent des préservatifs.

Elle rit en voyant l'air embarrassé de Moe.

— D'accord, c'est pas poétique ce que je raconte. Mais il n'y a rien de poétique ici.

— Je…

— T'as pas besoin de le dire, je le sais que c'est moche.

— Non, non.

— Mais tu comprends ? Tu comprends pourquoi je fais ça ?

— Je crois que oui.

— Je suis pas une traînée. Je veux juste partir d'ici.

— Mais ça rapporte, alors.

Encore une fois, Nini-peau-de-chien éclate de rire, *Plus que les champs c'est sûr.*

— Pourquoi tu fais encore les cultures alors.

— Le moindre euro gagné, ça me va. Je prends tout.

— Même voler à l'épicerie.

— Mmm.

— Pourtant tu as de l'argent pour payer.

— Si je le dépense, je le perds.

— C'est dingue. Tu es dingue.

— Peut-être. Mais c'est moi qui ai le plus de sous. Après Ada.

— Ada ?

— Mais oui.

— Mais Ada, elle travaille pas, rien.

— Et qu'est-ce que tu crois, quand elle soigne les gens ? Toi tu vois qu'on la remercie avec un pain ou des fruits, mais t'as pas remarqué l'enveloppe qu'il y a en dessous.

— Ah bon ?

— Qu'est-ce que tu crois. Et puis tu sais ? Comme elle est au courant de tout, Ada, les gardiens viennent souvent discuter avec elle.

— Et ?

— Eh bien… elle leur donne des informations parfois. Et ça, ça paie.

— J'te crois pas.

— Parole.

— Elle ferait pas ça.

— J'ai pas dit qu'elle balançait. En fait je ne sais pas trop, mais ce dont je suis sûre, c'est que tout le monde la respecte, les matons, les voyous, tous. Alors il y a bien une explication.

— Peut-être, mais pas celle-là.

— Comme tu veux. On va pas se disputer sur quelque chose qu'on ne peut pas vérifier. Cueille, Moe, ils vont nous remarquer, quoi.

Et Moe une main en l'air depuis plusieurs minutes se rend compte que Nini-peau-de-chien n'a pas cessé de mettre des pommes dans les cagettes, elle en a rempli trois tandis qu'elle-même l'écoutait bouché bée et bras ballants, son supplément pour bonne récolte elle peut l'oublier aujourd'hui, un juron lui échappe. Nini lui tend une de ses cagettes.

— Tiens, et maintenant on cravache.

— Non, non, y a pas de raison.

— Prends-la. Et pendant que j'y suis, je suis désolée pour l'autre soir. Ce qui t'est arrivé. Je ne pensais pas que ça tournerait de cette manière.

Moe hausse les épaules, *Ça va, c'est du passé*. Mais dans le regard entendu de Nini-peau-de-chien aussi bien que dans le frisson le long de son dos à elle, elle voit bien que ce n'est pas vrai, rien n'est oublié, rien ne redeviendra comme avant, quand cela n'était pas advenu, il restera les traces, dans sa mémoire et dans son corps, et les cauchemars, et les peurs. C'est toute sa vie qui a changé cette nuit-là, la confiance envolée, l'attention modifiée sur les gens qui l'entourent, les tressaillements incessants quand une voix appelle, qu'une portière claque, même les sourires elle s'en méfie à présent, sait qu'ils ne sont jamais gratuits, ce qu'on attend d'elle, elle ne veut plus le savoir, il n'y a qu'avec les filles de la ruelle qu'elle se sent en sécurité, et encore, parfois elle imagine qu'un piège se dissimule derrière ces amitiés contraintes, qui se révélera un jour.

Et déjà elle était effacée, Moe, une petite silhouette taiseuse et aimable, une quantité négligeable, sa nature à elle – mais ce qu'elle est devenue, un fantôme, une absente, quelqu'un qu'on n'entend pas quand il discute, qu'on ne remarque pas quand il se déplace – une transparence. Plusieurs fois depuis cette nuit-là, elle a fait l'expérience de ce terrible estompement, soit qu'on lui coupe la parole, exactement comme si elle n'était pas en train de parler, soit qu'on la bouscule parce qu'on ne l'a pas vue, et bien sûr Jaja s'est excusée, mais cela n'enlève en rien cette sensation désastreuse de ne plus exister, personne ne bouscule Jaja, de la même façon que personne n'interrompt Ada, ou Marie-Thé, ou les autres. Et que faudrait-il faire alors, causer plus fort, crier, avoir de grands gestes, mais cela demanderait tant d'efforts, elle préfère se rendre et se réduire encore, admettre l'insignifiance, le retrait dans lequel l'a mise cette soirée dont elle dit, la menteuse, que c'est fini, et elle regarde Nini-peau-de-chien presque dans les yeux en hochant la tête.

— Oui, du passé.

Et en prononçant ces mots-là elle comprend qu'elle peut faire semblant. Que peut-être les autres n'ont pas plus de force qu'elle, ni plus d'espoir. Mais la méthode. Simuler.

Forcer le destin. À se remettre debout chaque fois en le regardant bien droit dans les yeux, *même pas mal*, il finira par se lasser, comme les massacres et les épidémies, à un moment tout s'arrête sans que personne ne sache pourquoi, tout reflue, la vie reprend.

Elle va faire pareil.

Il y a un drôle de silence quand elles rentrent à la ruelle, Moe, Jaja et Nini-peau-de-chien, de ces mutismes qui alertent aussitôt, et c'est Moe qui se met à courir la première, à cause de Côme, elles déboulent toutes les trois en appelant, la porte de la roulotte est ouverte, et celle de la caravane d'Ada. *Un problème, il y a un problème*, dit Jaja dans un cri. Au même moment, Poule émerge l'enfant dans les bras et Moe s'exclame, se retient à la portière de la voiture de Nini juste à côté, soufflée, il est là, respire – il faut que je m'asseye, quelques secondes, la peur hein.

Poule fait un signe de geste vers la caravane d'Ada.

— Ça va mal.

Nini-peau-de-chien s'affole, *Ada ?*

— Non, non. C'est une fille qui est venue. Saigne de partout. Apparemment on lui a donné un mauvais remède pour avorter, elle est pas belle à voir. Marie-Thé est allée chercher les secours mais ça traîne.

Moe se précipite, toque à la vitre de la caravane, *Je peux t'aider ?* Et la voix caverneuse de la vieille lui répond, rapide, inquiète :

— Il me faut quelqu'un de solide.

— Je suis là.

Peut-être à cet instant-là Ada hésite-t-elle, mais elle n'a pas le choix à vrai dire, depuis le temps qu'elle essaie de juguler l'hémorragie et de calmer la fille allongée, elle a reconnu les effets cumulés des médicaments et des plantes, à lui faire sauter le cœur. *Qui est-ce qui t'a donné cette saleté*, crache-t-elle pour elle-même, furieuse et débordée, et elle prend la tête de la fille entre les mains, la houspille.

— Tu es avec moi ? Hé, petite ?

Mais la fille ne dit rien, les yeux blancs à l'intérieur, comme la peau de son visage diaphane, et ce corps secoué de tremblements et d'à-coups, *C'est le cœur, non*, dit Moe, *elle est en état de choc. — Évidemment*, gifle Ada qui s'immobilise en même temps. *Mais tu sais ça, toi.*

— J'ai vu ça chez une des vieilles pour qui je travaillais avant, une crise, les pompiers m'ont expliqué. Mes clientes, c'étaient toutes des vieilles ; il y avait souvent des problèmes, à force, j'ai appris un peu.

— Alors tu vas m'être utile. Appuie là, pour l'hémorragie. On n'y pourra pas grand-chose mais il vaut mieux compresser pour essayer de couper la circulation. Appuie, je te dis. Fort !

Moe sent l'humidité sur le tissu sous sa main, jette un œil – rouge partout, en quelques secondes, ses doigts sont bruns et poisseux, elle dit tout bas :

— Ça saigne.

Ada ne la regarde pas, penchée sur la poitrine de la fille. *Je sais bien, il faut que les secours arrivent, mais en attendant...*

Et elle marmonne la vieille :

— Elle va passer si ça continue, ça s'emballe, ça bat trop vite, elle fait quoi Marie-Thé ?

Et Ada tend un bras tout en gardant la fille serrée contre elle, *Là, sur les étagères, la mélisse, ça ne servira à rien dans son état mais on va lui donner quand même, si ça pouvait la calmer.*

Moe se précipite, court chercher la casserole toujours à chauffer sur le feu, prend la place de la vieille qui jette une poignée d'herbes dans l'eau bouillante – à ce moment-là, elle sent dans ses bras la fille froide et moite, qu'elle la dirait morte déjà, ne serait-ce le râle continu qui s'échappe de sa gorge et de ses yeux effarés, Moe murmure à son oreille :

— Ça va aller. Ça va aller.

Et vers Ada :

— Tu sais quand les orques et tout ça plongent dans l'eau glacée, dans les océans, leur rythme cardiaque ralentit automatiquement, je ne dis pas que c'est la solution mais…

— De l'eau froide ?

— Gelée oui.

Ada ouvre le frigidaire sans un mot, attrape des glaçons qu'elle jette dans une bassine, ajoute de l'eau. Elle dit : *On attend une minute, pas plus.*

Et Moe soutenant la fille par derrière le dos compte jusqu'à soixante, la relève en position assise malgré les plaintes et fait un signe à Ada qui lui plonge la tête dans la bassine, quelques secondes, la fille saisie par l'eau glacée crache et se débat. Moe se penche tout contre elle et chuchote, *Retiens ta respiration, on recommence*, encore une fois, puis deux, Ada lève une main, enlève la bassine :

— Ça suffit. Ça va lui faire un trop gros choc sinon. Laisse-la assise, il faut qu'elle boive la mélisse, maintenant.

À elles deux elles forcent la mourante. Ada a dû glisser un manche de cuillère entre les dents scellées et tourner de biais pour l'obliger à ouvrir les lèvres, les gencives saignent, elles ne voient pas, absorbées par le liquide qu'elles font glisser à la cuillère dans la bouche figée, la fille s'étrangle, les griffe, *Allez !* crie Moe les nerfs à vif, elles lui font boire un demi-verre d'un liquide vert et noir puissant, odorant, et la vieille tire Moe en arrière.

— On arrête, on est en train de l'affoler. Il faut qu'elle tienne toute seule. On a fait ce qu'on pouvait.

Les doigts sur la carotide, elle compte les pulsations, croise le regard interrogateur de Moe et secoue la tête.

— Trop.

— Mais il y a un petit mieux ?

— Si tu veux. Infime. Non. Je ne crois pas.

Une compresse sur le front de la fille repliée autour de son ventre rouge. *Bon sang*, rage Ada. *Elle est où, cette sirène ?*

— Elle arrive, murmure Moe. Je l'entends.

*

De ce jour, la vieille a demandé à Moe de l'aider à soigner les pouilleux — *Tu aurais pu me le dire avant, que tu étais infirmière.* — *Mais, Ada, je ne suis pas infirmière.* — *Va, pour ici c'est tout comme.*

Et à la fois cela la flatte et l'inquiète, et la passionne et l'atterre, toujours deux jours par semaine dans les champs pour payer la voiture, mais sur les quatre qui restent, deux avec Ada à présent – un à courir les plateaux pour ramasser les plantes, et un à mettre les mains dans les maux ou à apprendre les mélanges pour les infusions et les cataplasmes ; et comment fera-t-elle pour gagner l'argent du retour, deux fois moins de jours, deux fois moins vite, l'enfant grandit, il lui faut de nouveaux vêtements, une nouvelle nourriture, un avenir aussi, même si cela fait rire les filles, *Il a sept mois, Moe, ne t'inquiète pas si vite*.

Mais Ada la rassure, *Je te donnerai l'argent que tu perds en n'allant pas aux cultures*. Lorsque la vieille, à la fin de la première semaine, lui tend ses douze euros quatre-vingts, Moe est irradiée par une joie profonde. Bien sûr il y a la peur d'arpenter les quartiers qu'elle n'a jamais explorés, d'entrer dans les ruelles jonchées de détritus et de silhouettes humaines couchées à même le sol, les regards, les murmures ; cependant elle se rend vite compte que la présence d'Ada la préserve des dangers de la ville, et pourtant il y en a, embusqués derrière chaque rue, dans chaque voiture. Souvent elle les sent lui renifler les talons tandis qu'elles vont toutes les deux d'un taudis à un autre, et elle marche tout en raideur, la saleté derrière, la saleté devant, qui n'attend qu'un faux pas, si elle perdait Ada de vue, ce serait la curée. Alors elle ne la lâche pas, les yeux baissés sur la jupe usée qu'elle suit de ruelle en ruelle, ne veut pas croiser les regards de convoitise, pas entendre les remarques lui rétrécissant toujours la gorge, que la vieille s'est flanquée d'une sang-mêlé, qu'il faudra voir – et pour qui se prend-elle cette ville d'épaves et d'étrangers, faut-il être tout à fait brun ou tout à fait noir pour garder un peu d'honneur, elle s'agace, les abandonnerait là à crever sur place. Ada rit, *Laisse dire. De toute façon, si ça n'était pas cela, ça serait autre chose*.

Elles n'ont jamais reparlé de la fille que les secours ont emmenée inconsciente. Elles ne savent pas si elle a survécu. Personne n'est venu donner de nouvelles.

— On pourrait demander, a tenté Moe.

— Pour quoi faire.

— Juste savoir.

— Ça ne changera rien de savoir.

Moe découvre encore davantage la misère de la ville, elle qui croyait qu'on ne tomberait pas plus bas que leur ruelle, tous les mêmes les quartiers, pensait-elle, mais là – ces cours jamais nettoyées où les ordures s'empilent jusqu'à ce que les éboueurs entrent pour les enlever, alertés par les gardiens, tirant derrière eux des dizaines de sacs éventrés sous le regard vide des habitants abattus d'alcool, de drogues, d'épuisement ; ces voitures ouvertes et remplies du sol au plafond, des amoncellements de plastiques et de vieux tissus qui pourraient servir, un jour, et sur lesquels on dort de travers en attendant, en essayant de ne pas y mettre trop de boue ; partout la proximité oblige à composer ensemble, et le dénuement à se voler les uns les autres. Les rares enfants dépouillent les corps inertes après les beuveries, fouinent dans les maigres réserves de nourriture, leurs petites mains agiles, qu'on leur brise quand on les surprend parfois, pour leur apprendre. Mais rien ne les arrête, et dans le regard qu'ils braquent sur Moe qui les croise au détour d'une rue, le désespoir l'a cédé à une violence froide, il faut survivre, ils ont cela dans les tripes et rien d'autre. Quels adultes ils feront, se demande Moe épouvantée, et si Côme devenait comme eux – elle rectifie la gorge serrée, *quand il sera comme eux*, car elle comprend qu'il ne pourra pas en réchapper, de la même façon que les insectes sont attirés par la lumière, s'il veut rester vivant il faudra qu'il se transforme en ces êtres brutaux et affamés postés à l'entrée des ruelles, alors cela lui revient en mémoire, elle a la possibilité de l'épargner.

Sans qu'elle ait besoin de compter, elle sait qu'il lui reste un peu moins de cinq mois, peut-être quatre, si elle se décide. Mais chaque fois qu'elle effleure l'idée, elle imagine l'enfant sans elle, la cherchant des yeux, ne la trouvant pas – impossible de lui expliquer que ce serait mieux pour lui, et le pourrait-elle, il refuserait, de toutes ses forces minuscules, s'accrocherait à son cou et à son pull usé, elle entend ses pleurs qui montent, et elle, les larmes aux yeux déjà, juste en y pensant, oui vraiment, comment y arriverait-elle.

Devant elle, le garçon doit avoir sept ou huit ans, sa sœur cinq. Ils ont le regard grand ouvert de ceux qui observent, et sûr ce n'est pas la beauté du monde qu'ils guettent ainsi, mais la moindre faille, celle qui fera trébucher Moe, qui lui desserrera les doigts sur une pièce ou n'importe quoi d'autre, puisque tout s'utilise, tout se bricole, tout se revend ; et à les étudier de biais tandis qu'Ada se penche sur leur mère alitée, Moe sent la volonté inouïe qu'ils mettent dans ces sombres pensées, presque palpable, elle frissonne sous l'air chargé d'envie et de colère, si elle pouvait leur donner son foulard, s'ils pouvaient lui arracher ses chaussures.

Au moment de repartir, elle leur glisse deux sous.

Pas un sourire, pas un mot. Les mains se referment prestement sur les pièces, un coup d'œil furtif autour d'eux, pour vérifier qu'on ne les ait pas vus empocher leur trésor ; et Moe ne s'attendait à rien, mais surtout pas aux deux regards qui remontent vers elle sans la moindre émotion, et dans lesquels elle devine le lent calcul, s'il y a une chance qu'elle donne encore, s'ils ont une possibilité de lui voler ce qui lui reste, et comment, et avec quels risques. À cet instant-là, elle comprend qu'elle a perdu, qu'ils ont saisi sa fragilité ; si le garçon avait trois ou quatre ans de plus, il essaierait de la bousculer, de l'assommer à demi, le temps de lui faucher ce qu'elle a – et son salut, elle ne le doit qu'à sa trop grande jeunesse, et à l'apparition soudaine d'Ada derrière les tôles, qui d'un seul regard écrase les enfants et les renvoie au coin de mur dont ils s'étaient détachés, et dit à Moe :

— Eh bien.

Elles quittent la ruelle peu après. Lorsqu'elles se sont éloignées de quelques pas, Ada marmonne :

— Tu n'aurais pas dû leur donner.

— Mais…

— Regarde. Regarde en arrière – et Moe se retourne et voit le garçon frapper sa sœur, tendre la main pour qu'elle lui remette sa pièce ; la petite s'exécute en reniflant.

— Elle fera pareil aux plus jeunes dès qu'elle pourra, commente Ada. Moe, il ne faut pas s'immiscer dans l'ordre des choses. Ne change rien, ne touche à rien. Laisse-les se débrouiller.

— Mais ce sont des enfants…

— Non. La vie les a déjà corrompus. Ils sont plus proches des bêtes que des hommes, ne respectent que la loi du plus fort. Ne les regarde pas comme des enfants, ce serait une erreur.

— Ada, ils n'ont pas dix ans et tu en parles comme de criminels.

— Parce qu'ils le sont. Ils n'ont pas le choix.

— Mais personne ne fait rien pour eux ?

— Jusqu'à un an, ils peuvent être adoptés. Souvent les mères préfèrent les garder pour aider, pour travailler, pour voler ; il n'est pas rare que l'un d'eux se fasse tuer, un autre prend sa place et tout continue.

Moe se mord les lèvres.

— Tu ne les aimes pas.

— Ce n'est pas un endroit pour les enfants. Dès qu'ils savent marcher, ils deviennent de petits adultes, avec tous les travers de leurs aînés. Tu as raison : ces mauvaisetés dans des corps d'enfants, je m'en méfie plus encore que de leurs parents.

— Tu… tu penseras la même chose du mien.

— Oui. Il sera pareil, c'est obligé.

— Pour toi, il n'y a pas d'échappatoire possible.

— Réfléchis. Pour quoi ? Où ça ? Comment ?

— Et si je l'élève bien. Si je l'empêche.

— Jusqu'à quand, Moe ?

— Jusqu'à ce que je l'emmène.

Ada regarde le ciel et rien n'y fait, le bleu étincelant des grandes chaleurs, le soleil encore haut dans sa course, elle s'éponge le front et soupire, juste à balayer la courette. Vrai, de son temps, septembre c'était déjà l'automne, et les petits matins frais, et les longues journées de pluie – pas ces résurgences d'été et de canicule, il n'y a plus de saison, dit-elle, parce que, après, l'hiver viendra sans gelées, ou à peine, d'une année sur l'autre les insectes pullulent et les fruitiers ne savent plus quand faire des fleurs.

Sur les coteaux sud, la vigne est mûre. Ce qu'il en reste du moins : trop peu d'espace pour espérer produire un vin même aigrelet, trop de travail, trop de matériel, ils ont cessé de la cultiver depuis quinze ans. Les pieds ont dégénéré, se sont épuisés, achevés par les maladies et l'absence de taille, courant sur le sol, pourrissant et crevant là. Quelques-uns subsistent cependant, qu'Ada dépouille jusqu'à la dernière grappe quand elle court les plateaux, c'est sa faiblesse, le jus sucré qui coule sur ses mains, le raisin éclatant sous les dents. Elle rapporte des sacs entiers, charge Moe à la faire tituber. S'exclame, la couleur, les parfums, les treilles enlacées, les feuilles dorées qu'elle écarte pour trouver le chardonnay ou le pinot, elles s'en feront un festin pendant des jours, toutes les six, en échangeront une partie contre une tôle pour réparer l'avancée de Marie-Thé qui fuit, un marmiton neuf, une ou deux couvertures d'avance. Elle est tout en joie la vieille, réchauffant ses os au soleil trop chaud, les cuisant même, elle dit qu'elle fait des réserves avant la mauvaise saison. Moe ne l'écoute pas.

Essaie seulement de calmer le tremblement de ses mains, et puis l'autre, à l'intérieur, qui lui secoue la poitrine tant cela tape, elle en a mal au ventre, d'étranges nausées qui lui serrent jusqu'au fond de la gorge. Elle n'a pas mangé à midi. Obnubilée par une unique pensée qui étouffe la voix de la vieille, ignore la brûlure de la chaleur, ne voit plus rien : ce soir après le travail, elle va donner l'enfant.

N'en a parlé à personne. Qui cela regarderait-il, et que lui diraient les autres – qu'elle a raison, qu'elle a tort, jamais d'accord, elle refuse de mettre sa tristesse en pâture, c'est sa douleur, elle seule, comme toujours quand on souffre. Depuis le matin, elle essaie de s'habituer à l'idée, un peu, pour avoir moins mal tout à l'heure ; et va, rien n'y fait, chaque fois qu'elle imagine l'instant où ils seront séparés l'enfant et elle, il y a cet essoufflement, et les larmes, elle voit la porte se refermer sur un dernier regard, respiration coupée, arrête tout – elle tentera encore dix fois dans la journée d'avoir le courage d'imaginer cette scène, à quoi bon sinon.

Mais c'est l'inverse qui se produit, la tension de pire en pire et les heures qui passent trop vite, la course du soleil dans le ciel, qu'elle voudrait ralentir, empêcher de plonger derrière le barrage, parce que alors elle le sait, l'heure se rapproche, le temps de rentrer, de prendre le petit dans ses bras en murmurant des choses qu'il ne comprendra pas mais dont elle espère de toutes ses forces qu'il se souviendra un jour, comme un écho, se rappeler qu'il y avait une mère, et de l'amour, que tout n'est pas né de rien.

Et tandis qu'elle prend le sentier du retour derrière Ada, ses jambes flageolent et son cœur s'affole, allant grandissant, au point qu'elle se demande si elle pourra regagner la ruelle, et si elle mourait avant – quel soulagement au fond, n'être plus maître d'une telle décision, aux filles cela serait tellement plus facile d'aller porter le petit Côme à l'adoption. Mais elle chancelle et ne cède pas, tels ces soldats marchant au peloton, la tête haute, le ravage est dedans son corps béant, elle s'encourage à voix basse, *Je vais le faire, je vais le faire*. Si elle emmenait l'enfant à l'abattoir cela ne serait pas plus dur, pense-t-elle, et un instant elle hésite, sidérée par l'idée même – si elle le tuait. Si tout s'arrêtait avant. Alors elle s'immobilise et réfléchit.

Quelque chose tout en douceur, une plante si elle en trouve sur les étagères d'Ada, une infusion qui fige le cœur, aconit, if ou muguet, ou les trois pour être sûre, elle le fera boire lui d'abord l'enfant, et quand elle sera certaine, quand il n'y aura plus de doute, plus de souffle, plus de vie, elle boira à son tour. Et cela court son chemin dans sa tête épouvantée, en finir avec la peur et la misère plutôt que s'échiner à survivre, ouvrir enfin l'horizon, involontairement elle sourit, organise déjà, pas l'aconit qui donne d'horribles convulsions, elle veut quelque chose de calme, le muguet oui elle en a vu dans la caravane, sait qu'il faut de fortes doses, ou encore la digitale, et elle se décide à ce moment-là, ce sera la digitale, quelques minutes pour une arythmie mortelle, voilà. Un biberon mélangé d'alcool fort volé à Nini-peau-de-chien juste avant, pour que le petit s'engourdisse. Et elle il ne faudra pas qu'elle flanche.

Tuer l'enfant pour l'épargner.

Lui arracher la vie, elle en a le droit – et elle contemple en rentrant les rues sales et malodorantes, est-ce qu'il ne vaut pas mieux mourir que passer son existence dans cet enfer, Nini-peau-de-chien avait raison, est-ce cela qu'elle veut pour l'enfant ? Et elle, juste après. Boire à son tour le liquide fatal.

Mais l'enfant si elle le donne, a-t-il besoin de mourir – ah.

Elle le voit s'éloigner, s'envoler, trouver une maison et des jouets, des gens qu'il ne connaît pas et qui sont ses parents dorénavant. Dans quelques mois, il ne saura plus qu'il a été triste quand sa mère l'a déposé aux bras de la femme, là-bas dans le sinistre bureau ; ne se souviendra même plus d'elle Moe, peut-être un parfum, un fragment de voix s'il la croisait, mais il ne se retournerait pas, c'est du passé tout ça, l'enfant est joyeux, il est fait pour vivre.

Non, non ! !

Ada s'arrête. *Moe ?*

— Je… j'ai eu… une vision. Une sorte d'hallucination.

— Est-ce que ça va ?

— Je suis seulement fatiguée. C'est le raisin qui pèse. La fin de la journée.

Le regard soupçonneux de la vieille sur elle – pendant une fraction de seconde, Moe est persuadée qu'Ada sait, qu'elle a deviné pour le poison, et elle, prête à défaillir, à lui dire aussi, qu'il faut la laisser faire, ce n'est pas vrai que l'enfant sera heureux sans elle, et au fond tout au fond quelque chose murmure en retour, caverneux, *Tu mens tu mens tu mens*.

— Tu n'as vraiment pas l'air bien, observe Ada songeuse. Donne-moi tes sacs.

Mais Moe se défend — *Un coup de mou. C'est en train de passer je t'assure*. Elle se voit dans les yeux d'Ada, l'ombre bleue qui creuse ses cernes, les traits tirés sur sa pâleur, comment la vieille pourrait la croire ; et pourtant Ada la brûle encore un instant de son regard noir, et d'un coup elle fait volte-face sans insister.

— Rentrons. Je te préparerai une boisson pour te ragaillardir.

Elles se remettent en route. Moe pleure à l'intérieur.

*

Et la voilà elle qui a toujours pris les mauvaises décisions, choisi les pires chemins, la voilà dans les rues avec Côme serré contre elle et mouillé de larmes qu'elle ne peut pas arrêter, et sans doute elle aurait mille fois préféré avoir le courage de l'empoisonner, lui puis elle, vrai, elle l'a presque fait, elle allait appeler Ada pour le thé autour du feu, savait que ce serait le seul moment possible pour voler le bocal de poudre, elle prétexterait un mal de tête, ou de ventre, une infime douleur qui lui permette de revenir seule à la caravane et de fureter dans les étagères d'herbes et de fleurs, quelques dizaines de secondes, il faudrait qu'elle trouve vite. Mais au moment d'ouvrir la bouche, au moment où elle a claqué la portière de sa voiture derrière elle.

Le destin ?

Du bruit dans leur ruelle, et les cris de Jaja. Moe a couru pour aller voir. Qu'est-ce qu'elle braillait, Jaja.

— Dégagez ! Dégagez ! !

Une barre en fer dans la main. D'où elle tient ça.

Les cinq filles se sont regroupées. Ada était toujours dans la caravane.

— Qu'est-ce qui se passe ? a demandé Nini.

— Sont là.

Jaja a montré du doigt le côté des voitures. On ne voyait rien. Moe a secoué la tête.

— Mais qui ?

— Ceux du quartier 301.

— Merde, a soufflé Marie-Thé.

Jaja a donné un coup de coude à Poule. *Va prévenir Ada*. Moe ouvrait de grands yeux.

— C'est qui, ceux du quartier 301 ?

— Des cons. Y nous cherchent des ennuis régulièrement, pour nous voler – et Jaja se met à hurler : Essayez même pas de venir là, hein ! !

Moe a couru à sa voiture pour prendre Côme dans ses bras. Oublié, le poison, l'enfant mort dans quelques minutes. Il n'y avait qu'une seule chose dans sa tête, le protéger. Le mettre à l'abri n'importe où, et elle a regardé autour d'elle. Poule l'a appelée depuis la caravane d'Ada.

— Moe, ici !

Elle s'est enfermée avec elles à l'intérieur, souffle coupé. *On fait quoi ?*

— On attend que les filles s'en débrouillent.

Moe s'est tournée vers Ada, stupéfaite.

— Mais, Ada... et toi, tu ne peux pas les arrêter ?

La vieille Afghane a fait un geste de dénégation. *Pas toujours. Il faut que les explications aient lieu parfois. Pour montrer qu'on est intouchables, justement. Que ça ne sert à rien de venir nous chercher.*

— Mais si...

— C'est pour ça que Jaja est toujours en alerte, l'interrompt Poule. L'important c'est de les voir arriver, pour prévenir. Et dans quelques secondes il y aura ceux des autres quartiers pour nous aider. Ça va aller.

Par la fenêtre de la caravane, Côme serré contre elle, Moe a regardé le groupe de quatre hommes s'avancer. Et derrière eux, bientôt, une troupe. *Les voilà*, a murmuré Poule sans que Moe sache si elle parlait des agresseurs ou des voisins venus remettre de l'ordre.

— Mais ils veulent quoi ?

— Nos affaires. Notre argent.

— Pourquoi nous ?

Poule a eu un rire bref. *Tu veux dire, pourquoi jamais nous ? Ailleurs, ça arrive tout le temps.*

Devant la quinzaine de voisins accourus armés de bâtons et d'outils, de couteaux aussi, les quatre hommes se sont enfuis. Tabassés au passage, puisqu'il leur a fallu remonter la ruelle – pas d'autre issue. Ada est intervenue pour qu'on les laisse partir. Il y avait du sang sur la terre.

— Ils reviendront ? a murmuré Moe, après.

— Bien sûr, a dit la vieille Afghane.

— Et on va faire quoi pour les empêcher ?

— On ne peut pas les empêcher.

— On peut le dire aux gardiens.

Jaja s'est mise à rire. *Et au Père Noël.*

Ada a posé une main apaisante sur l'épaule de Moe.

— On n'y peut rien et ça recommencera. L'important, c'est de ne pas se laisser faire.

— Ça fait peur.

— Oui, peut-être. Mais c'est la vie. Il ne faut pas trop s'inquiéter.

— S'ils viennent quand on n'est pas là.

— Non, ce qui les intéresse, c'est aussi de nous impressionner, et de cogner. C'est une question de pouvoir. L'idée, c'est de nous racketter les fois suivantes, sans bagarre, tu vois ?

— Et les voisins, ils viendront toujours ?

— On fait pareil pour eux.

Moe a poussé un long soupir. *Quel monde. Quel monde.*

Et puis la digitale lui est revenue en mémoire, ce qu'elle allait faire, juste avant que les hommes n'apparaissent au bout de la ruelle. Dieu, alors qu'elle se tuerait pour l'enfant. Par quelle folie. Elle a senti venir les larmes, et Poule s'est méprise sur son geste, quand elle s'est essuyé furtivement les paupières en espérant qu'on ne la remarquerait pas.

— C'est fini, Moe. Ils ne sont plus là. Ils ne vont pas revenir avant un moment, tu sais.

Partie aussi, l'idée d'empoisonner le petit, avec une honte si profonde que Moe a mis une main sur son visage, comme si cela pouvait lui éviter de se voir elle-même, comme si cela allait effacer la douleur et la culpabilité.

Et ensuite, tout est reparti de zéro.

Alors elle court dans les ruelles pour que ça se termine enfin, parce que si cela dure trop longtemps elle ne pourra plus, et chaque pas effrite sa volonté et retient ses bras, elle ne voit rien sur son chemin, ni les choses ni les gens, rien que le plan de la ville inscrit dessus ses yeux agrandis par le chagrin et au milieu, un peu à gauche, le bureau de la femme, là où ils prennent les enfants.

Tout le temps du trajet, entre deux sanglots deux respirations, elle explique au petit. Pas leur faute, ni à lui ni à elle, quand tout aurait dû aller en s'améliorant, alors quoi, le destin, le manque de chance. La chute depuis qu'elle a quitté Rodolphe – non, c'était bien avant, déjà dans l'île, il ne fallait pas partir ; mais si elle était restée, il n'y aurait pas eu l'enfant, lui le petit Côme, cette découverte et cette joie, la plus belle chose qui me soit arrivée, murmure-t-elle à son oreille et l'enfant bat des mains et rit et bavarde dans cette langue qu'elle ne comprend pas.

Après, elle avoue que si, tout de même, c'est sa faute à elle Moe, un peu, et ce qu'elle s'apprête à faire, qu'il ne croie pas qu'elle a baissé les bras, tout au contraire, son ultime fierté, sa déchirure. Côme est un oiseau qu'elle a dans les mains depuis sept mois, et aujourd'hui elle va les ouvrir, pour le mettre au bord et le pousser doucement, bien sûr cela leur fait peur, à elle comme à lui, mais s'il restait là, au creux de sa paume, elle finirait par le garder et l'étouffer, elle dit : *Si tu restes là.*

Et levant les yeux elle voit le panneau sur le bâtiment, et elle s'effondre du dedans d'un coup, voilà, elle y est. Pour se donner la force elle murmure encore : *On y est*.

Qu'elle tombe alors, qu'on la foudroie – par pitié. Immobile devant le bâtiment, elle attend. Une dernière chance, mais pour qui ? Pour elle, ou le petit, ou la femme embusquée derrière les stores et qui la supplie de faire un pas, avance, Moe, et elle qui hésite et balance, des sanglots dans la gorge, et marche en rond pour ne pas s'approcher.

Elle pose son front contre le front de Côme, murmure son nom, ce nom qu'elle aura trop peu dit. Et puis : *Eh bien*.

Relève la tête et retient sa respiration, en apnée, jusqu'à la porte.. Et à l'instant où elle va sonner, à l'instant même où elle allonge le doigt pour appuyer sur le bouton d'entrée, une voix l'appelle, sans doute qu'une voix parmi d'autres, Moe n'aurait pas réagi, mais celle-là elle la connaît, sait qu'elle ne devrait pas être là, et peut-être n'est-ce que la surprise qui la fait reculer alors et essayer de sourire, mais voilà elle revient en arrière, et elle dit :

— Marie-Thé ?

*

La ruelle est comme un tout petit village : chacun est au courant de ce que font les autres. Et si on n'est pas vraiment au courant, on invente, sur la foi de ce qu'on suppose, parce qu'on a horreur du vide et qu'il faut remplir en permanence les interstices pour réduire l'inconnu, et le risque, et l'angoisse. La routine, l'exposition sont les meilleures armes contre la surveillance inconsciente des uns sur les autres, vivre dehors, à la vue de tous, s'offrir aux regards pour se soustraire aux doutes et aux interrogations, et ce n'est pas malveillance ou même curiosité déplacée mais une sorte de rassurement qui ne peut se faire que lorsqu'on est certain de ce qui se passe autour de soi.

Un changement, et toutes elles le remarquent – bien sûr cette intimité impossible irrite parfois ; mais elle protège aussi, d'un malaise, d'une agression, d'un désespoir. Et vraiment cela n'a pas de prix d'imaginer que, même contre son gré, on sera sauvé, et qu'on en sera reconnaissant, passé le temps de la colère et de l'accablement. Vivre les uns sur les autres, l'expression parfaite pour expliquer les liens entre les six filles : qu'une seule bouge, et toutes le ressentent. Un jeu de mikado inextricable. Chaque manquement à l'habitude, chaque geste supplémentaire est ainsi le début d'un long questionnement : est-ce que Moe n'a pas curieuse mine ce soir ? est-ce que quelqu'un sait ce qu'elle a ? elle dit qu'il lui manque une course mais jamais cela n'est arrivé, est-ce qu'on ne peut pas la dépanner ? elle s'en va avec l'enfant, pourquoi ne l'a-t-elle pas confié à Poule ou à Ada, comme les autres fois ?

Alors Marie-Thé a suivi Moe.

Et Moe chuchote : *J'ai été si transparente, hein.*

Marie-Thé n'a pas mis bien longtemps à comprendre mais elle a voulu laisser une chance à Moe, qu'elle renonce toute seule, qu'elle arque le dos sous le poids du destin, au diable, elle s'en sortirait toujours, est-ce que ce n'est pas ce qu'elles se disent toutes pour tenir les jours de chagrin, les *petits jours*, elles les appellent, avant que la dureté de l'existence les remette en avant pour de bon, et qu'elles tendent les mains pour se les claquer entre elles comme un salut en retour, je suis là tout va bien.

— Tu comprends ce que je t'explique ? dit Marie-Thé. Demain, ça ira mieux. Il faut se méfier de ces journées où on s'écroule, on fait des choses qu'on regrette toute sa vie.

Moe ferme les yeux en caressant les cheveux de l'enfant.

— Je ne peux pas le garder.

— Bien sûr que si.

— Je ne peux pas lui imposer cette existence immonde.

— Je croyais que tu voulais quitter la ville.

Moe a un rire jaune. *Quand je croyais que c'était possible*.

— Et entre hier et aujourd'hui, ça a changé ?

— C'est juste que je me suis rendu compte…

— Ça c'est dans ta tête, Moe, l'interrompt Marie-Thé. Moi je parle de faits. Du concret.

— J'ai vu des enfants…

— Et tu t'es avouée vaincue.

— Non, non. Mais je pense… qu'il aura de l'avenir s'il est ailleurs.

Alors Marie-Thé se penche vers elle et prend l'enfant, si vite, si adroite que Moe n'a pas le temps de resserrer les bras, et l'autre la tient à distance d'une main, en grondant à voix basse :

— Je vais te dire, Moe, tu ne vas pas le donner parce que je ne te laisserai pas faire. Moi, j'ai été abandonnée quand j'étais gamine. Est-ce que tu crois que ça m'a porté chance ? Regarde-moi. Tu vois où j'en suis aujourd'hui ? Tu crois que ça m'a sauvée ? Alors lui, il reste là. Tu ne feras pas un deuxième Marie-Thé avec.

— Mais c'est mon fils !

— Vu la porte à laquelle tu allais sonner, je suis pas sûre.

— Marie-Thé je t'en prie…

— Moe, demain tu me remercieras. Tu sais quoi ? Si tu regrettes, je te laisserai revenir. Je t'accompagnerai, même.

— Je t'en prie. J'ai fait le plus dur.

— Non. Le plus dur, c'est ce qui l'attend lui, si tu l'amènes là-bas. Crois-moi. J'ai été à sa place. On ne sait jamais ce qui peut arriver.

— Toi ?

— Oui, vrai. Qu'est-ce que tu crois, Moe, avec ma gueule de charbon, que je sors forcément d'une banlieue minable ?

— Je ne me suis jamais demandé.

— On ne se demande jamais pour les gens comme Jaja et moi, les nègres et les Arabes.

— Parle pas comme ça…

— Mais c'est comme ça qu'ils pensent, tous. Eh bien non, je vais te dire : je suis née en Haïti. Ça fait une trotte pour échouer ici hein.

Histoire de Marie-Thé

Alors Marie-Thé retourne sur ses pas sans attendre davantage, l'enfant dans les bras, et Moe n'a ni le réflexe ni le courage de l'empêcher – elle court à côté, la rattrape.

— Donne-le-moi. Je rentre avec toi, promis.

— T'as intérêt.

— Promis.

— Tu n'imagines pas ce que c'est d'être abandonné. Sinon tu n'aurais jamais essayé.

— Mais ils sont morts, tes parents ?

— Même pas. Ils sont seulement pauvres.

Encore que, pense Marie-Thé silencieuse soudain. Avec les ouragans qui s'accumulent depuis le séisme de 2010, qui sait s'ils n'ont pas été emportés ou écrasés, engloutis, noyés, eux et tous leurs enfants restants, jamais elle n'aura cette réponse-là et d'ailleurs l'idée ne lui fait pas grand-chose, si elle est l'unique survivante – quelle ironie.

Marie-Thé est la neuvième. Un chiffre de merde, elle dit, parce que en effet elle n'est pas orpheline, même à moitié, n'a pas été malade, ni tabassée, ni signalée, rien, et pourtant c'est tombé sur elle. Au neuvième enfant, ses parents ont décidé qu'ils ne pouvaient plus. Trop de bouches à nourrir, d'éducation impossible ; comme si, de huit à neuf, le monde s'écroulait, et vrai c'est toujours un de plus, quand on en a déjà trop. Mais qu'on sacrifie le neuvième parce que le dixième arrive, tout chaud dans le ventre de sa mère, ça, elle n'a pas accepté Marie-Thé, n'a jamais compris, alors le dixième aussi il fallait le donner, pas en faire le neuvième, bon sang, le neuvième c'était elle. Et peut-être qu'ils ont eu d'autres enfants encore après, ses parents, pourquoi cela se serait-il arrêté ? Des petits qu'ils ont gardés elle en est certaine, persuadée d'être la seule à avoir été abandonnée, sans doute qu'ils ne l'aimaient pas, voilà, quelque chose de l'ordre du désamour lorsqu'ils l'ont amenée à dix-huit mois à l'orphelinat, le grand bâtiment n'avait pas d'autre nom, un orphelinat, pour les enfants veufs de leurs parents, comme s'ils étaient morts pour de bon.

Mais ils sont repartis eux, elle ne s'en souvient pas, on lui a raconté ; la directrice n'avait pas le droit de lui dire mais elle l'a fait quand même, pour tout mettre à plat quatre ans plus tard, un droit à la vérité qu'elle lui murmure alors, pour que tu comprennes, et ce qu'elle n'a pas ajouté mais qui couvait dans son regard, c'était la colère de Marie-Thé, qui enveloppait chaque jour que Dieu fait, cette colère avec laquelle elle tabassait les enfants autour d'elle, avec laquelle elle regardait les étrangers venus adopter un petit pauvre et qui, croisant son air mauvais et le rictus sur son visage, préféraient toujours un autre. Sans doute la directrice a-t-elle jugé ce jour-là que savoir permettrait à Marie-Thé d'échapper à cette rage qui la tenait sans qu'elle en saisisse l'origine ni le sens. Sans doute cela partait-il de ce que l'on appelle un bon sentiment, ou alors fallait-il vraiment qu'elle la déteste pour lui révéler cet abandon, elle seule au milieu de dix autres, ou onze ou douze dorénavant, et ses parents refermant la porte derrière eux étaient partis sans pleurer, du soulagement, seulement du soulagement dans leurs pas s'éloignant de plus en plus vite de peur qu'on les rattrape pour leur rendre l'enfant dont ils ne voulaient plus.

Alors Marie-Thé grandit avec cette différence : elle n'est plus une petite fille orpheline parmi d'autres. Elle s'invente une nouvelle histoire, abrutit son monde avec la certitude que ses parents viendront la rechercher un jour, quand ils seront riches, quand les aînés de leurs enfants voleront de leurs propres ailes, laissant la place aux plus jeunes – ou quand ils seront morts ces grands-là – et lui rouvrant enfin la porte. Elle passe des heures à guetter devant la vitre de la grande salle, regardant dehors, espérant de toutes ses forces ; elle a l'obstination et le désespoir des chiens abandonnés qui se couchent au bord d'une route en attendant soit le retour de leur maître, soit l'extinction de tout, confiance, joie, souffle de vie. Sur la foi de ce qu'on lui a appris à l'orphelinat, elle compte que sa persévérance soit récompensée, supplie le ciel en disant Dieu, prie à s'en blanchir les jointures des mains. Pour elle, tout n'est qu'une question de jours, de semaines, peut-être davantage, mais elle a exclu le doute depuis qu'elle sait que ses parents sont vivants. Sa présence ici est éphémère. Parfois une éducatrice lui prend la main pour l'emmener jouer ou lire quelques mots, manger un biscuit. Aussitôt libre, elle retourne à son poste d'observation.

Cela va durer des mois. Et ce n'est pas qu'au terme de cette période elle consente ou se rende, car elle n'admettra jamais que ses parents ne reviendront pas. Mais contre toute attente, malgré son air taciturne et la volonté appliquée qu'elle met à ne pas parler, pas sourire, pas regarder même, un couple de Français l'adopte.

— Tu te rends compte, dit-elle à Moe dans un sourire.

— C'est que tu n'étais pas si mauvaise.

— Non. C'est qu'il y avait un piège.

— Tu crois que l'orphelinat… ?

— Oh non, l'orphelinat n'y est pour rien. Ils n'auraient jamais fait cela. Eux aussi ont été trompés.

— Tu as été adoptée ou pas, alors ?

— Oui. C'est bien le problème.

Il faut encore huit mois pour que les papiers de Marie-Thé soient en règle. À ce moment-là, elle a plus de six ans, une vitalité hors du commun tirée de ses certitudes et de son caractère affirmé, une vraie petite saleté, chuchoteront entre eux ses nouveaux parents quand ils auront réussi à la calmer dans l'avion et à échanger un regard avec elle trois jours après son arrivée en France. Lorsqu'elle accepte enfin de leur adresser la parole, c'est pour déverser un flot d'explications et d'injures mêlées en créole, et cette fois-ci la vie est bien faite qu'ils n'y entendent rien, car même ces gens-là, avec leurs vilaines pensées qui n'en sont peut-être qu'au commencement à vrai dire, oui même eux en auraient été retournés.

Moe sourit en coin.

— Tu leur en as fait voir ?

— Franchement ?

— Oh, je pense que je préfère ne pas le savoir.

— Va. Si ç'avait été moi, je l'aurais étranglée, cette môme.

— Pourtant c'est une chance d'être adopté.

— Moi, je ne voyais qu'une chose, c'est que mes parents allaient se présenter un jour à l'orphelinat et qu'ils ne me trouveraient pas.

— Tu y croyais encore ?

— C'était une évidence.

— C'était, euh… très aléatoire.

— Pas pour moi.

— Tu as mis longtemps à comprendre ?

— Mmm.

— Tu, euh… aujourd'hui, tu as admis…

— Oui, oui. Quand même. Parce que j'ai appelé pour les retrouver vingt ans après.

— Oh. Tu as réussi.

— Je n'ai jamais pu avoir leurs noms. L'orphelinat avait été ravagé par l'ouragan quelques années plus tôt et il ne restait rien, aucun papier, aucune archive. Même les gens du foyer n'étaient plus là. J'ai insisté, j'ai appelé partout, pour rien. Des clous.

— Et en France…

— Verrouillé. Pire qu'un secret défense.

— Mais tu t'y es fait, finalement, à cette vie-là.

— Eh bien oui, tu vois : je suis tombée chez des fous, j'ai eu toutes les peines du monde à m'en sortir, j'ai essayé de retrouver ma famille en Haïti et j'ai fini par me vautrer ici, dans cette ville ignoble. Qu'est-ce que tu en dis, de mon parcours ?

— J'ai rien à juger, Marie-Thé. C'est peut-être juste pas de chance.

— Ça doit être ça, oui.

Ce qu'elle ne sait pas au fond, Marie-Thé, c'est si ses nouveaux parents avaient déjà l'horrible projet en allant l'adopter ou si c'est venu peu à peu, et alors la faute pourrait être partagée, un peu eux et un peu elle, avec cette méchanceté à fleur de peau. Elle croit profondément, elle, que tout était prémédité : on n'adopte pas une gamine de six ans, revêche et violente, alors qu'il y a des petites frimousses d'anges autant qu'on veut dans la pièce d'à côté, qui ne demandent qu'à ronronner sous les caresses et à se blottir dans vos bras. Eux, ils voulaient Marie-Thé. Une fille solide, déjà grande, qui ne fléchirait pas au premier pas ; parce qu'il y en avait grand, du chemin à faire. Et Moe frissonne.

— Qu'est-ce qui s'est passé ?

Est-ce mentir ou s'avilir que dire à Moe la fascination des premiers temps, quand Marie-Thé arrive dans cette immense maison et ce parc aux arbres remarquables – elle a beau se renfrogner pendant des jours, lorsqu'elle est seule, elle ouvre des yeux émerveillés sur les pièces aux allures de palais et le jardin couvert de roses, on est en juin, elle n'a jamais rien vu d'aussi magnifique. Elle fait mille fois le tour de sa chambre, apprenant par cœur l'emplacement des objets – elle est capable d'aller chercher un verre d'eau la nuit dans sa propre salle de bains sans allumer la lumière, ou les yeux fermés elle s'entraîne, laisse glisser ses mains sur la serrure fermée à clé de l'extérieur. Bien sûr ils craignent qu'elle ne s'enfuie, quand bien même cela finirait par les arranger, et un jour derrière la porte elle entend ses parents se disputer, sa mère crier que, si on pouvait la rendre, elle le ferait aussitôt, cette plaie cette charogne.

Alors elle pense être en train de gagner.

Elle vit telle une ombre dans la maison blanche, s'apercevant à peine de l'incongruité de sa présence, de la tache noire qu'elle offre à la vue de tous par contraste avec la peau de ses parents, la douceur des draps, les murs immaculés. On la suit comme une araignée sur un plafond fraîchement repeint, que ce soit sur le carrelage en marbre, parmi les lys des massifs, devant la chapelle en tuffeau. Parfois son père à table, tournant vers elle son regard vide, tend deux doigts et dit : *Pan*. Il lui sourit. Elle aussi, qui pense à un jeu.

Elle passe beaucoup de temps avec Yvette.

Yvette est la domestique. Elle a soixante ans peut-être, habite sur place, pas sous les toits comme elle raconte à la petite que cela se faisait autrefois, mais dans la maison de gardien juste à côté, deux pièces sombres qui sentent l'encaustique, au début Marie-Thé croit que c'est une odeur de fleur, cherche partout, en vain, il ne faut pas venir ici, dit Yvette. Après l'école, la petite file tout droit dans la cuisine de la villa, retrouve la vieille qui lui prépare un goûter. Observe en mangeant un petit pain les gestes sûrs qui épluchent, cuisent, râpent, émincent, Yvette lui explique, lui tend les couteaux aiguisés, la cuillère en bois ou l'écumoire. L'emmène dans les chambres secouer les draps, passer le plumeau sur les cheminées en marbre, l'aspirateur sur les tapis d'Iran. L'existence de Marie-Thé est si solitaire – son père absent la semaine entière la plupart du temps, sa mère qui ne travaille pas mais *reçoit* – qu'elle s'amuse à toutes ces tâches luxueuses lui semble-t-il, quémandant un geste d'affection quand c'est possible, et la main de la vieille bonne sur ses cheveux lui fait fermer les yeux de bonheur. Peu à peu elle ne voit plus qu'Yvette, le matin, le soir, les week-ends, effrayée qu'on l'empêche de passer tout son temps avec elle ; mais jamais ses parents ne diront quoi que ce soit. Elle ne sait pas alors que tout est prémédité.

Histoire de Marie-Thé *(suite)*

Peut-être le renfrognement d'Yvette, de mois en mois, aurait pu l'alerter. Mais à sept ans, Marie-Thé ne pense qu'à travailler le moins possible à l'école, où elle ne rattrapera jamais son retard, et à jouer avec la vieille puisqu'elle conçoit chaque activité ménagère comme une fête. Elles se mettent à entretenir les pelouses et les massifs toutes les deux : le jardinier a été remercié. *C'est trop*, grogne Yvette quand elle pense qu'on ne l'entend pas, *je vais y laisser ma peau moi*.

Le dimanche, Marie-Thé travaille encore, pour gagner du temps ou rattraper celui perdu, et la liste de choses en attente n'en finit pas de s'allonger, dans sa tête elle barre une ligne ou deux tandis qu'il s'en rajoute cinq. Car rien ne suffit jamais, de la maison au jardin, il y a toujours des fleurs fanées à couper, un repas à préparer ou à desservir, un sol à nettoyer, et cette fichue machine à laver qui est en panne depuis des semaines, elle se plaint auprès de ses parents.

— Mais enfin, s'offusquent-ils. Est-ce que tu crois qu'il suffit de claquer des doigts pour avoir une machine neuve ? Est-ce que tu sais combien cela coûte ?

De fait, elle n'en verra jamais d'autre. Et elle s'agite dans tous les sens, s'inquiète de la fatigue d'Yvette, lave, frotte et repasse autant qu'elle peut. Aussi lorsque ses parents l'enlèvent de l'école pour lui donner des leçons à domicile, ne pense-t-elle qu'à la chance de pouvoir aider davantage la vieille bonne. Pas un instant le paradoxe ne lui apparaît, de ses parents qui rechignent à dépenser mais font venir une répétitrice dans la grande maison ; d'ailleurs, très vite le temps réservé à l'étude se réduit, de chaque jour passe aux seuls après-midi, puis un jour sur deux. Bientôt Marie-Thé ne s'assied plus devant son bureau que le mercredi. Elle est ravie la petite, elle déteste apprendre ou réciter, même si les leçons lui permettent de se reposer des activités ménagères qui prennent l'allure de véritables corvées.

Et puis un dimanche, alors que ses parents la traînent à la messe – ils l'obligent parfois, à Noël ou à Pâques –, Yvette s'en va. Au retour, la petite maison est vide. *Incroyable !* s'écrie la mère, et le père souffle bruyamment, sans conviction, *Quel manque de reconnaissance. Elle aurait au moins pu nous prévenir*.

Yvette a tout emporté : ses meubles, sa vaisselle, les affreux objets sur ses étagères, qui faisaient rire Marie-Thé, surtout les tasses avec des visages, des grotesques qu'elle disait, il ne reste rien, que quelques cartons pliés et des moutons de poussière là où le lit a été enlevé. Comment a-t-elle fait pour tout embarquer en deux heures, si ce n'est qu'elle avait prévu son départ – Marie-Thé est sidérée par l'inertie de ses parents. La rattraper ? La retrouver ? Lui demander de revenir, ou au moins de s'expliquer ? Pas même. Et quand elle comprend qu'ils ne chercheront personne pour la remplacer, quelque chose s'éclaire au fond de son cerveau noyé par les larmes : Yvette n'est pas partie, ils l'ont renvoyée. Comme ils l'ont fait avec le jardinier. Yvette a été mise dehors à cause d'elle, Marie-Thé. Parce qu'ils n'avaient plus besoin de la vieille, maintenant que la petite sait tout faire. Leur nouvelle bonne, ils l'ont sous la main.

D'abord, Marie-Thé refuse. Les bras croisés et la bouche qui dit : *Non, non, non*.

Ils l'enferment. Elle ne mangera pas pendant deux jours, boira l'eau au robinet de la salle de bains. Les persiennes ont été verrouillées sur la fenêtre, et de sa chambre plus jamais elle ne verra la lumière du soleil autrement qu'en stries plaquées sur le mur en biais. Quand ses parents se décident enfin à rouvrir la porte, elle pleure de faim. Promet qu'elle fera ce qu'on lui dit.

Alors ils lui donnent une assiette de pâtes, et puis la liste.

*

Allumer le feu en hiver, préparer le petit déjeuner, passer le balai en bas – ils ne veulent pas de l'aspirateur qui fait trop de bruit, chaque matin c'est le balai et tous les vendredis la serpillière –, nettoyer la table de la veille s'ils se sont couchés trop tard et que Marie-Thé dormait déjà. Rentrer suffisamment de bois pour la journée, aérer les pièces de réception, vérifier le linge à repasser, il y en a chaque fois et c'est ce qu'elle déteste par-dessus tout, épousseter les objets dans le salon parce que sa mère tient à ce que cela soit fait très régulièrement, laver les sols – une pièce par jour, la maison fait douze pièces, le roulement est un peu long mais qu'y peuvent-ils –, éplucher les légumes, cuire les gâteaux, cuisiner les repas, mettre le couvert, desservir, nettoyer encore, et puis le jardin il ne faudra pas oublier, les massifs surtout, les mauvaises herbes, l'arrosage, la taille, regarde-la se débattre avec la brouette trop grande pour elle, si ce n'est pas drôle.

À la même période, les leçons d'école s'arrêtent, à cause des grandes vacances : elles ne reprendront jamais. Fin juillet, Marie-Thé a les mains qui saignent chaque jour, la faute aux outils à manier, aux produits de nettoyage, à la terre qui les sèche et les crevasse ; quand ses parents la réveillent le matin, faisant claquer la clé dans la serrure, il lui semble remonter des limbes, les yeux collés par la fatigue et les larmes, ou peut-être les allergies, le dos brisé au point qu'ils lui font prendre des anti-inflammatoires pendant une semaine et qu'elle se tord de douleur sous les spasmes, *On aurait dû réduire la dose, elle ne pèse pas bien lourd*, dit sa mère.

Quelques instants d'affection cependant : un matin, Marie-Thé trouve une souris blessée, probablement déposée sur le seuil de la porte par le chat gris que ses parents nourrissent de loin en loin sans qu'il ait jamais le droit d'investir la maison. La bestiole a le ventre lacéré par un coup de griffe et boite d'une patte arrière. Marie-Thé la cache – elle ne doute pas que sa mère, qui a une peur panique des rongeurs, l'achèverait d'un coup de balai si elle la voyait – et la soigne. La souris gardera une patte tordue toute cette nouvelle vie qui commence dans la poche de la petite fille, s'apprivoisant avec bonheur, dormant au creux de son oreiller, et souvent Marie-Thé se réveille la nuit, inquiète à l'idée de l'écraser dans son sommeil, que ferait-elle alors ? À qui parlerait-elle de ses chagrins, qui serait le témoin de l'immense force qu'elle a au fond d'elle et qui lui permet de faire des projets d'avenir à toute petite échelle, cuisiner deux gâteaux en même temps tandis que sa mère est occupée avec des amies, cachant l'un des deux dans l'armoire de sa chambre, voler une ration de fromage pour Souris – *Souris, tu l'as appelée Souris ? ?* demande Moe — *Ça va, j'avais huit ans hein* –, chercher comment rejoindre Haïti depuis cette maison qui lui reste étrangère.

Elle essaie de s'enfuir un après-midi, échappant à la surveillance de ses parents qui somnolent dans des chaises longues. S'enfonçant dans le parc, sa souris dans la poche, elle court à en perdre haleine, suit l'allée qui mène à la grille d'entrée, derrière il y a une route, et quelque part sur la route, d'autres maisons et le village, au-delà elle ne sait pas, ne connaît ni l'existence des gendarmes ni le caractère illégal de ce qu'on lui fait subir, elle veut juste partir, n'a de souvenirs que ceux d'Haïti, trouver un orphelinat, s'y réfugier, rester. Elle ignore que la première réaction des voisins sera de prévenir ses parents, et d'ailleurs le saurait-elle que cela ne servirait à rien, au bout du jardin la grille est fermée et l'espace clos de murs. Elle pousse, longe, déguerpit encore, cherche un trou, un arbre suffisamment penché pour qu'elle attrape les branches basses et se hisse au-dehors, sa respiration sifflante l'oblige à ralentir, elle crie, les arbres sont tous taillés. Derrière elle, son père approche. Il ne court même pas. Elle le regarde avancer comme elle verrait le diable, tétanisée, les hurlements de dessous ses mains griffées à son visage, elle trépigne, Marie-Thé, s'enfuit de quelques mètres, entend la voix lasse :

— Où tu espères aller ? Tout est fermé. Tu ne peux pas partir.

Elle s'échappe malgré tout, la peur l'irradie, l'empêche de raisonner, à cet instant si elle avait le choix entre se rendre et réussir à sortir au prix de sa vie, elle prendrait la seconde solution, une petite fille animale, réduite à l'obsession d'une fuite inutile et qu'importent les conséquences, il ne faut pas qu'il mette la main sur elle, elle détale, assourdie par son souffle qui lui serre les poumons et lui fait hurler les oreilles. Il l'attrape au moment où elle se jette contre le mur d'enceinte, elle sait qu'elle n'a aucune chance, le passage ne s'ouvrira pas, la pierre ne cédera pas, seulement elle essaie une dernière fois, voilà, il la tient.

Petite garce, il dit.

Après, elle se débat tant qu'il n'arrive pas à la garder dans ses bras, elle le mord, il la laisse tomber sans la lâcher, la secoue enfin, *Mais tu vas te calmer, oui ?* La souris s'est échappée depuis longtemps, fuyant le corps désarticulé de la petite fille qui hurle qu'elle ne veut pas rentrer.

Le père de Marie-Thé finit par la traîner par une jambe jusqu'à la maison, ignorant ses prières et ses pleurs, *Tu n'avais qu'à être sage*, sa robe remonte sur ses genoux, l'herbe et la terre lui labourent la peau, il ne cède pas. Sa mère la regarde arriver dans l'étrange posture, effondrée sur la chaise longue. *Pourquoi tu as fait ça ? Quand je pense que tu pourrais être encore là-bas à vivre dans la misère.*

— Je vais l'enfermer dans sa chambre, grogne son père.

— Qu'elle prenne un bain aussi. Elle est sale comme une souillon.

— Elle se débrouillera bien.

De ce jour ils la verrouillent derrière la porte dès qu'elle a terminé son travail, la surveillent de plus près, exaspérés, *Comme si on n'avait que ça à faire*, se lamente sa mère. Mais elle a compris qu'elle n'arrivera pas à s'enfuir. Pendant des mois, ses parents l'épient, prenant sa résignation pour du calcul, et ils doublent les serrures de sa chambre, installent un fauteuil dans la cuisine pour mieux contrôler ses tâches, la suivent telle une ombre portée, jusqu'à ce que sa mère fasse une crise de nerfs, *On ne va quand même pas devenir dingues à cause de cette petite chieuse !* C'est son père qui trouve la solution quelques semaines plus tard : il rapporte un collier anti-fugue pour chiens. Il ajoute un minuscule cadenas, elle ne pourra pas l'enlever. Dorénavant, ils l'obligent à le porter toute la journée. Ils le testent la première fois qu'ils le lui bouclent autour du cou, l'emmenant à l'extrémité du terrain où elle aura désormais droit de se promener : la décharge électrique la fait hurler. Sa mère se met à rire.

— Ça marche.

— Tu comprends ? dit son père. Si tu dépasses cette limite, si tu essaies de te sauver, ça se déclenche. Et quand on t'appelle, je veux que tu reviennes tout de suite. Tu entends ? Si tu avais été gentille, ça aurait été plus simple pour tout le monde.

Marie-Thé devine le regard de Moe à côté d'elle, hoche la tête dans un murmure.

— C'est vrai je te jure.

— Je te crois. Ça ne s'invente pas, des choses comme ça. Quand je pense…

— Qu'ils venaient simplement chercher un enfant à adopter, hein.

— C'est ça.

— Tu vois qu'on ne peut pas savoir.

— Je…

— Je ne dis pas que ça arrive à tous les coups bien sûr. Mais il suffit d'une fois. Il suffit que ça tombe sur lui.

Moe serre l'enfant contre elle, *Comment tu as fait*.

— Eh bien… d'abord, ça a l'air idiot mais j'avais ma souris ; c'était comme une amie, ça me remontait le moral de lui parler le soir. Elle a vécu presque quatre ans, je l'ai trouvée par terre un matin, morte de sa belle mort. Je l'ai enterrée dans le jardin. J'ai pleuré des jours et des jours mais je m'étais aussi endurcie pendant ces années. Et puis quand tu croules sous le travail, tu n'as plus tellement l'occasion de réfléchir, tu vas de l'avant, c'est tout. Il faut que les journées passent. Mais franchement ? Ça a duré longtemps, longtemps.

Onze ans exactement. Pendant onze ans, Marie-Thé vivra entre les murs de la grande maison et le fil invisible encerclant le parc. On l'enferme pour un rien : quand les amies de sa mère viennent prendre le thé, trois ou quatre fois par semaine – au début, elle a appelé à l'aide, jusqu'à ce qu'elle entende ses parents expliquer qu'elle est folle, et les amies se désolent, tant d'efforts, d'espoir, de temps pour arriver à cela, vraiment, comme si la tristesse de ne pas pouvoir avoir ses propres enfants ne suffisait pas, c'est pour cela qu'ils l'ont mise à l'adoption, murmure sa mère, on ne s'en est pas rendu compte tout de suite, oh ils nous ont vus venir c'est sûr, mais que voulez-vous que l'on fasse, on ne va pas la rendre tout de même.

Quand un livreur passe, ou le facteur, de peur qu'elle ne se jette sur eux en les suppliant de l'emmener.

Quand ses parents partent le week-end, lui laissant de quoi boire et manger en lui recommandant de ne pas tout dévorer le premier jour, sans quoi elle aura faim le second.

Et d'une façon générale, dès qu'elle a fini son travail, pour ne plus avoir sous les yeux cette maigre silhouette noiraude qui les incommode tant, d'autant qu'elle sent fort à présent, venu avec l'adolescence, et ils portent la main devant leur nez en tournant la tête, s'ils avaient su, et eux qui puent la mort, rage-t-elle en bourrant son oreiller de coups de poing pour se calmer, la mort, la mort ! Les années passent et elle apprend tout, toute seule. Regarde pousser sa poitrine avec curiosité, ignore ce qu'est un soutien-gorge jusqu'à ce que sa mère lui en achète deux parce qu'elle est indécente, crache-t-elle. Pense être en train de mourir le matin où elle découvre du sang entre ses jambes, se tord de douleur sans rien dire, vidant la boîte de mouchoirs pour éponger – sa mère encore, devant les draps tachés, ira chercher des serviettes hygiéniques qu'elle lui tendra sans rien expliquer. Ses cheveux sont hirsutes : ses parents refusent d'y toucher et elle les coupe elle-même avec les ciseaux de cuisine, tirant sur ses mèches crépues et taillant au hasard, quand elle ne se résigne pas à les attacher en les lissant à l'eau du robinet, et elle entend leurs voix eux deux, *Ne les mets pas dans le lavabo, tu vas tout boucher avec ça*.

Mais l'indifférence et l'absence de tendresse, elle s'en passe ; au début, elle en a pleuré des nuits entières, et puis elle a arrêté, vu que cela ne changeait rien, ni leurs regards ni leurs gestes, elle aurait pu leur lécher les pieds qu'ils lui auraient toujours passé le collier anti-fugue le matin sans baisser les yeux sur elle – et peu à peu les lever, car à dix-sept ans elle mesure presque un mètre quatre-vingts. Non, ce qui l'éreinte et lui enlève à elle aussi toute forme d'émotion, c'est le travail. Trop dur, trop longtemps, chaque jour. Quelque chose s'est usé en elle, elle s'est fondue dans la peur et la soumission, toute pensée bannie, car elle a bien plus de force que sa mère avec qui elle passe la majeure partie du temps, mais l'idée de se rebeller ne lui vient pas même, ou est-ce le collier, qu'elle craint à la manière d'un animal, le souvenir de la décharge quand elle avait sept ans, cela peut la tuer elle en est convaincue. Alors elle continue à balayer, repasser, laver, mains, genoux et dos craquant tel le corps d'une vieille femme, le matin elle ressemble à ces automates aux gestes saccadés tant elle est raide, elle ne sait pas ce qu'est un automate, c'est son père qui l'a dit en riant.

Et sans doute cela aurait-il pu durer encore des années, sa vie effacée du monde, les réveils douloureux et interminables, les corvées qui n'en finissent pas – si le hasard ne s'en était mêlé, et elle glousse Marie-Thé en regardant Moe.

— Il faut bien un peu de chance, non ?

Et Moe sourit à son tour, *Tu as de ces mots*.

Un jour que sa mère lui demande de déplacer un meuble trop lourd, Marie-Thé renonce, malgré les insultes et les menaces.

— Ce n'est pas vrai qu'il va falloir que je t'aide, quelle incapable, quelle feignante !

Et au moment où elles se baissent ensemble, Marie-Thé la bouscule. Juré que ce n'est pas exprès, un faux pas, elle a failli glisser, met un coup de reins pour se rattraper et voilà sa mère qui prend sa masse en plein contre elle, pourtant elle n'est pas grosse Marie-Thé, plutôt malingre même, mais une croupe de travailleuse, un corps dur comme du bois, et c'est exactement le bruit que cela fait, un choc sec, un éclat, après il y a l'angle du meuble et la tête de sa mère qui vient heurter le décor en laiton, et puis plus rien.

Marie-Thé s'affole, sent que quelque chose ne va pas, tourne autour de la silhouette étendue au sol sans oser la toucher. Demande dans un murmure :

— Madame ?

Cela fait des années qu'elle n'a plus le droit de l'appeler maman.

Quelques dizaines de secondes et elle prend son élan, la retourne, découvre le visage blanc et les yeux fermés, le sang sur le front, qui fait des rigoles de couleur en descendant dans ses cheveux, Marie-Thé ouvre la bouche, la referme, et à cet instant, à cet instant seulement, un éclair un craquement la traverse et la met à genoux, elle est seule avec la femme évanouie, qu'elle secoue à présent pour être sûre qu'elle ne revient pas à elle, alors elle se lève d'un bond, s'arrache au sol et court vers la petite armoire qui renferme, elle le sait, la clé du cadenas de son collier.

Il lui faut une minute pour le défaire, avec ses doigts qui tremblent à n'en plus pouvoir, et elle s'enrage, à demi étranglée, les ongles qui cassent sur la boucle, c'est pourtant elle qui le met chaque matin et l'enlève le soir, mais là, ça n'est pas pareil vraiment, quand il y a cette peur immense, si son père arrivait, si sa mère se relevait – elle la surveille du coin de l'œil, la guette en frémissant comme devant un fantôme.

Lorsqu'elle jette enfin le collier par terre, elle sait déjà qu'elle doit courir jusqu'aux dépendances, prendre l'échelle pour l'appuyer contre le mur d'enceinte, grimper, se mettre à califourchon là-haut, récupérer l'échelle pour la passer de l'autre côté, elle la pose de travers, ne prend pas le temps de vérifier, respiration coupée par l'angoisse, elle tombe, se tord une cheville, qu'importe, elle s'enfuit en boitant, n'a rien pris avec elle, pas même un pull ou un peu d'argent volé dans le porte-monnaie, pour une fois que cela lui aurait servi. Elle court en se cachant dans les bois, ignorant où elle va, s'étale dans les feuilles quand elle entend le bruit d'une voiture, la quatrième qui passe c'est son père, elle la reconnaît, cela fait une demi-heure qu'elle est partie, elle redouble d'efforts, pas assez loin, il faudrait des milliers de kilomètres.

— Mon Dieu, dit Moe.

Marie-Thé rit encore.

— Non, non. Je m'en suis bien tirée, au fond. Je ne sais pas comment j'ai fait, mais ils ne m'ont pas rattrapée. J'avais une sacrée forme à l'époque, remarque. Je crois que j'ai couru pendant quinze heures, enfin, marché, couru, un peu de tout, en tout cas pas arrêté sauf pour boire à une rivière, et dans la nuit je suis arrivée dans une ville. Je voyais les lumières depuis un moment, je me disais que, si je l'atteignais, j'étais sauvée.

— Et qu'est-ce que tu as fait ?

— Ben… je suis restée une journée, j'ai trouvé à manger en rejoignant un groupe de clodos, j'ai volé un pull mité, un sac à dos, et je suis repartie parce que j'étais toujours trop près, fallait que je m'éloigne. Sinon ils m'auraient retrouvée. Je le sentais, là – elle se frappe la poitrine.

Quelques semaines ensuite, ou quelques mois, elle n'a plus la mémoire Marie-Thé, car dans le gros bourg où elle échoue enfin, s'acoquinant pour survivre à des sans-abri venus des pays de l'Est, elle goûte au vin et à la bière, s'enivre, rit trop fort, dort à même le sol, sans doute dans un état proche du coma, émerge et boit encore, confondant tout avec la délivrance, elle ne se souvient que de cela, le sentiment de bonheur. Une loque, elle dit, pas mieux, mais j'étais heureuse tu vois, Moe, pour la première fois, je ne voulais pas me gâcher ça. J'aurais pu mourir que ça m'était égal, vu que j'étais libre. Voilà.

— Voilà ?

— Oui.

Marie-Thé lève les yeux, regarde le ciel et sourit.

— Ah. Comment je suis arrivée là, hein. C'est tout bête, tu vas être déçue. On s'est fait ramasser un matin par les services sociaux. On était tellement saouls qu'on ne s'est même pas aperçus qu'on nous emmenait. Quand j'ai rouvert les yeux, j'étais à l'infirmerie de la Casse. Une heure après, ils ont vu que ce n'était qu'une cuite et ils m'ont envoyée ici. Dans ma voiture, entre Jaja et Poule.

Marie-Thé et Moe avec l'enfant sont revenues dans la ruelle. Se sont assises autour du feu, et personne n'a rien demandé, de ces silences qui se font lorsque l'on sait qu'on vient d'échapper à quelque chose de grave, mais elles sont toutes là les filles, et le petit qui ronchonne parce qu'il a faim, alors les regards perdent de leur angoisse et les voix se détendent, une sorte de famille se recompose sans bruit et sans mots, apaisée, il est tard, *On mange quoi ce soir ?* dit Marie-Thé. Et jamais le riz sucré n'a paru si doux à Moe, que les filles couvent d'un regard confiant, l'entourant de leurs bavardages et de leurs grands gestes. Ada hoche la tête vers Marie-Thé en souriant, comme on flatte une bonne bête, une approbation, un remerciement muet que Moe surprend du coin de l'œil et elle se tait, les yeux à demi fermés sur ce sentiment émerveillé que l'on prend soin d'elle, elle laisse aller, laisse flotter, pelotonnée dans une joie feutrée. Un peu coupable aussi, car les filles se sont inquiétées bien sûr, avaient-elles besoin de cela. Les cernes sous les yeux, les traits tirés, cette vie étrange qui les fait toutes vieillir trop vite, on leur donnerait chacune dix années de plus ; Jaja a déjà quelques cheveux blanchis aux tempes, et Poule pareil oui, mais cela ne se voit pas avec ses cheveux blonds, deux femmes encore jeunes qui ressemblent à ce qu'elles auraient été à cinquante ans si l'existence les avait un peu cajolées, s'il y avait eu de la douceur quelque part. Et cela n'échappe pas à Moe, elle leur ressemblera elle, et aussi Nini-peau-de-chien et Marie-Thé dont les visages se creusent petit à petit. À trente ans, toutes les trois, même Nini, elles seront des débuts de vieillardes, avec leurs cheveux cassés, leurs mains crevassées et la fatigue sur le visage, des sortes d'êtres recroquevillés comme on en voit partout dans la ville, y compris les enfants au regard usé, non, il faut qu'elle se souvienne, Moe, elle s'est juré qu'elle ne finira pas là. Pas ressembler un jour à Ada qui lui fait penser à ces tortues centenaires à la peau si ridée qu'on ne sait plus où sont les yeux où est la bouche, Moe a honte de cette pensée-là, l'efface, Ada et sa présence nécessaire, mais voilà, elle ne veut pas devenir comme elle, même dans la quiétude particulière de ce soir de septembre.

Côme dort roulé en boule entre ses jambes et ils sont là tels deux petits chats confortables, emmêlés et ravis, l'enfant son ventre plein et elle Moe, à l'avoir lui tout contre elle, ne pas se coucher ce soir avec le vide béant entre ses bras, l'enfant qui n'est ni empoisonné ni donné, son enfant, qui rêve sans lui lâcher la main, de l'autre main elle lui caresse la tête.

Sûr que par éclats la conscience lui vient du lendemain, ce qu'il va falloir imaginer à présent qu'elle a décidé de garder le petit, vraiment décidé, elle n'y reviendra pas, fût-elle à moitié morte, alors oui ce qu'il y a à mettre en place, mais elle ne veut pas y penser si vite, elle réclame une nuit à son âme survoltée et épuisée, une nuit seulement, après elle fera, elle ne reculera pas. Pour l'heure, elle a besoin de dormir, n'arrive pas à quitter le cercle chaleureux des filles et du feu, retrouver la moiteur de la voiture par ce début d'automne caniculaire, elle n'est pas pressée, et elle propose comme d'autres soirs avant celui-ci : *On dort dehors ?*

Ada secoue les mains – trop vieille, trop dur le sol, même avec une couverture. Les autres rient, courent chercher un plaid. S'allongent en cercle autour du feu, qui les fait transpirer mais éloigne les moustiques, et les yeux plantés dans le ciel toutes, sauf le petit Côme qui s'est endormi il y a une heure déjà, elles regardent les étoiles et bavardent sans ordre, *Il va encore faire beau et chaud demain*, murmure Jaja, *y aura même pas de rosée* – et Poule tend une main qu'aucune ne voit, mais elles regardent comme si, *Regardez, la Voie lactée*.

Ada de l'autre côté du feu porte la main à son front puis vers elles toutes, avec ce silence des profondeurs que seul le crépitement des flammes vient troubler, le reflet dansant de la lumière orange sur le visage de l'Afghane, une sorte d'apparition dans la nuit, étincelante, et Moe à ce moment sait qu'ils peuvent dormir en paix, les filles l'enfant et elle, que le sourire d'Ada les protège, mieux qu'une promesse, la certitude qu'il y a des lendemains meilleurs. Elle fait un petit geste de la main. Une main à six doigts, plus le petit, une drôle de chose unie, et si elle ne les avait pas.

Revient sur le dos, attentive à ne pas bousculer l'enfant. Poule leur explique où est Andromède, la constellation en forme de femme enchaînée aux rochers. On ne voit pas toutes les étoiles ; il manque un pied à Andromède. *Trop compliqué*, souffle Jaja. Marie-Thé sourit.

— Tant pis. Moi, je ne connais que la Grande Ourse.

— Et toi Moe, tu la vois ?

— Je vois la lumière.

*

Pourtant cela lui fait mal au fond du ventre le matin suivant dans les vergers, quand Moe se retrouve avec Nini-peau-de-chien et que, posant les pommes dans les cagettes à côté d'elle, elle dit à voix basse : *Il faut que je te parle*. Mal, et peur, revenir des semaines en arrière, raviver les plaies à peine refermées, mais elle a promis, elle garde l'enfant et elle le sortira de cette ville-là, alors faire ce qu'il faut, elle ouvre la bouche, que les mots s'arrachent même s'ils lui éreintent la gorge.

— Je voudrais venir avec toi, la nuit.

Nini-peau-de-chien sursaute, chuchote en vérifiant que personne ne rôde autour d'elles, *Tu plaisantes ?*

— Sérieux.

— Avec ce qui t'est arrivé ?

— Pour l'argent.

Nini rit tout bas. *Ouais, je m'en doute, que c'est pas pour le plaisir* – et devant les traits tirés de Moe elle s'excuse, voulait pas la blesser, de l'argent d'accord, un bon moyen d'en gagner, mais elle rechigne aussi à l'emmener. Moe insiste.

— J'en ai besoin.

— Je sais bien.

— Alors ?

— C'est pas facile, Moe. L'autre nuit quand je t'ai emmenée ça s'est mal passé et Ada m'en veut… en plus, depuis, tu l'aides pour les malades. S'il t'arrive quoi que ce soit, c'est moi qui prends. Et quand la vieille a décidé de te passer une rame, bon sang.

— On ne lui dira pas.

— Arrête. Comme si ça pouvait suffire.

— Nini, il faut que tu fasses ça pour moi. Pour le petit.

— Ada ne me le pardonnera pas cette fois.

— Et si je lui en parle. Si je lui explique.

— T'es dingue ? Non, ferme-la surtout. On va se débrouiller.

— Tu es d'accord, alors ?

— Zut, Moe, tu ne m'arranges pas.

— Dis-moi comment faire.

— Je vais en parler ce soir là-bas. Tu m'accompagnes mais tu resteras cachée ; si c'est bon, je te ferai signe. Je viendrai te chercher dans la voiture sur le coup de vingt-trois heures, je ne veux pas un bruit, tu m'entends ? Sinon je te plante là.

*

Et c'est quoi un corps, au fond, sinon une enveloppe que l'on peut détacher de toute pensée, quelque chose de flottant, d'insensible, parce qu'on l'a décidé et qu'on l'oblige en lui ordonnant de se taire, c'est quoi un corps malaxé, tourné et retourné sur un matelas sale, investi par d'autres, quand le cerveau fait une coupure, oublie la nuit, quoi de plus que des courbatures et des douleurs au petit matin, au moment de rentrer – il est cinq heures le jour d'après et Moe veut seulement prendre une douche, se laver de l'horreur, les effets de l'herbe hallucinogène dérobée dans la caravane d'Ada disparaissent peu à peu.

Une vingtaine de cellules collées les unes aux autres, séparées par de simples bâches que l'on écarte pour entrer et sortir. Les clients se succèdent toutes les quinze minutes ; s'ils restent davantage à l'intérieur, les hommes de main de Jonas les préviennent, patientant quelques instants, après quoi ils les sortent sans leur laisser le temps de se rhabiller – d'ailleurs personne ne se déshabille, juste les pantalons baissés, il n'y a que les filles qui soient nues avec des faux bijoux dansant sur leurs seins, Jonas dit que c'est pour exciter les gars, que cela aille plus vite.

Moe a compté chaque homme qui entrait mais jamais regardé, ni les visages ni les chairs qui s'exhibent. Pas même ouvert les yeux, sauf pour contempler la tôle rouillée au plafond et penser à autre chose. S'il n'y avait eu la torpeur des graines mâchées avant de venir, elle aurait hurlé ; a failli le faire malgré l'ivresse et les hallucinations, les couleurs défilant en dedans d'elle, le rire au début, réaction chimique qu'y peut-elle, qui a dégringolé en larmes, elle les a essuyées, personne n'a vu.

Elle sait qu'il y a eu dix-huit hommes, dix-huit de ces instants de suspens où la bâche s'entrouvre et où une silhouette s'avance, la main débouclant déjà la ceinture, dix-huit haut-le-cœur quand l'odeur de corps emplit l'air, aigre, grasse, sale, pour ce qu'ils en ont à faire des filles allongées devant eux, pour le temps qu'ils y passent, et la somme qu'exige Jonas, s'il fallait en plus être propre. Nini-peau-de-chien avait prévenu Moe et elles ont mis toutes les deux quelques gouttes d'huile de lavande sous leur nez, *Tu verras*, a chuchoté Nini, *tu me remercieras* ; à leur arrivée Jonas a retroussé les lèvres à cause du parfum, si ça gêne les clients, il faudra enlever cette odeur de merde, il a dit. Et puis il a regardé Moe et il a souri.

— Te r'voilà, toi. T'as changé d'avis, alors ? T'es prête pour le baptême ?

Il est entré avec elle dans la cellule, éloignant Nini-peau-de-chien d'un geste, *Va à ta place, toi* – puis il a regardé Moe à nouveau en hochant la tête.

— Eh bien ?

— Comment ?

— Eh bien. Enlève tes fringues.

— Mais je ne peux pas attendre que quelqu'un…

— J'suis là, moi. Crois pas que je vais mettre la marchandise sur le marché sans l'avoir essayée, tranquillement je veux dire, tu vois, pas comme la dernière fois sur le capot d'une bagnole, là c'est pour le boulot, il faut que je voie si tu bouges bien, si les clients vont en avoir pour leur argent. Parce que si je les perds, tu dégages.

Oui au fond, qu'est-ce qu'un corps qui ne se débat même plus, qui s'est rendu à l'âme quand celle-ci le convainc que c'est pour une bonne raison, fâchés tous les deux mais indissociables, soudés par l'unique pensée de sauver le petit. *C'est toi qui l'as voulu*, murmure Moe entre deux hommes, *fais-le pour lui, tu as promis, sois forte*. Alors elle compte les ondes des tôles au plafond, quatorze par plaque plus une à la jonction, deux tôles par cellule, un mètre quatre-vingts de large, elle compte lentement, de la première à la vingt-neuvième onde, une fois, deux fois, la troisième fois elle entend le soupir des hommes qui s'affaissent sur elle, qu'elle retient des deux mains, la respiration écrasée, elle ne veut pas de leur souffle tout contre elle, bientôt ils se relèvent en grognant, se reculottent, roulant le préservatif qu'ils jettent en sortant dans la poubelle jaune.

Les ondes des tôles, et l'argent. Trois euros chaque fois. Autant en une nuit qu'en une semaine de travail, même si Jonas au passage prend cinq fois ce qu'il lui donne. Titubant au moment de repartir, Moe lui dira qu'elle veut venir chaque jour. Il refuse. Trop de filles qui demandent, pas assez de places, de la diversité pour les clients : trois nuits par semaine au maximum. Elle insiste, il ne cède pas. *Tu as déjà de la chance que je t'aie prise tout de suite, parce que tu es une amie de Nini.*

De la chance. Sur le chemin du retour, soutenue par Nini-peau-de-chien qui lui murmure des mots apaisants, elle essaie d'y croire ; essaie de ne plus voir le défilé des hommes et des sexes en érection dedans ses yeux, refrénant son envie de vomir.

*

Pas aller aux champs. Peut pas. Deux heures de sommeil, c'est trop peu, ses jambes ne la portent pas, et puis la nausée, les vertiges, il faut qu'elle ferme les yeux ou elle va tomber, elle le sait, qu'elle ne supporte pas la fatigue.

— T'es malade ? demande Jaja par la vitre entrouverte.

— J'crois.

— Tu viens ou pas ?

— Je crois pas.

— Tu veux que je pose le petit chez Poule ?

— Non. Il est bien, là.

— Ça va quand même ?

Jaja s'avance à la portière, *Bon sang, tu as une mine dégueulasse, je vais prévenir Ada.*

— Non, s'il te plaît. Il faut juste que je dorme. J'ai pas pu cette nuit.

— Sûre ?

— Sûre.

— À ce soir alors. Je pars dans un quart d'heure avec Nini. On t'attend pas, d'accord ?

— Nini ? Elle est là, Nini ?

— Eh bien oui, pourquoi ?

— Je veux dire, elle va travailler avec toi ?

— Bah oui. Y a un problème ?

Moe s'agrippe à la portière pour lever la tête, les yeux troubles, chancelante. Et c'est vrai, quand bien même elle n'avait pas lieu de douter de Jaja, Nini-peau-de-chien se tient debout près du feu, ajustant son gilet dans la fraîcheur du matin, elle ne tremble pas, ne trébuche pas quand la fille brune la rejoint et qu'elles s'éloignent ensemble, bavardant à voix basse. Moe s'écroule à l'arrière de la voiture. Comment fait Nini. Comment-fait-Nini ! Bien sûr elle a les épaules un peu basses, mais si peu, à peine marquée par la nuit, la nature ignore l'égalité, une qui gambade, une qui s'effondre. Au moins y a-t-il – elle tâte ses poches et soupire en palpant la boursouflure, l'argent est là, elle effeuille les billets et compte, tout ça pour ça, non, pas dire cela, se réjouir qu'enfin il en vienne, plus qu'elle ne dépensera, et demain le double, après-demain le triple. Elle a choisi ses jours sur les conseils de Nini-peau-de-chien, vendredi, samedi et dimanche, la fin de semaine, là où les hommes soufflent, s'arrachent au travail, s'offrent un répit ; dimanche soir, jamais elle n'aura été aussi riche, même les ménages du temps de Rodolphe ça ne rapportait pas autant.

Nini, elle, va travailler ce matin.

Nini, elle, s'est levée et va gagner six euros quarante de plus aujourd'hui.

Moe ne doit pas oublier de cacher son argent. Elle ne veut pas le confier à Ada, ça elle ne veut pas que la vieille sache, Nini se trompe quand elle dit que l'Afghane l'apprendra forcément, si elle fait attention, hein. Car la honte d'être regardée avec ce regard-là. Rodolphe quand il travaillait parfois de la main à la main planquait ses économies dans le volant de sa voiture, un plastique à faire sauter au milieu et à remettre ensuite, personne n'y penserait n'est-ce pas, démonter un volant pour trouver l'argent ; alors avec une fourchette sale, Moe à peine réveillée, les cheveux en désordre, s'échine en silence pour ne pas réveiller Côme, si seulement elle avait un tournevis, mais en demander un, impensable, il faut que cette fichue fourchette se glisse à l'intérieur, trouve un cran, clac, cela s'ouvre à la façon d'une capsule, Moe cherche par terre le rond de plastique qui lui a échappé des mains. Enfouit les billets soigneusement pliés et les pièces avant de reposer le cache du volant, elle entend l'infime claquement du plastique qui s'emboîte, vérifie que rien ne bouge, qu'aucune trace, aucune griffure n'attire l'attention, que la voiture soit toujours une épave sans valeur, pas le coffre-fort qui abrite cinquante-quatre euros, et elle frémit en pensant à son trésor, surtout ne pas le dépenser mais la première fois acheter un œuf et de la bouillie au chocolat pour l'enfant, de la viande pour elles les filles – tuer le dégoût et la nausée en en faisant une fête.

Et si elle allait elle aussi ce matin aux cultures, elle ajouterait six euros quarante dans la cachette, et demain encore.

Comme Nini.

Alors aller chercher l'énergie tout au fond de soi, comme on tire un corps noyé sur la rive d'un étang, que l'eau retient avec fureur ; s'arracher à un engourdissement que rien ne semble pouvoir briser, la sensation étrange d'avoir perdu l'intégralité de ses forces, et la tête qui s'accroche, *Debout, debout*, tout refuse, depuis la chair exténuée jusqu'à l'âme qui supplie qu'on la laisse dormir, qu'on la laisse tranquille, qu'on la laisse tout court. Moe sent la déchirure à travers ses os et sa peau, la volonté qui souffle à l'intérieur malgré la fatigue, remuant le sang, la chaleur réinvestit le corps fourmillant, *Je ne peux pas, je ne peux pas*, son être entier se contredit, ne comprend plus. Et puis il y a le choc dans sa tête, qui la soulève alors qu'elle avait cessé d'y croire : à côté d'elle, le rire de l'enfant qui s'est réveillé et la regarde en agitant les mains.

Pas seulement cela, en vérité : un éclat de rire.

Moe se dresse d'un coup sur la couverture. Fascinée, irradiée par le son minuscule et ravi, par le roulement de gorge quand l'enfant repart dans des gloussements qui ne veulent pas s'arrêter, priant pour que ce rire dure encore, de la même façon que, plus jeune, elle-même accompagnait l'angélus aux cloches de l'église, chantant en même temps qu'elles sonnaient et tendant les mains vers elles – la bouche ouverte pour aspirer le rire de Côme, refréner une folle jubilation, un élan immense. Savoir ce qu'il y a dans les yeux de l'enfant, dans sa tête, pour qu'autant de gaieté déborde et roule au-dehors avec cette joie incontrôlable, elle s'y fondrait si elle le pouvait, il faut que le petit rie toujours ; un bruit comme une source au milieu de la forêt, un chant d'oiseau dans le silence, en même temps éblouissant et incongru, un rappel au monde. Elle tend les bras, soulève Côme, le serre contre elle en murmurant des mots d'amour qui eux aussi lui échappent, déplacés dans cette ville-poubelle où tout grisaille.

La minute d'après, Moe a enfilé un jean et un tee-shirt, déposant à la hâte l'enfant dans la roulotte de Poule, et elle court derrière les filles en criant, les bras gesticulant dans tous les sens, les cheveux toujours en bataille. *Attendez-moi.*

Difficile d'oublier les nuits de ténèbres entre les bâches usées, quand cela revient si souvent et que, d'une fois sur l'autre, le corps garde la mémoire des odeurs et des coups de boutoir, des insultes proférées en lieu et place de sentiments impossibles. Moe soigne ses maux comme un chat lèche ses plaies, patience et lenteur dans ses gestes et dans sa tête, une infinie résignation aussi, consentir au mal, non elle ne s'habitue pas, pourtant Nini-peau-de-chien avait dit que.

Souvent Jonas entre dans sa cellule le vendredi avant les clients, le droit du maître, aboie-t-il – la nuit commence avec lui, sa présence nerveuse, ses bras marqués par les aiguilles, ses pupilles rétractées. Parfois, après *la chose*, il reste sur le dos, bras ouverts, regard vide, Moe n'existe pas à côté de lui, ni elle ni rien, elle attend que cela passe assise au bout du matelas, enroulée dans un drap pour cacher sa nudité, quand il s'en aperçoit il l'oblige d'un geste, *Enlève ça, je veux voir*. Et si elle s'est posé la question de la drogue pour elle-même, pour oublier, elle n'a jamais demandé, trop dangereux, trop cher, s'il n'y avait pas l'enfant peut-être, parce qu'il faudra supporter les années à venir, mais s'il n'y avait pas l'enfant, elle ne serait pas là à faire la pute, elle se le répète méchamment pour ne pas adoucir, pas estomper l'humiliation de chaque fin de semaine, la seule urgence, c'est de s'enfuir. Et comme s'il voulait l'empêcher, Jonas rogne encore sur l'argent qu'il lui donne, à la fin du premier mois elle découvre qu'elle doit lui payer la place, dix pour cent de ce qu'elle gagne, cela aussi Nini-peau-de-chien le lui a caché. *Je ne te l'ai pas caché, j'ai pas eu le temps de te prévenir, tu m'as prise de court, tu as vu comme tu m'as sauté dessus pour que je te présente, j'y ai pas pensé, c'est tout.*

Et c'est normal.

Normal ? s'agace Moe.

— Tu m'emmerdes à la fin. T'as qu'à arrêter, si ça ne te va pas.

— Nini, il se fait quatre fois, cinq fois ce qu'on touche, juste pour organiser.

— C'est la règle. Tu veux la changer ? T'as une idée pour ça ?

— On pourrait partir en un an.

— Tu tiendras pas, Moe, tu vas droit dans le mur. Moi je fais une nuit par semaine et je sais pourquoi.

— Moi aussi je sais pourquoi j'y vais trois fois.

— Tu as une tête de déterrée. C'est pas loin avant que tu tombes raide.

— Je tiens le coup.

— Grâce aux plantes d'Ada qui a déjà tout compris.

— N'importe quoi.

— Ça finira mal, Moe. Il faut que tu sois raisonnable.

— C'est toi qui tapinais la première, toi qui voles dans les épiceries, et tu me fais la leçon ?

Nini-peau-de-chien lève une main en signe d'abandon. S'éloigne seule ; Moe la suit à distance, la nuit encore noire à cinq heures ce matin de début novembre, le froid aussi, dans la voiture elle a du mal à s'endormir, le corps qui tremble. Au moins l'enfant est-il à l'abri dans la roulotte, et avec ce qu'elle gagne elle achète un peu de pétrole pour la chaufferette de Poule, ignorant les regards étonnés, d'où elle sort cet argent, bien sûr qu'Ada est au courant. Elle ne lui a toujours pas confié ses économies, près de cinq cents euros maintenant, tassés dans le volant de la Peugeot, elle devrait faire attention, elle dépense trop. Mais leur sourire à elles toutes lorsqu'elle a rapporté un rôti il y a quelques semaines, elle en rêvait depuis si longtemps, Marie-Thé l'a fait cuire avec de l'estragon et du beurre, une viande grillée dehors et tendre dedans, un parfum à tourner les sens, les pommes de terre noyées dans la sauce, vraiment elles se sont crues heureuses pendant une heure, un dimanche comme chez les autres, en famille, il ne manquait qu'une bonne bouteille de vin, un carré de chocolat avec le café.

Après, Nini-peau-de-chien l'a engueulée en douce, *Tu déconnes, arrête de claquer ton fric, tout le monde va comprendre, oh et puis, c'est trop tard de toute façon*. Puisqu'elle en a, Moe, oui puisqu'elle n'a jamais eu autant d'argent, vivre mieux est-ce interdit – et si peu, si encore elle avait acheté des biscuits, des gâteaux, des bêtises, et elle le dit mais Nini est en colère et gronde :

— Garde tout pour toi, ne montre rien, t'es con ou quoi ?

— Je ne suis pas comme toi, moi. Je trouve ça meilleur quand on partage.

— Tu sais quoi, Moe ? Non seulement t'es con, mais en plus t'es dangereuse. Pour toi. Pour moi. On va se faire prendre.

— Mais on a le droit de gagner cet argent ! C'est pas comme piquer dans les magasins.

— On a le droit mais si les gardiens l'apprennent, ils prendront leur part eux aussi. T'as vraiment rien dans le crâne, hein ? De toute façon, c'est en train de cafouiller tout ça. Faut arrêter, Moe.

— Quoi ?

— Arrêter. T'entends ?

— Tu plaisantes.

— Tu déconnes, je te dis. J'aurais jamais dû t'emmener. Comment je fais pour me débarrasser de toi, moi, maintenant ?

*

Alors les petites phrases d'Ada résonnent autrement, pourtant il y a toujours ce profond sourire quand elles vont Moe et elle par les ruelles de la Casse soigner les corps abîmés, cela n'a l'air de rien, une question, une remarque, un regard – Ada dit : *Tu esquives mon regard à présent.*

*

Elles suivent les rues, déambulant en évitant les flaques d'eau, serrées sous le parapluie. Parlent des malades qu'elles ont visités, des deux femmes mortes la semaine dernière, du temps qui aggrave tout. C'est l'hiver, murmure Moe, l'hiver dans cet endroit, il y a forcément des morts.

— C'est la drogue, dit Ada. Je peux la sentir d'ici.

— Je ne sens rien, moi.

— Tu es déjà habituée.

— Habituée ?

— Oui.

Et Moe va pour protester, demander une explication à Ada qui ne peut pas savoir, les nuits avec Nini là-bas et les hommes affalés, le bruit, le sexe et la drogue – mais au moment où elle ouvre la bouche, sourcils froncés, elle se retient, saisie d'une intuition soudaine, et elle ravale les mots et les mensonges, coulant un regard effaré vers la vieille Afghane qui continue son chemin sans plus lui prêter attention, Moe tend le bras comme pour la toucher, s'empêche, le sang figé à l'intérieur.

Bien sûr qu'Ada sait.

*

Alors elle cherche une autre cachette pour l'argent, si Ada a deviné pour les nuits, elle est peut-être au courant pour les billets dans le volant, mais il n'y a pas meilleur abri pourtant et elle se résout à les laisser là, car sous les tapis de sol, dans les tissus du plafond – et si un jour une fuite – et dans les sièges ce serait tellement facile de les trouver. Désormais, les chiffons qu'elle coinçait aux fenêtres pour dormir restent en place tout le jour, qu'on ne la voie pas faire et défaire son terrier, compter et recompter ses sous. L'enfant proteste, lui qui n'aime pas l'obscurité, mains tendues vers l'extérieur. Pour le calmer, elle l'emmène en promenade, et la pensée lui arrache un pâle sourire, une promenade vraiment, quand ils longent les rues boueuses et puantes, la ville sans arbres, car ils ont tous été abattus pour les feux, les chemins d'herbes et de bosquets dont on lui interdit l'accès si Ada n'est pas avec elle, la médecin, ils l'appellent, sans elle rien n'est possible. Et Moe sent cette erreur au fond d'elle, elle devrait rentrer et tout avouer, implorer le pardon de la vieille et se remettre sous sa protection, pas qu'elle ait jamais été abandonnée, mais son soutien affectueux, sa confiance ébréchée, que cessent les silences perplexes d'Ada, ses suppliques muettes comme si c'était à voix haute, *Reviens, petite, tu fais fausse route*.

Elle le sait, Moe. Les mauvaises décisions.

Mais il faut sauver Côme et elle ne retournera pas, les pieds trempés et ripant dans la terre, butée. La pluie les surprend d'un coup, *On rentre*, dit Moe ; le petit lève le nez au ciel et sursaute quand les gouttes d'eau lui tombent sur les yeux, rit d'abord, puis se renfrogne, froid dans le cou, Moe marche vite, ils sont partis trop loin, presque au centre de la ville. Dans la ruelle d'après, une voix l'appelle, qu'elle reconnaît, là où elle a recousu un enfant avec Ada, s'était ouvert la jambe, *Venez vous abriter, ne restez pas dehors*, la main au-dessus de la tête du petit pour le protéger de la pluie, elle s'avance.

C'est la première fois qu'elle entre seule dans un quartier. Penchée pour se glisser par l'ouverture, elle regarde la cabane de tôle collée à la voiture, fermée par un tapis servant de porte. Un réchaud tiédit l'espace.

— Il fait bon chez vous.

La femme sourit. *Attendez que l'averse passe. Nous avons du thé prêt.* Moe s'assied sur un morceau de bois, l'enfant sur les genoux qui tourne la tête, observe, bavarde tout seul, *Il a quel âge ?* demande la femme en remplissant les tasses.

— Bientôt neuf mois.

— Il faut en profiter. Après, ils commencent à marcher, puis à courir, et ils font des bêtises.

— Justement… comment va la blessure de votre fils ?

La femme tape dans les mains, appelle fort : *Nael !* Le gamin arrive en boitant bas. *Voilà*, dit la mère, *ils se remettent plus vite que nous, n'est-ce pas, il y a trois jours, quand vous l'avez soigné, je croyais qu'il allait perdre sa jambe et puis il a toujours la fièvre mais regardez aujourd'hui comme la plaie est propre, à peine rouge, c'est bien non, qu'en dites-vous.*

Moe défait le pansement avec précaution. La blessure suinte, elle la nettoie sous les tressaillements du garçon ; en dessous, la peau est abîmée mais saine, tenue par les fils, *On pourra les enlever dans quelques jours*, remarque-t-elle, et le gamin acquiesce, *Des fois ça fait mal et des fois ça gratte. — Tu es très courageux*, dit Moe.

Depuis l'entrée, le tapis s'écarte et la femme frémit. N'a pas le temps d'ouvrir la bouche, l'homme se tient déjà près d'elle et s'immobilise en voyant l'enfant et Moe – figée elle aussi car elle le reconnaît aussitôt, un des hommes de Jonas, elle le côtoie certains soirs de la semaine, bien sûr qu'il la remet lui aussi, et elle lui lance un regard suppliant, ne rien dire, Dieu, faites qu'il se taise, elle imagine la rumeur, la pute médecin, les phrases assassines quand elle accompagnera Ada les fois suivantes, fichue, elle est fichue.

Pourquoi elle est entrée là.

Mais il la salue d'un signe de tête imperceptible. Elle respire à demi. À côté d'elle, la femme a poussé le gamin à l'arrière, voix mal assurée.

— Il peut pas. Il s'est coupé la jambe.

— Quoi, gronde l'homme.

— Il peut pas marcher. Regardez, j'ai le médecin qui est là.

— Le médecin ?

Moe a la tête baissée. Ne la relèvera pour rien au monde.

— Qui va convoyer alors ? demande l'homme sans plus se soucier d'elle.

— Je ne sais pas… c'est pas possible cette semaine, vraiment pas, j'ai pas eu le temps de chercher quelqu'un pour le remplacer…

— Non mais tu rigoles ?

Le ton s'est élevé d'un coup et la femme sursaute, comme Moe et le petit, et le gamin derrière, qui recule jusqu'à la voiture, tous sentent la tension dans l'air, et les picotements sur la peau, l'homme est grand et laid, une sorte de bête qui les saisit soudain, Moe voudrait sortir, il emplit l'espace, immense devant la porte inaccessible. Lorsqu'il jette au sol le paquet qu'il avait à la main, le regard rivé à celui épouvanté de la femme, elle frissonne.

— J'vais te dire, là-dedans y a plus que ce que vaut ta vie de merde. Alors je te conseille de trouver une solution. Tout de suite.

— S'il vous plaît. Il peut pas marcher. Il est malade.

— Pas mon problème.

— Et moi j'ai les deux petits ici… est-ce que demain… ? oui, demain je trouverai sûrement quelqu'un…

— Merde, non ! Je t'ai dit maintenant ! Tu crois qu'il n'y a que toi dans cette histoire ? Il a qu'à y aller sur une jambe. Une, ça suffit pour marcher.

Et à ce moment-là, Moe fait un geste timide mais convaincu, *Moi je peux aider*.

*

L'extrémité de la ville. Personne ne s'y rend jamais à moins d'être convoqué, car rien ne vit ici, six cents mètres linéaires de grille, uniquement interrompus par le bâtiment d'accueil et ses gardiens armés, le seul accès, pour entrer comme pour sortir, l'endroit le plus surveillé de la Casse. Et au bout le plus à gauche des grilles, là où le métal s'ancre en griffes terrifiantes à la roche de la vallée, se soudant au granit dans une étreinte contre nature, Moe a glissé le paquet entre les barreaux.

— Le déposer c'est pas compliqué, avait murmuré la femme pour la prévenir, mais c'est de pas se faire prendre, pas du côté des gardiens parce qu'ils touchent leur part, ils laissent aller, mais les autres, tu surveilleras, tu dois être seule, les autres, ils n'attendent que ça, te voler, ils ne reculeront pas s'ils pensent que c'est toi qui convoies.

— Les autres ? avait demandé Moe. Mais il y a quoi dans ce paquet ?

— Il ne faut surtout pas en parler. Il ne faut rien dire. Tu dois bien avoir une idée.

Et devant l'air perplexe de Moe, la femme avait chuchoté, articulant d'une voix presque inaudible : *La drogue du quartier nord. Tu déposes l'argent de la drogue vendue derrière la grille, et tu récupères un sac plein de drogue toute fraîche. Chaque semaine, ils font l'échange avec l'extérieur. C'est leur meilleur trafic. Si ceux de l'est apprennent que c'est toi qui transportes, ils te tueront pour tout prendre.*

Alors Moe a caché le paquet dans un sac, le cœur battant, calant l'enfant tout contre en même temps qu'elle répétait les consignes. *Il y aura quelqu'un de l'autre côté de la grille, je lui donne le paquet, je prends celui qu'il a apporté, je ne dis pas un mot, je le pose chez vous.*

La femme a dit : *C'est ça. Ce soir à la nuit.*

Le vendredi suivant, Jonas a accueilli Moe d'une gifle en plein visage. Une gifle comme un coup de poing, le bras parti en arrière pour prendre de l'élan, pour faire mal, et Moe est tombée à genoux sur le matelas, les mains autour de la tête en essayant de se protéger, pas vu venir le coup d'après, le pied dans le ventre, souffle coupé, cette fois elle a basculé sur le sol avec un cri. Jonas s'est accroupi à côté d'elle, sa voix sifflante, un murmure.

— Tu joues à quoi ?

— Je… ?

— C'est quoi ce bordel ?

— Comprends pas…

— Tu fais la mule maintenant ?

— Ça s'est bien passé, Jonas.

— Rien que de la chance.

— Avec le petit dans les bras, les gens ne font pas attention à moi. Je te promets.

— Qu'est-ce que tu me chantes, là ?

— Je peux le refaire.

— Doucement, Moe ; t'es une pute ou une mule ?

— Si tu veux bien, mais seulement si tu veux bien, hein, je préfère transporter la, euh… la drogue. Enfin, si ça paie pareil, ou même peut-être plus, je sais pas, voilà, je préférerais.

— Mmm. Et pourquoi je dirais oui ?

— Parce que avec le petit je passe inaperçue.

— Ça m'plaît pas de me défaire de toi au bordel. Les gars t'apprécient, ils demandent après toi.

— Jonas…

— Tais-toi. Non, tu marches bien ici, ça m'emballe pas, tout ça.

— Et si je faisais les deux ?

— Les deux ?

— Oui.

— Faut voir. La mule, c'est un travail dangereux.

— Je serai vigilante.

— Vaut mieux. Si tu foires, on te bute, c'est clair.

— D'accord.

— Laisse-moi réfléchir.

— Combien c'est payé ?

— J'ai dit que je réfléchissais.

*

La drogue. Le mot tourne autour de Moe, étrange et brillant, répugnant et magique à la fois, investit son cerveau et l'entièreté de ses pensées, lui saturant la tête, elle aimerait tant en parler – sait que c'est impossible. Alors elle contient son ardeur auprès des filles en bavardant et questionnant et s'interrogeant le soir autour du feu, d'un chat qui passe, du nombre de bûches qu'il faudra pour le feu pendant l'hiver, de la Chiasse qui est morte la veille, étouffée, on l'a trouvée par terre derrière la vitre de l'accueil avec son sandwich dans la main et la bouche grande ouverte, sûrement une fausse route, et toute la ville ne bruit que de cela, une sorte de bourdonnement joyeux et vengeur, la Chiasse qui a tant humilié et tant pris de dessous-de-table même aux plus démunis, est-ce que ce n'est pas justice, il y a eu des pétards allumés pour fêter la nouvelle. Les filles rient, emmenées par l'excitation de Moe, racontent les souvenirs de leur arrivée, le passage à l'accueil, comme on dit un passage à tabac, vieille salope, soupire Jaja avec un sourire ravi.

Nini-peau-de-chien est allée chercher un sac dans sa voiture ; quand elle ressort, elle tient d'une main une demi-bouteille de mousseux, de l'autre un grand sachet de choux, et elles crient toutes, les filles : *Mais t'es dingue... Mais où t'as eu ça ?*, sauf Ada qui se fige, et sûr elles voient bien que la vieille n'est pas contente, mais elles sentent déjà le sucre tiédi sur le feu au bout de leur nez, les bulles du crémant leur descendant dans la gorge, et qu'importe s'il faut se partager la moitié d'une bouteille, quelques lampées chacune, un festin, Marie-Thé en tremble.

— C'est la première fois depuis mon arrivée.

Nini-peau-de-chien glousse, *On ne peut pas passer à côté de ça, la Chiasse qui a crevé, c'est trop beau. Et nous... à notre santé !*

Elles lèvent leur verre, elles toutes moins une, Ada a refusé de boire et cela a fait un froid quelques instants, les autres ont hésité. Mais la tentation est trop forte, et la gaieté décuplée par la fatigue. Ada a eu un claquement de langue mécontent, secouant la tête. Rentrée dans la caravane, porte fermée. On voit la petite lumière à l'intérieur. *Zut*, a murmuré Jaja. Nini a haussé les épaules.

— Allez, on ne va pas se gâcher la fête. Ça en fera plus pour nous.

Une heure après, elles ne savent plus pourquoi elles rient autant, ni de quoi, gavées de choux au sucre. Moe a donné des miettes à l'enfant qui en réclame encore avant de s'endormir, elle a oublié la drogue, le crémant leur monte à la tête – quel mensonge, il y en avait trop peu –, elles font comme si. Presque heureuses.

Vers neuf heures du soir, il y a eu les pas dans la ruelle et elles se sont redressées d'un coup. Moe a regardé Jaja avec angoisse, qui écoutait, tendue. Une question silencieuse. *C'est qui ?* Une dizaine de secondes. Jaja a fait signe de cacher les verres. Un murmure :

— Les matons.

Elles sont restées autour du feu, immobiles et muettes, des statues de pierre. Quand le bruit des pas s'est éloigné, elles ont ressorti le crémant et les mots joyeux, même si quelque chose s'est fissuré, même si elles surveillent encore un long moment, inutilement, car ils ne repasseront pas. *Des fois*, chuchote Marie-Thé, *ils changent les trajets, pour surprendre les gens*. La fatigue, une lassitude paisible les enveloppent. Moins d'une heure plus tard, elles sont couchées dans les voitures.

Alors bien sûr à minuit, quand il faut se réveiller de deux heures de sommeil, s'habiller et courir les rues pour aller s'allonger sur un matelas mité, le contraste serre la gorge, et Nini-peau-de-chien aussi a la mine des mauvais soirs, qui marche en silence à côté de

Moe, le samedi c'est le jour de Nini, le meilleur, qu'elle assure, il y a toujours foule avant le repos du dimanche.

— C'était bon le champagne.

Nini-peau-de-chien secoue la tête.

— C'était pas du champagne.

— Bah, c'est pareil.

— Tu vois que je partage aussi.

— Je suis désolée de t'avoir dit ça l'autre jour.

— Tu vois.

— Et désolée de te poser problème en venant avec toi.

— Si t'arrêtes de faire n'importe quoi. Allez, on oublie, d'accord.

— Mais Nini, les choux, tout ça, tu l'as volé, hein ?

— Ça te regarde pas.

— Ada le sait, elle.

— Elle sait rien. Elle invente.

— Pourquoi tu n'achètes pas ? Si tu te fais prendre, c'est grave.

— Et je mets tout le monde en danger parce qu'on pensera que vous êtes complices… je la connais, la chanson !

— Je dis ça pour toi.

— Ouais.

— En plus, tu as des sous, Nini.

— Si tu crois que je vais faire la pute pour claquer mon fric dans de la bouffe ! C'est pas pour ça que je me tape tous ces dégueulasses.

Moe tremble un peu, revoit malgré elle les corps avachis sur le sien, les cheveux gras et sales contre sa joue, les gémissements sordides ; les hommes qui se redressent en grognant, *Qu'est-ce que tu cocottes !* Et elle, à remettre dans la nuit de l'huile de lavande sous son nez pour supporter les effluves et les remugles, des porcs, crache Nini-peau-de-chien, et comment ne pas lui donner raison, mais elle a choisi, Moe, elle n'avait pas de solution, voilà, si on lui avait proposé autre chose. Pas étonnant que le moral lui manque. Parfois elle fait vingt-cinq clients dans la nuit, les samedis, comme dit Nini ; et oui, l'argent avec, mais certains soirs seule l'amertume lui vient, gagnerait-elle mille euros qu'elle aurait encore cette petite ride au coin de la bouche, tout le chagrin ramassé là au bord des lèvres, muet, elle le sent jusque dans ses yeux et le voile qu'ils portent sur le monde, allons, il faut sourire, et s'étendre nue.

Est-ce qu'elle tiendra Moe, elle-même se le demande, et vrai, elle n'a pas besoin de Nini-peau-de-chien pour se rendre compte qu'elle tire sur la corde à la rompre, les filaments sont en dedans d'elle à casser l'un après l'autre, elle perçoit ces infimes ruptures, le sentiment de perdre pied, un vide sidéral. Et personne pour lui tendre la main, ni Ada ni les autres – sa mauvaise foi à elle de dire cela, quand c'est elle qui ne veut pas de ces mains-là, si elles ne sont pas pleines, elle ne pense plus qu'à l'argent, Moe, et à l'urgence, parce qu'elle sait avec certitude, la fatigue, l'usure, ce qui la mettra à genoux. Si elle n'a qu'un mot en tête – vite –, c'est pour sauver Côme avant qu'il ne soit trop tard, et trop tard, ce n'est pas pour lui, c'est pour elle, avant qu'elle ne plie, qu'elle ne s'affaisse, que la force lui échappe de prendre le petit dans les bras et de passer la grille dans l'autre sens, si elle n'est plus là pour le faire, qui l'emmènera lui ?

Jonas la connaît. Il la fait travailler depuis des semaines. Quand elle arrive ce samedi, il claque des doigts pour l'appeler. Il dit, *C'est d'accord. Et pour le bordel, ça sera deux fois par semaine, le samedi et le dimanche*.

Ce qui étreint Moe au fond, plus que toute autre chose, c'est le manque de temps. Et pourtant dans cette ville dont personne ne sort, le temps, c'est ce qu'il y a en trop. Mais pas pour elle. L'épuisement aidant, elle s'affole, persuadée qu'il lui arrivera malheur, et à cela elle ne se résigne pas, pas avant d'avoir ramené le petit Côme de l'autre côté – avec les économies qu'elle doit présenter, ils prendront l'avion pour Papeete, là-bas la famille, les anciens amis, elle disparaîtrait ensuite qu'il serait toujours sauvé, et elle soupire, fatiguée, dix fois qu'elle recommence, économiser l'argent pour les billets d'avion, depuis des mois elle n'aura eu que cela en tête, depuis des années elle s'échine en vain, repart de zéro quand tout s'écroule, parfois elle se demande si un sort ne pèse pas sur eux, pour qu'elle n'y arrive pas.

Et pourtant cette fois c'est parti, il le faut, elle n'échouera pas, fini Rodolphe et Réjane et les ménages, les travaux des champs, les centimes d'euro. Chaque semaine, l'échange se fait à la grille. Jonas lui donne le jour et l'heure, la renvoie d'un geste. *Si tu mouftes, t'es morte, t'as compris ça*. Elle touchera deux cents euros chaque fois. Un trésor, malgré les risques.

Et l'enfant représente à la fois la cause et la fin de cette existence-là, un enchevêtrement d'élans, d'obligations et d'espoir, et avant tout l'amour, improbable, Moe voudrait dire des milliers de mots pour expliquer mais voilà, l'amour simplement, dans la peau d'un bébé, dans son regard et dans son rire. S'il n'y avait pas Côme, peut-être vivrait-elle encore avec Rodolphe, engourdie par la conviction de ne pas mériter mieux, et elle n'aurait connu ni le confinement ou les reproches chez Réjane, ni la pauvreté extrême, ni la Casse ; pas de pleurs, pas de viol, pas d'hommes se déversant en elle dans une succession écœurante ; pas d'exténuants travaux des champs et dans les vergers, ni la ville arpentée pour soigner des malades avec Ada, ni le regard éprouvant des gardiens derrière elle, et la peur de tout, tout le temps. Oui mais. Alors, il n'y aurait pas l'enfant.

Et il n'y aurait pas cette émotion en le tenant dans ses bras dix fois par jour, ni la joie irrationnelle de le voir sourire ou tendre les mains vers elle, et pousser ce cri émerveillé chaque fois qu'il découvre sa présence ou entend sa voix au retour du travail. Il n'y aurait pas sa respiration apaisante les nuits quand elle n'arrive pas à dormir, le jeu de ses doigts agrippés aux siens, son regard grand ouvert qui lui fait confiance, qui attend tout d'elle, et lui pardonnera tout. Moe le sait, avant l'enfant, elle était une chose morte.

Couchée sur le dos, le regard dans le vide, elle s'évade. Ils peuvent bien ahaner dessus elle et poser leurs sales mains sur ses seins décorés de rubis en plastique, elle les ignore – seul le dégoût, quand ils tombent sur elle dans un râle au bout de leur triste jouissance, lui fait tourner la tête dans un rictus. Ne rien changer. Compter les jours et les mois. Elle est même capable de sourire en pensant au petit Côme, absente à la souillure, déjà loin, quelques mois, un an peut-être.

À la fin de la nuit, leurs deux silhouettes fatiguées Nini et elle regagnent la ruelle. Aujourd'hui c'est dimanche, repos, pas de réveil dans deux heures, pas de pommes de terre à arracher, d'ail et d'oignons à planter, de terre lourde à bêcher pour préparer l'hiver, et Moe pense avec un sourire extatique que l'enfant est dans la roulotte de Poule et qu'elle pourra dormir jusqu'à dix heures, si le froid ne la réveille pas, emmitouflée dans les couvertures et dans ses rêves de liberté, une torpeur délicieuse, puis un thé et du pain noir autour du feu avec les filles, du temps pour rien, enfin, tous les sept jours.

Il pleut ce léger crachin de novembre quand elle se lève, et elle rejoint les autres sous les tôles pour se réchauffer aux flammes, Nini-peau-de-chien dort encore, n'est pas là. Côme gazouille en la voyant, essaie de se tenir au bras de Poule, bientôt il marchera, pense Moe en le regardant tendre les jambes et basculer et faire rire les filles. *Viens*, dit Ada, et l'enfant s'éclaire à la vieille voix, se retourne, bat des mains.

— Toujours elle ! proteste Jaja.

Ada sourit. *Il ne s'y trompe pas*.

— C'est vrai, s'esclaffe Marie-Thé, est-ce que tu l'as déjà vu essayer d'aller dans les bras de Nini ?

— Pour qu'elle le morde ? renchérit Jaja.

— Ou qu'elle le lâche ?

Poule tique un peu, *Arrêtez, vous êtes méchantes. — On ne peut plus rire*, dit Jaja en haussant les épaules. — *Surtout toi ! — Quoi, moi ? — Être aussi teigne quand on a eu la vie si dure. — Justement, qu'est-ce que tu crois ? Si j'avais pas été teigne, je ne m'en serais pas sortie.*

Marie-Thé soupire.

— De toute façon, Jaja, on fera rien de toi.

— Voilà. C'est ce que disait ma mère !

— Eh bien. Elle avait du bon sens.

— Et surtout une bonne paire de bras pour les baffes.

— Tu devais les mériter.

— Me lance pas là-dessus, Marie-Thé, sale négresse.

— Mais ce caractère ! T'es bien une vilaine cochonne d'Arabe.

Jaja regarde Moe, ouvrant les bras dans un geste d'excuse.

— Si tu savais ce qu'elle me fait subir depuis des années. Elle a décidé de me psychanalyser. Toi Moe, je te vois avec ton petit, que tu l'aimes, c'est bien, on aurait voulu être traitées comme ça. Mais Marie-Thé, c'est pas parce que tu as eu des problèmes avec ta mère que je dois avoir les mêmes.

— Ose me dire que tu lui as pardonné.

— Va te faire voir !

Histoire de Jaja

Lui pardonner et puis quoi, est-ce qu'une seule des filles présentes autour du feu sait combien cela fait mal de prendre des raclées, oh, pas à coups de gifles, ça c'était pour rire, mais à coups de laisse, celle du chien, et pas du côté de la poignée mais du mousqueton, une belle boucle en laiton, qui cogne et qui fait des marques bleues et noires. Elle a neuf ans quand cela commence, Jaja, neuf ans de répit parce que sa mère l'a confiée à sa propre mère quand elle est née, n'en voulait pas, surtout pas – Marie-Thé ricane et la fille brune s'interrompt. *Faut que tu me laisses causer tranquille, maintenant, que je raconte à Moe, et si tu ne te tais pas, je t'écrase ton gros nez, t'entends ?*

Ada intervient alors.

— Ça va, toutes les deux. On le connaît, votre numéro.

Et vrai, sous le regard ahuri de Moe, Marie-Thé et Jaja éclatent de rire, se tapant l'une l'autre dans la main, reprennent du thé en partageant une tranche de pain chaud.

— Tu me fiches la paix oui, prévient Jaja.

— De toute façon, j'm'en fous de ton histoire.

— T'es jalouse.

— Tu rigoles. T'as vu la mienne ?

— Franchement, ose dire que t'aurais préféré ma mère.

Une semaine, qu'elle a été mariée sa vieille, une semaine pendant laquelle son mari a en même temps compris l'erreur qu'il avait faite, fomenté son évasion et conçu Jaja qui hoche la tête à présent, *Y a pas à tergiverser, c'était un con, mais un rapide*. Dix jours et le voilà évanoui dans la nature ; elles n'en entendront plus jamais parler, hormis la lettre de demande de divorce. Et Jaja voudrait rectifier ce stupide adage qui dit que les absents ont toujours tort : elle en a rêvé, de son père, de le voir revenir, s'asseoir à côté d'elle sur un banc pour manger un goûter après l'école, jouer avec elle, lui prendre la main pour l'emmener à la patinoire, tout ce qu'il n'a jamais fait, elle ne l'a jamais vu – un jour quand elle a eu trente ans, elle l'a retrouvé, a téléphoné. Elle rentrait de Thaïlande et ça aurait été le bon moment pour mettre un peu d'ordre dans sa vie, tout recommencer. Lui s'était remarié depuis longtemps. Des bruits de famille derrière le combiné, ils devaient être à table, c'était un dimanche. Elle a dit son nom et il a hésité : *Qui ?*

Oui il l'a reconnue, enfin pas elle, mais son prénom, c'est tout ce qu'il savait d'elle ; et lui n'avait rien à recommencer parce que c'était déjà fait, sa fille aînée avait même un petit garçon de deux ans. *Ta fille aînée, c'est moi*, a dit Jaja.

— Tu veux qu'on se voie ? il a demandé.

Cette contrainte dans la voix. Elle en a eu des frissons jusque dans le bas du dos.

— J'sais pas. Ça te ferait plaisir ?

— C'est toi qui as appelé.

Un silence. Jaja, les larmes aux yeux. Elle murmure :

— Alors ?

— Et toi, ça te ferait plaisir ?

Elle réfléchit. Si c'est réfléchir que se tenir au mur quand le monde s'écroule, quand il y avait tant d'espoir insensé, d'amour mutique, à cet instant si elle l'avait en face d'elle, elle le tuerait, parce qu'elle comprend qu'il ne reviendra définitivement pas, même pour elle, jusque-là elle croyait que c'était à cause de sa mère. Si elle le tuait, personne ne l'aurait plus, voilà, ni elle ni personne, elle a son adresse sur un papier, dans son sac. Mais on verra plus tard. Alors elle retient les sanglots qui se jettent dans sa gorge et elle répond :

— Non. J'm'en fous.

*

Neuf ans donc avec sa grand-mère, en banlieue parisienne, Jaja regarde les filles autour du feu et Moe rivée à ses lèvres.

— Pas la banlieue chic. L'autre.

— Tu m'étonnes, siffle Marie-Thé.

— Il faut toujours que tu la ramènes, toi.

— C'est pour ça que tu m'aimes.

— T'as raison. J't'aime quand même.

Pas vraiment drôles ces neuf années, mais au moins la grand-mère s'occupe d'elle, affectueuse par moments, quand l'argent ne manque pas trop parce que la mère de Jaja oublie d'envoyer le chèque – alors il faut appeler la tante, qui a ses propres enfants je te ferais dire, crie-t-elle au bout du téléphone, et qui finit par donner quelque chose ou par apporter à manger, elle habite à l'extrémité de la rue. Jaja n'est pas une enfant facile, terriblement remuante, incapable de se concentrer à l'école, et la grand-mère lui demande ce qu'elle a envie de faire plus tard, elle a huit ans et demi, veut être pompier ou cascadeur, la classe l'ennuie. Pour rassurer sa grand-mère, elle essaie d'apprendre, de réciter, tendue par l'effort ; le résultat n'est pas spectaculaire mais elle tient en équilibre. « Peut espérer » : c'est ce qu'ils marquent sur son carnet en juin, en acceptant qu'elle passe dans la classe supérieure.

C'est aussi le mois où sa mère annonce qu'elle la reprend avec elle. Toutes ces années, elle a caché l'existence de sa fille pour ne pas effrayer les hommes qui pourraient – mais son caractère a suffi à les balayer les uns après les autres, explosif, c'est le mot, si peu de chose et elle s'emporte, Jaja va le découvrir à ses dépens, pas une petite colère comme cela arrive à la grand-mère, mais la fureur et le chaos. Les assiettes du dîner fracassées, l'étagère renversée. La porte de la salle de bains éventrée à coups de marteau quand Jaja s'y réfugie un soir et la verrouille, terrifiée. Des hurlements à se croire chez les dingues. Et toujours ce hululement strident, *Pourquoi tu me fais ça à moi ? Pourquoi tu me dis ça ?*

— C'est pas moi ! crie Jaja. C'est pas moi !

Elle ne sait même pas de quoi elle se défend, car l'étincelle qui provoque la rage de sa mère lui échappe chaque fois, et pourtant elle y met du sien, passe l'aspirateur en rentrant de l'école, promène le chien, prépare à manger. Sa mère rentre, l'air hagard – elle a passé un diplôme d'assistant-comptable sur le tard, pour pouvoir assumer sa fille, dit-elle. *J'en peux plus de ces chiffres, ils vont me rendre folle, et ces salauds, avec tout le travail que j'abats, comme ils me traitent.* Jaja glisse les chaussons vers elle, le gilet bien chaud en laine, quelques mots gentils. Le verre de blanc.

— C'est moche, ta mère qui se torche au blanc. Ça rend agressif. Elle avait déjà pas besoin de ça.

Les filles hochent la tête.

Ça part de quoi, vraiment, une raclée ? La télévision qui marche mal, une mauvaise note sur le carnet, un faux pas dans le tapis, pourquoi est-ce que Jaja a souri en la voyant trébucher, aussi. Au début ce ne sont que des torgnoles. Jaja encaisse, se méprend : plus elle résiste, la tête fièrement levée après la gifle, plus sa mère s'énerve. Cela finit par la laisse du chien parce que c'est la seule chose qui la fasse pleurer, et alors le soulagement se lit sur le visage de la mère, enfin la petite réagit, qui la plupart du temps semble hors de portée, le regard lointain, le corps replié en dedans, il faut qu'elle comprenne qu'elle a gâché sa vie à elle sa mère, brisé sa liberté, si seulement. Mais elle est là, Jaja, à prendre des coups de balai ou des coups de gueule, les mains sur les oreilles même quand ça ne crie pas, par avance, pareil que sa mère qui frappe sans raison, parce qu'il y a trop de tension, parce que la vie est trop dure.

Évidemment, elle traîne après l'école. Fait partie de ces gamins que les autres parents – ceux qui viennent chercher leurs enfants le soir, faisant bloc derrière la cour de récréation lorsque la grille s'ouvre à seize heures vingt – invitent à goûter un temps pour ne pas la laisser dans la rue, et puis hésitent, et renoncent, quand le regard dur de la petite fille finit par les déranger, ses remarques aussi, ses questions étranges lorsque le chahut se fait dans les appartements et qu'elle crie pour prévenir les autres, *Ils arrivent, ils arrivent !*, faisant obstacle de son corps au moment où les parents ouvrent la porte de la chambre où elle joue avec les autres, *Vous allez nous taper c'est ça ?*

Les années passent, elle s'endurcit. Le chien est mort depuis longtemps mais la laisse est toujours pendue au crochet dans l'entrée. À quatorze ans cependant, sa mère n'ose plus la battre – depuis le jour où elle s'est fait arracher la laisse des mains et où elle a eu peur devant le regard fou de la petite qui la dépasse d'une tête à présent, qui n'a plus rien d'une petite à vrai dire, à quatorze ans Jaja fume du tabac, de la marijuana, ne met plus les pieds à l'école, errant sur le terrain vague où des cirques nomades s'installent régulièrement en quémandant un peu de travail, et puis elle a quinze ans, puis seize.

Un jour, au lieu du chapiteau et des cages d'animaux, elle découvre une troupe de cascadeurs : ils vont rester trois semaines pour préparer un film qui sera tourné là, dans cette banlieue minable, Jaja s'étrangle, n'ose pas y croire, un film chez elle, dans son dépotoir. Elle déambule, observe chaque entraînement et chaque séquence, tourne autour du groupe, un fauve reniflant sa proie. Comme elle est plutôt débrouillarde, plutôt jolie et toujours menteuse – elle affirme avoir déjà dix-huit ans et chercher du travail –, on l'adopte à la façon d'une mascotte, la benjamine qui prépare les affaires, nettoie le matériel, court chercher une bière ou un sandwich, celle que l'on fait marner ou qu'on plaisante sur tout, elle réagit au quart de tour, se sent enfin appréciée, aimée aussi, quand Marc la met dans son lit en l'appelant *ma petite charogne*.

Elle a déjà en tête de les suivre quand ils partiront. Sa vie ici ? Finie. Sa mère ? Quelle mère ? Se rendre indispensable aux cascadeurs, c'est sa seule issue. Et sûr on peut lui demander n'importe quoi, à n'importe quelle heure : elle y va, n'échoue jamais, qu'il s'agisse de rapporter de la gnôle à deux heures du matin, de trouver des piles pour la caméra en panne un dimanche, de dégoter un restaurant qui ne rechignera pas à voir débarquer quinze acrobates buveurs et bruyants, bien d'autres choses aussi, et très vite, dans ce milieu de nuit et d'argent, la drogue.

Moe relève la tête d'un coup. Est-ce que Jaja dit cela pour elle ? Est-ce qu'elle a compris ? Mais la fille brune ne la regarde même pas, les yeux au ciel, comme à lire sa propre histoire dans les étoiles, il suffirait de quoi pour qu'elle y croise celle de Moe ? À cela près qu'elle s'en fout, Jaja, car la drogue, elle l'a touchée en vrai, pas au travers d'un paquet, elle est allée la chercher dans les quartiers, dans les cités, investie d'une mission que nul n'aurait pu arrêter, elle a rapporté cannabis et héroïne chaque fois que l'on claquait des doigts, l'adrénaline la rend vivante.

Et forcément, la drogue, elle y goûte.

Histoire de Jaja *(suite)*

Au début, c'est pour faire comme les autres : il n'y a qu'elle pour ne pas savoir que cela commence toujours de la même façon, quelqu'un qui lui propose, elle refuse, et encore, et dix fois, jusqu'à ce qu'elle cède. Oui au début elle assiste en spectateur à leurs délires et à leurs somnolences, à leurs tirades théâtrales et à leurs fous rires, elle se contente d'un joint, ramasse les mégots et les sachets vides. La première fois, c'est à cause de Marc. Il la tente, la provoque. *Essaie*. Pas par envie, car ce qu'elle voit du contrôle qui échappe, des corps avachis, des incohérences, l'inquiète. Elle déteste perdre pied, elle qui doit à sa vigilance constante de ne pas avoir sombré auprès de sa mère. Mais Marc se moque : *T'as les fouettes*.

La rassure aussi, l'héroïne, il la fume, il n'est pas fou lui, c'est là qu'elle est la moins dangereuse, Jaja ignore s'il dit vrai, prend la paille et la feuille d'aluminium qu'il lui tend, question d'orgueil.

*

Une heure, deux heures ? Le plus beau moment de sa vie. Vrai. Un plateau d'enfer. Elle n'a pas de mots, après, pour expliquer ce qui s'est passé. Cette sensation de flottement. Une sorte de douceur extatique et drôle, l'univers qui tourne et l'accueille, petite étoile, petite sœur, elle entend les chants du ciel, tend la main pour toucher les êtres qui lui parlent. Réconciliée avec l'existence, qu'elle est Jaja, ivre de recommencer, de retrouver cette euphorie pleine et heureuse, elle ne savait pas que cela existait, a l'impression d'entrer dans un nouveau monde, surréaliste, colossal. Bien sûr elle prendra conscience, le lendemain, de l'illusion de cette soirée où elle a cru discuter passionnément de milliers de choses avec les autres. Bien sûr qu'en les voyant eux rire et bavarder chacun dans leur coin comme s'ils étaient tous ensemble, avec leurs monologues tristes à pleurer, elle comprendra qu'elle a fait pareil et que la solitude leur échoit toujours, au bout du compte, qu'aucun d'eux ne se souvient de quoi que ce soit, ni seul ni en groupe, hormis le sentiment délicieux d'avoir été joyeux jusque dans le tréfonds de l'âme, est-ce que cela ne suffit pas, n'est-ce pas la seule chose que Jaja demande à cette saloperie dont elle regarde les résidus brûlés sur le papier brillant, et elle ferme les yeux, fort, il ne faut pas qu'elle bascule.

*

Mais la poudre brune la hante. Elle tremble juste à voir les autres prendre leur briquet et chauffer, renifle l'air en espérant happer des effluves, bien sûr qu'elle n'est pas dépendante, pas déjà, elle fume une fois dans la semaine, peut-être deux, comment pourrait-elle

– cependant elle se sent glisser, bloque son corps qui ouvre chacun des pores de sa peau quand arrive le soir, sait que le danger vient de sa tête.

Être heureux, au fond, quel mal ?

Elle rit des visions magnifiques, s'abandonne à cet étrange bonheur couché, se convainc qu'elle est lucide. Se dresse et mord quand on lui parle d'addiction, elle, non non, rien de tout cela, simplement un sas, un refuge dans lequel elle se replie pour reprendre des forces et de la joie de vivre, faire des réserves, elle est donc la seule à savoir à quel point cela est essentiel, et elle occulte les terribles redescentes, la fatigue et la déprime, les moments où la conscience se perd ailleurs – Jaja s'endort et est debout en même temps, ne fait plus la différence, s'assied et pourrait tomber morte, se souvient que la verticalité est vivante, elle s'allonge, se croit sur ses jambes mais des jambes, elle n'en a plus.

En avril, Marc accepte de l'emmener quand la troupe repart. Jaja laisse un mot à sa mère, n'emporte ni sac ni affaires : elle prend la vie qui s'annonce sans fardeau, sans passé. Elle ne demande rien. De loin en loin, elle envoie une carte postale à sa grand-mère. Sa mère ne la cherchera jamais.

L'existence se rythme par les nuits, l'alcool, les sniffs, les lignes chauffées dans l'aluminium ; entre deux, Jaja observe sidérée les cascadeurs qui répètent, tournent, sautent, virevoltent, elle qui se tient le ventre en étant à peine capable, certains jours, de marcher sans aide. Le manque d'argent, la rupture avec Marc l'obligent à composer, moins de drogue – elle essaie de se consoler avec l'alcool –, une place à justifier, un gagne-pain à trouver. Pendant encore un an, jusqu'à sa majorité, elle continue à préparer costumes et accessoires pour la troupe, à entretenir le matériel, à cuisiner aussi, ou à gérer le linge en plus de la défonce, tout ce qui lui permet de rester là. Elle trafique un peu lorsqu'ils s'arrêtent plusieurs semaines au même endroit, fait des extras dans les bars, vole dans les magasins. Elle a un plan en tête depuis déjà plusieurs mois, mais il faut qu'elle attrape ses dix-huit ans, comme elle dit, et elle ne mettra pas longtemps à se lancer une fois la bougie soufflée, elle part, rejoindra les autres trois semaines plus tard, entre-temps elle s'est envolée en Thaïlande, est revenue le ventre bourré de came.

Ce qu'elle ne racontera jamais, c'est le mal qu'elle a eu à trouver une filière, parce qu'elle est une femme, et parce qu'elle a dû leur faire comprendre, ces chiens là-bas, dans son anglais approximatif, qu'elle n'était pas une touriste comme les autres. Acheter à la source lui a pris deux semaines. Elle a fini par s'acoquiner avec un type pour ne pas y laisser sa peau, trop facile une fille, la prendre au sérieux, pas une fois, même avec la violence dans son regard il n'y a pas moyen ; ici ils ont tous cette violence dans les yeux.

Et la conviction qu'une femme, ça ne vaut rien. Elle va leur prouver le contraire.

Elle enrage et s'associe donc. Si elle veut rentrer saine et sauve, elle en passera par là. Lorsque, quelques jours plus tard, elle arrive à l'aéroport de Bangkok maquillée et souriante, elle a la gorge anesthésiée par la xylocaïne, et soixante-quatre pochons d'héroïne dans l'estomac. L'idée que l'un d'eux puisse se fissurer et que la drogue lui passe dans le sang, provoquant une overdose, ne l'effleure pas, il faut qu'elle réussisse et c'est tout, la chance avec elle, elle passe sans encombre.

De ce jour, l'existence change. En vendant ses doses aux cascadeurs, elle dit en riant : *J'ai un bide à soixante mille*. Elle se réconcilie avec Marc, claque de l'argent, vit enfin. Elle file en Thaïlande deux ou trois fois par an. Elle sait que les pochons sont indétectables aux frontières : ce que les policiers repèrent, ce sont les yeux rouges et creusés des passeurs, leur langue blanche et chargée, leur haleine.

À vingt-deux ans, évidemment, elle finit par se faire serrer, côté Bangkok. La chance ne dure jamais – sans doute a-t-elle eu plus que sa part en quatre années, et elle l'a senti, qu'il fallait arrêter, toujours de cette façon qu'on se fait choper, à la récidive, mais tant que tout va bien, hein, avec sa grande gueule elle Jaja, *Moi je suis pas con comme les autres, j'me ferai pas avoir*, elle a l'air de quoi à présent. Il suffit de si peu, un caillou minuscule dans l'engrenage, infime, si elle avait été attentive elle aurait laissé tomber ce départ-là, quand la fille avec qui elle a fait équipe sur cette virée lui a dit : *J'peux pas, j'ai trop mal au ventre*. Qu'est-ce qui lui a pris à Jaja, de prendre les sachets de cette conne et de les scotcher autour de ses jambes à elle alors qu'elle savait, au moment même où elle les répartissait entre ses mollets et ses cuisses, que c'était une erreur monumentale ? Une simple palpation à l'aéroport, pourquoi elle, le destin, ou quelque chose dans ses yeux. Après ce sont les cris, les armes, les menottes qui claquent sur les poignets. Elle hurle à la fille de prévenir Marc. Devine déjà que l'autre ne le fera jamais.

Recroquevillée au fond du commissariat pendant deux semaines, elle pleure et rumine, demande à appeler l'ambassade, les policiers haussent les épaules, *Ils ne répondent pas, à l'ambassade*. On lui propose un avocat si elle a de quoi payer, et elle crache par terre, *Je les connais vos avocats, tous pourris, je veux que l'ambassade me donne un nom, seulement l'ambassade*.

Elle peut enfin joindre Marc par téléphone, le supplier de prendre l'argent caché en France et de la rejoindre sur place – car, elle l'a deviné, là est son seul salut, dans un pays où la corruption est telle qu'elle lui permettra de sortir de cet enfer. La première fois, elle se trompe d'avocat malgré le nom que Marc lui donne en revenant de l'ambassade ; après six mois de procédure et dix mille euros pour le juge, elle est condamnée à mille ans de prison. Comme la journée compte un jour et la nuit aussi, cela fait en réalité cinq cents ans.

Passé l'atterrement de la nouvelle, elle trouve un nouvel avocat. Comprend que sa condamnation est un effet de théâtre, la base pour les négociations à venir. Ses économies y passent peu à peu. Marc a cessé de venir la voir ; il a prévenu sa famille et c'est sa tante qui joue désormais les intermédiaires en maudissant le matin qui a vu naître Jaja, *Et ta mère, tu y as pensé à ta mère*. Jaja tourne vers elle ses quarante-quatre kilos, ignorant la remarque, *Va voir l'avocat, dis-lui de payer plus s'il le faut, il faut que je sorte de là*.

La prison.

Jaja regarde les filles, Marie-Thé surtout, elle dit :

— Tu vois, franchement, tu n'as rien à m'envier.

Car la Casse, c'est une plaisanterie à côté de ce qu'elle va vivre durant six ans à la prison d'Ayutthaya. Sa cellule – *leur* cellule – mesure douze mètres par vingt : elles sont près de deux cents femmes à y dormir chaque soir, couchées sur le flanc, encastrées les unes contre les autres pour tenir toutes allongées, tellement serrées que si l'une d'elles a besoin, vraiment besoin dit Jaja, de se lever la nuit, sûr elle ne retrouve pas de place pour dormir, et parfois elle Jaja préférera se faire dessus, un peu, quelques gouttes pour se soulager, plutôt que devoir rester accroupie contre un mur jusqu'à l'aube, une marée de corps étendus qui se referme aussitôt qu'une brèche apparaît.

La journée, elle travaille dans les ateliers de couture, se crevant les yeux pour cent bahts par mois.

— Vous savez combien ça fait, cent bahts ? Vous savez ?

Les filles secouent la tête, même celles qui connaissent l'histoire, parce qu'elles veulent l'entendre une fois encore, si jamais elles avaient mal compris, se répéter qu'elles ne sont pas si malheureuses, alors.

— Deux euros cinquante. Par mois.

— Non, souffle Moe.

— Comme j'te le dis.

— Pourquoi t'y allais ?

— C'est obligatoire là-bas. Ce que rapportent les ateliers, c'est pour le fonctionnement de la prison. J'sais pas ce que ça aurait été, vu qu'on était déjà traitées comme des bêtes. Je suppose que tout le personnel se servait au passage et qu'il ne restait pas grand-chose.

Au bout d'un an, on la change d'atelier : de la couture, elle passe à la parfumerie. Mal à la tête, tous les soirs, saturée d'odeurs et de mélanges, les premiers jours elle a des nausées telles qu'elle cesse de manger le peu qu'on leur donne. Les filles avec lesquelles elle s'est liée dans son quartier étranger – pas d'amitié, hein, y avait pas de place pour ça, précise-t-elle, c'était histoire de se regrouper pour pas se faire dépouiller tout le temps, vu de dehors peut-être que cela ressemblait à de l'amitié parce qu'on s'aidait et qu'on riait ensemble, mais c'était de la survie, rien que de la survie, enfin les filles s'inquiètent. Pas que la nourriture qu'on leur sert fasse rêver : à chaque repas, des marmites entières de riz, si cuit et avec tant d'eau qu'il finit par prendre la consistance d'une pâte gluante, sans sel et sans épices, dont il faut encore ôter les insectes, des charançons noyés, dit Jaja sans savoir s'il y a des charançons en Thaïlande, enfin quelque chose qui y ressemble, des cafards, des punaises, des trucs du genre. Malgré quoi, donc, il ne fait pas bon perdre sa ration, car elles sont toutes maigres à Ayutthaya, et la faute n'en est pas seulement à la drogue qui circule plus sûrement qu'à l'extérieur ; mais Jaja n'y arrive pas, à la fin, et les filles se partagent son bol du matin en hochant la tête, elle mettra quatre jours à retrouver l'appétit. Et sûr, on a du mal à croire que ce qu'elle raconte soit vrai, avoir faim de nos jours, cela les prend parfois à la Casse lorsque au cœur de l'hiver Poule et Marie-Thé peinent à aller travailler et que les portions s'amenuisent, mais pas de cette façon, pas à en crever comme Jaja l'a vu de ses yeux dans le quartier thaïlandais.

— Avec nous, les étrangers, ils faisaient plus attention, à cause des ambassades qui venaient nous rendre visite une ou deux fois par an – ça leur permettait de dire qu'ils suivaient notre dossier, voilà, les gardiens se méfiaient. Mais quand je suis rentrée en France, je frôlais les quarante kilos, c'est pas lourd pour ma taille, je vous garantis, le gras, y en avait plus.

— Comment tu as pu t'en sortir, alors ? demande Moe.

— En payant, toujours. Il y a un moment où on arrose la bonne personne. Faut savoir qu'un Occidental en prison, c'est la poule aux œufs d'or, là-bas. Ils ont intérêt à ce que ça dure. Bref, cela faisait six ans que j'y étais. Un après-midi, un type de l'ambassade est venu, je pensais que c'était une visite comme les autres, et là, il m'annonce que je suis libérée. Remise de peine. Même pas repassée par la cellule. Je n'ai pas pu dire au revoir, prendre mes affaires, que dalle. J'ai eu honte après, mais sur le coup, je m'en foutais. J'étais à fond. Libre. C'est impossible d'expliquer la sensation ; comme si j'avais cessé de respirer depuis six ans et que, d'un coup, ça se débloque.

— Et tu es rentrée en France.

— Oui. Ça, ça a été la baffe.

Elle se met à rire. Parce que, à ce moment-là, quand elle descend de l'avion, elle ne s'attend à rien, Jaja, butée dans une survie quotidienne, mais elle aspire à une sorte de vide, de repos peut-être, un sommeil immense et paisible, qu'on lui laisse le temps de se remettre. À Roissy, sa tante venue la chercher brise d'une phrase toute la consolation et le répit en suspens, parce qu'elle n'est pas la bienvenue, et vrai, c'est ainsi que la tante le dit, *Tu n'es pas la bienvenue, mais tu es ma nièce alors tu peux vivre chez moi quelques jours avant de trouver un autre endroit, j'ai aussi la grand-mère à la maison maintenant, je suis pas l'Armée du salut, moi, je ne vais pas garder tout le monde. Sinon tu peux aller chez ta mère.*

— Voilà, dit Jaja. En plus j'étais en manque parce que je n'avais rien pu prendre depuis l'aéroport de Bangkok. Ça, ça a été mon retour.

Bien sûr, une fois en France, la première nécessité pour elle, c'est de trouver un fournisseur. Travailler, se former, toutes ces choses dont sa tante l'abreuve, elle les laisse de côté. Une semaine passe, puis un mois. Deux. Rien ne change. Que la vieille vienne y voir, des fois. Elle la recevrait, dans sa chambre à l'odeur aigre qu'elle camoufle sous des désodorisants à la menthe ou au muguet. Mais personne ne s'y frotte, ni sa tante ni les cousins, ni sa mère qui n'a pas donné signe de vie parce qu'elle craint que Jaja ne finisse par s'installer chez elle.

Jaja fait peur, avec son corps trop maigre malgré les semoules et les tajines de la tante, et son visage tiré, toujours des cernes noirs sous les yeux, les nerfs à fleur de peau, et cette dureté dans le regard, qui vous attrape et ne vous lâche pas, on aimerait mieux que cette fille-là soit partie pour de bon, mais elle reste, misère, elle reste. Et sa tante qui n'a tout de même pas la langue dans sa poche s'accroche avec elle de temps en temps, demande où elle en est de son travail, leurs cris traversent la petite maison de banlieue, la grand-mère ferme les fenêtres, à cause des voisins, famille de merde, braille Jaja sans imaginer cependant que…

C'est un matin, elle a horreur des matins, ne se réveille qu'à midi, alors à neuf heures, pour elle c'est encore la nuit, la porte de sa chambre s'ouvre, ils sont là.

Moe fronce les sourcils.

— Quoi ?

— Eh bien. Elle les a appelés.

— Mais qui ça ?

— Les services sociaux. Ceux qui m'ont amenée ici.

— Elle a fait ça.

— Eh oui. Remarque, je comprends, finalement. Un toxico, c'est ingérable. Elle n'avait pas beaucoup de solutions.

— Quand même. Elle a fait ça.

Jaja se met à rire.

— Pour arrêter l'héroïne, ça a été radical. Heureusement qu'Ada était là.

L'enfer, un peu plus d'une semaine. Et pourtant elle a une volonté de fer, Jaja. Quand elle voit qu'elle arrive à la Casse et qu'elle n'a pas d'autre choix que de se sevrer, elle explique à Ada, elle sait comment, et cela fait mal, elle a besoin d'aide. Pour la tête, car elle pensera devenir folle ; et pour le corps, parce qu'il y a ces terribles douleurs articulaires, l'organisme ayant perdu l'habitude de produire de la synovie, et les frissons, et les maux de ventre, et les insomnies, Ada prépare des plantes de vision, celles des chamanes, que l'on utilise aussi pour les sevrages, elle a un tout petit flacon avec de la poudre d'iboga à l'intérieur, et des herbes calmantes, Jaja n'y croit pas, il le faut pourtant.

Un peu plus d'une semaine à prendre les plantes ; quand les tremblements sont trop forts, Jaja va courir dans la ville. Toutes les deux heures. Elle n'a pas de souffle. Préférerait claquer dans les rues cependant, plutôt que rugir comme un lion en cage dans sa voiture en se jetant contre les portières – la première fois, c'est Ada qui l'a tirée de là, qui l'a obligée à sortir avec sa voix déjà ténue, *Cours, Jaja, cours ! C'est ta vie, au bout !* Alors elle y va, une demi-heure, trois quarts d'heure, les poumons en feu, la respiration sifflante. Au retour, elle se jette sous une douche froide à lui arrêter le cœur, se recroqueville sous les couvertures, voudrait dormir pendant des jours – parfois une heure ou deux, parfois rien, et les frissons reprennent, courir, se doucher, dormir, refréner l'envie de tout casser, qui s'apaise lorsque les longs bras maigres d'Ada sont autour d'elle pour la soutenir et l'empêcher, cette chaleur tout pour elle, et les mots se fraient un passage jusqu'à son cerveau en pleurs, *Petite fille, petite fille*.

Elles restent longtemps silencieuses autour du feu après que Jaja s'est tue, l'attention flottante ; la pluie fine et froide les rend tristes. Bien loin, la chaleur moite de la Thaïlande – seule reste la morosité d'un dimanche matin sans soleil et le regard encore éberlué que Moe porte sur Jaja, on pourrait lui dire qu'elle a rêvé, elle le croirait sans l'ombre d'un doute, une histoire, tout cela ne serait qu'une histoire. Jaja s'en aperçoit et se force à rire.

— Alors, elle est pas belle, ma petite vie ?

— Je me sens tellement banale, comparée à vous. Tellement… privilégiée, presque.

— Faut pas. On en est toutes au même point maintenant.

— Oui mais moi j'ai eu une enfance. Plein de bons moments, de bons souvenirs.

— Oh, nous aussi. On se contentait peut-être de peu de chose mais il y a eu de chouettes passages. Quelques, en tout cas.

Marie-Thé opine avec un sourire en coin.

— À l'orphelinat, moi, c'était pas si mal, tout bien réfléchi.

— Tu vois.

Nini-peau-de-chien les a rejointes à la fin de l'histoire de Jaja. *Je serai la dernière à raconter ma vie alors*, elle a dit, mais personne n'a répondu, sans doute qu'elles n'avaient pas la tête à ça après la drogue, Ayutthaya, et les familles qui démissionnent, et Moe les regarde, incrédule, ces existences-là, Dieu. Elle sourit toute seule en répétant en silence : *J'ai de la chance*. Jaja la pousse du coude.

— Remets du bois, j'ai froid.

Elle pioche dans le tas à côté d'elle, jette une bûche sur le feu. Le simple geste la fait grimacer. Les courbatures, l'épuisement, les nuits sans sommeil la réinvestissent, chassant la vie de Jaja d'un coup. C'est comme lire un livre ou aller au cinéma : après, il faut reprendre pied. On peut bien se couper du monde le temps d'une image ou d'une histoire, raconter mille fois le passé, le ressasser, le triturer dans tous les sens ; au bout du compte, il n'y a rien de pire que le présent.

— S'il vous plaît ?

Elles se retournent d'un seul élan. Au bout de la ruelle, une femme les hèle.

— S'il vous plaît, le médecin, vite. C'est mon fils…

Ada est déjà debout. *Non*, murmure Moe. *Non, pas maintenant…* Mais la vieille lui saisit le bras, un signe à Poule qui se précipite pour prendre l'enfant, *J'ai du riz et du lait, ne t'inquiète pas, je le fais manger*. Pourtant Moe insiste à voix basse, malgré la femme qui s'est approchée pour expliquer, suppliantes toutes les deux, avec leurs raisons si différentes.

— Ada je t'en prie. Je n'en peux plus. Si je pouvais rester là.

— Non.

— Ada…

— J'ai dit non. Le jour où ce sera pour toi, est-ce que tu accepteras d'attendre jusqu'au lendemain parce que c'est dimanche ?

— Mais tu pourrais aller seule.

— J'ai besoin de toi. Ce n'est pas une option à temps perdu, Moe ; c'est une responsabilité. Le jour, la nuit. La semaine. Le dimanche. Je ne te laisserai pas arrêter.

— Ce n'est pas arrêter, c'est juste qu'aujourd'hui je…

— Prends le sac. Et puis l'aspérule et la petite centaurée, sur les étagères du milieu, à droite.

*

Tu tiendras pas, Moe, tu vas tomber, et pas qu'un peu, ça ne sera pas une égratignure, ce que tu ramasseras, vrai, un bon gadin de plein fouet, comme dans l'histoire de Jaja, étalée par terre, les autres te marcheront dessus et tu sais quoi ? Tu l'auras bien mérité. Tu ne peux pas travailler, t'occuper du petit Côme, passer de la drogue, faire la pute et soigner les malades à la fois, tout ça en novembre, quand ton corps s'épuise juste à essayer de se réchauffer, c'est bien beau que l'enfant dorme au chaud avec Poule, mais toi, quand tu crèveras d'enchaîner les jours et les nuits sans répit, ça te fera une belle jambe tout cet argent dans le volant de ta voiture, tu auras tout perdu, ouvre les yeux, parfois il faut cesser de courir, et penser un peu.

Et Moe oui elle les ouvre les yeux, plus grand que jamais, quand Ada commence à lui parler sur le chemin, dix pas derrière la femme qui se hâte, Ada qui l'a retenue en arrière, *Je sais où on va*, elle a dit, et puis aussi : *On va en profiter pour discuter un peu toi et moi, il y a des choses qu'il faut que tu entendes.*

Pourquoi est-ce que la seule fille que tu ne devais pas écouter, la seule que tu ne devais pas suivre, c'est celle que tu as choisie je te le demande, pourquoi est-ce que tu ne tires pas de leçon de tes erreurs, te faire violer c'était peu de chose à côté de ce qui t'attend si tu continues – et le pire, c'est que tu le sais, mais il y a cette saleté qu'elle a mise dans ta tête, Nini-peau-de-chien, cette guenille, cette plaie, réfléchis vite, Moe, on ne peut pas être sauvé de tout, que faudra-t-il pour que tu le comprennes ? Est-ce que tu t'es déjà demandé combien de temps les passeurs survivent dans cette ville, non, tu te crois invincible, alors je te le dis, moi, il y a toujours des places libres pour ce travail-là, et toujours des gens pour les prendre ; le problème, c'est ce qui se passe entre les deux. Le prix à payer.

Regarde ce petit qu'on nous emmène guérir, il est déjà mort, la fièvre a dit sa mère, depuis combien de temps, on dirait qu'il dort. Voilà, ce n'est qu'un enfant mort. Peut-être est-ce le premier que tu vois de ton existence, oui bien sûr, je le devine dans tes yeux, tu croyais qu'un enfant est éternel, nous le croyons tous avant qu'ils ne trépassent, parce que l'ordre des choses voudrait que les parents ne connaissent jamais la mort de leurs petits, mais il n'y a pas d'ordre dans le monde, pas de chronologie, pas d'obligation – et pas de justice.

Pourquoi est-ce qu'ils ont attendu jusque-là pour venir me chercher : pour ne pas manquer une journée de travail, pour ne pas payer, bien sûr qu'ils ont des excuses, si l'enfant passe après, au fond ce ne sont pas des excuses mais un choix, alors qu'ils ne pleurent pas maintenant, quand il n'y a plus qu'à fermer ces yeux voilés de blanc et essuyer ce front encore mouillé de sueur, il avait quoi, quatre ans à peu près. Des cheveux blonds. Un beau visage d'enfant. Et dans les traits qui se creusent déjà, il ne reste que la fatigue et le néant, c'est cela que tu veux laisser faire, Moe, en ne venant pas le dimanche ? Est-ce que tu crois qu'il vaut mieux passer de la drogue que sauver un enfant ?

Alors je te le dis, ce n'est pas un hasard si Jaja a raconté son histoire aujourd'hui, mais là encore tu n'entends rien, et pourtant tout t'est donné, toi qui ne vois que toi, dans le monde de l'autre côté peut-être que cela suffirait, mais ici, nous marchons tous ensemble, et il tient à chacun de nous que ce soit vers le mieux ou vers l'enfer. Si tu nous tires en bas dans les ténèbres, ne t'étonne pas que nous nous défendions. Ce qui nous reste de dignité et de volonté de vivre, nous ne le lâcherons pas, même si pour cela nous devons être contre toi. Oui nous le serons.

Mais encore une fois, il est temps de t'arrêter.

Grand temps. Car je ne pourrai pas t'aider beaucoup plus.

*

La vieille va sur le chemin du retour, le nez levé au ciel, les yeux fixes sous la pluie qui crachine. Qu'importe, elle est au-delà, tout entière dans le murmure qu'elle porte à Moe, et l'eau glisse sur sa peau brune et ridée tandis que la jeune femme grelotte à côté d'elle, les larmes sur ses joues, ou la bruine, il n'y a rien à ajouter, rien à faire, juste baisser la tête quand elles croisent les gardiens qui font leur ronde, et remonter les rues en regardant les caniveaux qui coulent sur le sol en emmenant les brindilles, et courber le dos à la froidure et au monde, et prier – si Moe savait comment s'y prendre.

*

Le soir, Côme est malade. Un rhume sûrement, car son front est chaud, son nez bouché, il grinche, lui avec son caractère d'ange, cela ne lui ressemble pas de froncer les sourcils de cette manière et de tourner la tête en refusant de manger, et pleurer sans raison. Moe demande de la fleur de sureau à Ada, regarde le petit, un immense découragement lui vient. Dans ces moments-là tout s'accumule. Elle s'en veut de penser qu'elle n'avait pas besoin de cela en plus, pour ce que l'enfant y peut, à vivre dans les courants d'air et l'humidité permanente, encore quatre mois de mauvaise saison, ils y entrent à peine et déjà l'hiver les cramponne et les use. Ada la pousse au coude, *Donne-lui ça aussi, c'est de l'échinacée*.

L'enfant malade, la découverte épouvantée qu'Ada sait tout, et Nini-peau-de-chien qui ne rentre pas : c'est ainsi que Moe se remémorera la journée après coup, quand elles, les filles, auront attendu jusqu'à la nuit noire que Nini revienne de ses errances, et elles auront dans un coin de tête que ce sera peut-être avec une sucrerie, le dimanche les épiceries sont pleines, on se bouscule, on s'engueule, faire glisser du chocolat dans ses manches est devenu une routine pour Nini, elles ne s'inquiètent même plus. Mais à dix-neuf heures Nini-peau-de-chien n'est pas là, et à vingt heures non plus.

— Je vais aux nouvelles, dit Jaja en se levant.

Marie-Thé l'accompagne. Moe hésite ; devrait se préparer pour la nuit dans le quartier nord mais elle n'ose pas, quelque chose de la tension qui monte au milieu de la cour, Ada est mutique, enfermée dans la caravane depuis la fin de l'après-midi, sa porte ressemble à un mur en béton infranchissable, et quand une lumière s'allume à l'intérieur, à la tombée de la nuit, elles respirent mieux. Avant cela, Jaja et Marie-Thé ne seraient pas parties chercher Nini-peau-de-chien.

— On va bien trouver quelqu'un qui l'aura vue.

Mais c'est étrange comme la mauvaise humeur de Jaja l'a cédé à une inquiétude dérangeante, et elles l'entendent toutes dans sa voix, ce petit tremblement, pas grand-chose, sur un mot ou deux ça déraille, pas plus, et le plus incompréhensible reste la résonance que prend cet enrouement dans le ventre des filles, une mèche de peur à laquelle ne manquait qu'une étincelle pour la mettre en route, elles se taisent pourtant, d'angoisse ou de superstition. *Revenez vite*, dit Poule.

Et elles reviennent en courant, il ne s'est pas écoulé vingt minutes.

Personne ne sait vraiment ce qui s'est passé, et les témoignages divergent, les raisons, la façon, le nombre d'hommes, il n'y a qu'une seule chose qui mette tout le monde d'accord : vers dix-sept heures, Nini-peau-de-chien a été embarquée à l'épicerie de l'ouest. Les gardiens sont arrivés, ont forcé l'entrée du bâtiment où la foule vaquait à ses courses misérables, se frayant un passage à coups de matraque si cela ne bougeait pas assez vite. Pas eu d'hésitation : c'est bien elle qu'ils venaient prendre, et elle a senti que c'était grave car elle s'est débattue Nini, des griffes, des jambes et des cris, ils ont dû la soulever pour réussir à l'emmener, et comme elle gesticulait toujours, la cogner une ou deux fois, une femme se souvient du sang sur son visage, *C'est peut-être le nez, ou l'arcade*, murmure Marie-Thé, *ça saigne beaucoup mais c'est pas grave*, Jaja court à la caravane et frappe en appelant Ada.

Autour du feu, l'épouvante passée, le silence a fini par les reprendre. Elles sont là toutes les cinq, et le petit qui somnole. Prostrées et ressassant la scène qu'ont rapportée Marie-Thé et Jaja, essayant de comprendre – savent que c'est inutile, les raisons il y en a mille, et même s'il n'y en avait aucune, rien ne les empêcherait eux les gardiens, les salauds, sur une dénonciation, une rumeur, une erreur aussi.

Cela fait quatre heures, cinq heures et Nini-peau-de-chien n'est pas réapparue.

Cinq heures, ce n'est pas tant que ça ici, pense Moe en chauffant ses mains devant les flammes ; et comme pour lui répondre, Poule se gratte la tête en soupirant.

— Cinq heures, c'est énorme.

Les autres opinent.

— Il ne faut pas l'attendre ce soir, dit Ada.

— Tu crois qu'elle va revenir ?

La vieille hausse les épaules et Jaja renifle.

— Je vais l'attendre, moi. Je vais rester près du feu, toute la nuit s'il le faut. Si elle a besoin d'aide, je l'entendrai.

Ada secoue la tête, *Garde tes forces. Pour le jour*.

— Ça ne me fatigue pas de veiller.

Et pour la première fois depuis des semaines, Moe ne va pas travailler au milieu de la nuit. Elle est venue s'asseoir près de Jaja qui a fait un geste pour la renvoyer.

— T'es pas obligée.

— Je sais.

— Je suis pas d'humeur à causer.

— Je n'ai pas demandé à ce qu'on parle. J'arrive pas à dormir.

— Je comprends ça.

— Tu as idée de ce qui a pu lui arriver ?

— Ouais.

— À cause de ce qu'elle volait ?

— Bah, c'est un tout. Sans doute que ça faisait trop.

— Elle reviendra tu crois ?

— Je suis pas d'humeur, je t'ai dit.

— Alors c'est qu'elle ne reviendra pas. Vous le savez déjà, vous autres. Ce n'est pas la première fois que ça arrive.

— Ouais. Peut-être.

— Mais qu'est-ce qu'ils leur font ?

Haussement d'épaules, elle ne répondra pas davantage. Moe croise, un instant, le regard sombre de Jaja rempli des souvenirs des années précédentes et des filles disparues, et cela a beau être presque ordinaire dans cette ville aux lois indéfinies, elle devine que, chaque fois qu'une voiture est désertée, le même serrement se fait dans la gorge de ceux qui restent, et la même peur, à qui le tour, à se prendre à espérer tenir vingt ans comme Ada, triste ironie, quand la vie les agrippe. Alors elle s'enveloppe dans une couverture et contemple le feu en silence, songeant que Nini-peau-de-chien doit être loin à cette heure, ou déjà morte, et que le chemin de la ruelle s'estompe sans doute à sa conscience, mais il ne faut pas penser cela, pour laisser la possibilité ouverte, ne pas fermer la porte, de la même façon qu'elles ont posé une assiette de riz sur le banc comme si cela pouvait faire revenir Nini, une vaine supplique, un espoir, car vraiment, tout n'est pas encore perdu.

Moe s'éveille au moment où Jaja prend la casserole d'eau chaude pour arroser lentement le café. Le parfum rond des grains moulus lui donne un frisson de gourmandise, l'odeur humée à pleins poumons tant qu'elle flotte autour d'elle, et tant pis si c'est du robusta, elle a pris l'habitude de mettre du sucre. À voix basse :

— Elle n'est pas revenue ?

— Non.

Moe n'ajoute rien. Au fond d'elle, elle a déjà enterré Nini-peau-de-chien, parce qu'il n'y a pas d'autre explication.

*

Leurs pas approchent en rythme dans la ruelle. Aucune des filles n'a besoin de lever la tête pour savoir qui c'est.

— Partez, ordonne Ada.

Moe et Jaja s'éloignent pour aller travailler aux champs. Il est huit heures, lundi matin. Étrange semaine qui s'amorce. Moe a hésité à laisser Côme en ce jour bousculé : qui sait ce qui pourrait arriver, lorsque les équilibres se rompent, lorsque peut-être il y a des comptes à régler ? Mais Jaja l'a prise par le bras et elle a suivi docilement. Poule referme la porte de la roulotte sur l'enfant et elle dans un sourire fatigué ; Marie-Thé dort encore.

Le regard d'Ada les accompagne, Moe et Jaja, jusqu'au bout de la rue, le temps qu'elles croisent les gardiens, les yeux baissés, et que l'instant où quelque chose pourrait glisser se passe. Alors la vieille Afghane prend une inspiration, toute petite, invisible, une prise d'air bien solide qu'elle bloque dans son ventre et qui lui donne la force de ne pas trembler quand elle cloue sur place les deux hommes de ses yeux trop brillants en disant, comme chaque fois mais à voix basse :

— Le bonjour, messieurs.

Au même moment, mais personne n'est dans sa tête, Ada a pensé qu'elle aurait dû fouiller la voiture de Nini-peau-de-chien avant que les gardiens n'arrivent. Car c'est pour cela qu'ils viennent, forcément, ce n'est plus le moment des questions ni des doutes, et ils l'ont fait parler Nini, et à quel prix. Tandis qu'ils saluent en face d'elle, la vieille enrage, ne pas avoir prévu, elle s'en veut de cette erreur, savoir ce qu'ils vont trouver. Elle croyait avoir davantage de temps. N'ont pas traîné.

— On va perquisitionner la voiture, disent-ils.

Ada demande :

— Qu'est-ce qui s'est passé ?

Mais ils ne répondent pas, cette fois, répètent seulement. *On va fouiller la voiture. La 2164.*

Ada les accompagne dans la petite cour. Elle sent le regard de Poule derrière son dos, masqué par le rideau de la roulotte ; peut-être celui de Marie-Thé dont le sommeil a été troublé par quelque chose d'anormal, une tension soudaine, et qui l'a réveillée sans qu'elle s'interroge vraiment, le passage des gardiens, elles s'y attendaient toutes, au fond.

Ils ouvrent les portières, balayant le dessous des sièges de grands gestes, examinant le coffre, le capot aussi. Vérifient les garnitures – que rien ne soit caché derrière. Tout ce qu'ils trouvent, ils le trient en deux tas : sur le siège passager, les vêtements de Nini, quelques affaires anodines ; dans un carton qu'ils emporteront, du chocolat, des biscuits, des pots qu'Ada n'identifie pas, de la crème pour le visage ou des sucreries, ou des conserves, deux demi-bouteilles de vin blanc. Chaque fois qu'ils extirpent un objet avec une exclamation, la vieille Afghane pince les lèvres.

À la fin, ils s'appuient contre la voiture en contemplant le contenu du carton et en sifflant.

— Eh bien.

Et Ada croise les bras devant eux.

— Elle est où, la petite ? Qu'est-ce que vous en avez fait ?

Bien sûr qu'elle s'en doute. Mais de là à l'entendre, il y a un monde.

Qu'ils franchissent en quelques mots : Nini-peau-de-chien est morte.

En réalité, ils ne le disent pas de cette façon. L'un des gardiens prend un papier qu'il fait mine de lire, ou de vérifier, et il annonce :

— Occupante 2164. Décédée. Elle est décédée hier soir. Désolé.

Ada encaisse le coup sans frémir.

— Qu'est-ce qui s'est passé ?

Les vraies raisons et la véritable façon, ils ne lui diront jamais, elle le sait. Ils lui racontent que Nini volait dans les épiceries, cela faisait un moment qu'ils essayaient de la coincer ; qu'ensuite à l'interrogatoire ils ont voulu vérifier qu'elle agissait seule, pas un groupe organisé qui pourrait apporter de grands troubles dans la ville il faut les comprendre, mais c'est là que tout a dérapé, Nini-peau-de-chien les insultant et les frappant, ils ont dû se défendre – et puis, murmure Ada, elle était moins solide que vous pensiez, c'est ça ?

Se défendre de Nini-peau-de-chien. La vieille Afghane ne les croit pas, bien sûr. Qu'elle les ait griffés, qu'elle les ait mordus peut-être, et tapé des jambes. Mais après ? Ils étaient quatre au moins ; elle devait peser cinquante kilos fatigués. Ada se prend le visage entre les mains. *Par Allah.*

Et les gardiens répètent en baissant les yeux, un peu gênés : *Désolés.*

Ils prennent le carton. Le plus grand dit :

— On va surveiller un peu plus le quartier pendant un temps.

Ada tape du poing sur la caravane, pas très fort mais cela résonne sur la tôle de la voiture 2164, suffisamment pour qu'il sursaute.

— Pour quoi faire ?

— Au cas où.

— Si je peux me permettre : au cas où quoi ?

— Eh bien… s'il y avait du désordre.

— Vous avez dit qu'elle était morte. Vous savez bien qu'ici on oublie les morts en vingt-quatre heures.

— C'est la consigne. Des fois qu'il y aurait de la délinquance par chez vous.

— C'est stupide et inutile.

— Pas forcément ; voyez vous-même, elle volait et… vous ne le saviez pas.

Et vraiment Ada déteste le ton que prend le gardien en prononçant ces mots-là, *vous ne le saviez pas*, pas pour lui signifier qu'elle n'aurait rien remarqué mais bien qu'ils ne sont pas dupes, elle savait, Ada, et elle l'a caché, ou pas, elle s'oblige à se calmer, des sous-fifres, des pions, comment pourraient-ils avoir idée que.

Oui elle déteste cette menace.

Qu'il y ait de l'embrouillement chez elle dans sa ruelle, elle y met bon ordre, mais de la façon qu'elle décide. Et tandis qu'ils la contournent en lui souhaitant malgré tout une bonne journée, immobile, elle pense qu'il faudra remonter les bretelles aux autres filles le soir, pour avoir la paix, et que le monde file doux.

*

Sous surveillance : c'est ainsi qu'elle les a cueillies toutes au dîner, avec leurs mines accablées parce que la nouvelle s'est répandue dans toute la ville, c'est ce qu'elle leur a dit, les mettant en cause elles quatre, elle précise, elles cinq, mais vous savez ce qui est arrivé à la cinquième, et leurs visages se sont allongés encore.

Elles n'ont qu'à continuer, si elles cherchent les ennuis, et quand elle parle d'ennuis, des vrais, des grands, des qui font mal. Et à cet instant, Ada sait qu'elle est injuste parce que chacune fait au mieux en fonction de ce qu'elle est, de l'avenir qu'elle s'imagine, de ses capacités aussi, et au fond ce sont de braves gamines, toutes, mais voilà, il ne faut pas croire que Nini-peau-de-chien a encaissé pour tout le monde et qu'elles seront tranquilles dorénavant, car c'est l'exact inverse, et elle répète les mots, *sous surveillance*.

Avant qu'elles ne baissent le regard en face d'elle, elle a surpris les lueurs sur les pupilles, elle les connaît si bien, la colère, l'amertume, l'incompréhension, le chagrin, combien de fois elle aussi a-t-elle tué cette petite lumière au fond de ses yeux, pour des motifs qui ne la concernaient que de loin, parce qu'elle le devait, parce qu'il faut bien vivre. C'est cela qu'elle leur rappelle, avec son air sévère et ses sourcils froncés, plantée devant les filles le nez par terre et le petit qui tend les bras vers elle en gazouillant, d'habitude elle va à lui, il ne comprend plus. Ada s'efforce de rester impassible et méchante, *Vous entendez*, dit-elle.

Elle rentre dans sa caravane, les laissant seules autour du feu. Dieu qu'il fait froid. Elle met ses mains au-dessus de la chaufferette, son corps grelotte par en dessous, et ses pieds gelés, combien de temps cela durera-t-il encore, elle l'ignore, ignore aussi si c'est à l'hiver qu'elle pense ou à cette vie-là, lorsqu'elle murmure pour elle-même : *Il faut que ça s'arrête*, cela fait mille fois qu'elle se pose la question, si elle agit bien ou si elle agit mal, et la réponse est toujours la même, il faut que ça s'arrête.

*

Devant le feu, les filles chuchotent entre elles à voix basse. Ada n'a pas besoin de les entendre pour deviner ce qui les anime : la mort de Nini-peau-de-chien, quelques souvenirs ravivés et quelques jugements, avait-elle raison ou tort Nini, à vivre ainsi sans se soucier – et puis la peur, sa dureté à elle Ada quand elle leur a parlé à la fin du dîner, encore un peu plus d'accablement dans ces existences déjà si pesantes.

Elle espère que Moe prendra tout cela comme un avertissement, trop de choses la rapprochent de Nini, elle se tient en équilibre instable, sur le fil, à savoir de quel côté elle tombera – puisqu'elle finira forcément par tomber. Pas un instant elle n'imagine que c'est le contraire qui est en train de se construire à toute allure dans la tête de Moe, tandis qu'elle écoute les filles autour d'elle, et elle, à faire semblant de leur répondre parfois, son esprit virevolte ailleurs, déconcentré par un sentiment de danger imminent, elle était si souvent avec Nini-peau-de-chien, elle est forcément dans la ligne de mire. Et elle ne saura jamais pourquoi Nini s'appelait peau-de-chien, elle qui avait toujours écarté la question en riant, *Tu verras quand je te raconterai mon histoire*, mais l'histoire ne sera pas dite, et si elle demandait aux filles à présent, cela passerait pour une curiosité déplacée, voilà elle doit s'y résoudre, elle n'aura pas la réponse, c'est étrange de penser à ce détail à ce moment-là, quand il y a tant de choses plus importantes.

Partir. D'abord à cause du cercle qui se referme lentement sur elle, Moe le sent, à la fois qu'elle s'enfonce dans des activités risquées et qu'elle laisse des indices partout, trop insignifiante pour qu'on la sauve, et puis parce que l'enfant est toujours malade, la fièvre ne le quitte pas, elle s'est mis dans la tête que si elle le sort de la ville elle trouvera un médecin et il guérira, enfin il faut qu'elle s'en aille, tout s'imbrique dans son cerveau excité par la peur. Oui elle sait comment. Jeudi.

Encore trois jours.

Surtout, n'avoir l'air de rien.

*

Pas d'enterrement pour Nini-peau-de-chien : la ville n'a pas de cimetière. Et pourtant il en meurt du monde, ici, et c'est la raison sans doute, car aujourd'hui il faudrait davantage de place pour les morts que pour les vivants ; comme partout, a murmuré Jaja, et elle a ouvert les cinq doigts de la main gauche et trois de la main droite, huit en tout, elle dit, quatre-vingts milliards. Depuis le début de l'humanité il y a eu près de quatre-vingts milliards de morts, dix fois plus que le nombre de vivants à l'heure actuelle sur la planète entière. *Où t'as appris ça*, soupire Marie-Thé. Jaja hausse les épaules. Qu'on brûle les morts la plupart du temps, cela ne la choque pas, la terre doit rester aux vivants.

Alors on a brûlé Nini, pense Moe.

Puisque tout retourne à la poussière.

La ville n'a pas de cimetière, pas de processions, pas de tombeaux descendus dans de grandes béances et que l'on referme avec un bruit de pierre. Et pourtant les familles se rassemblent, ou les amis, et tous ensemble pleurent des disparus en chantant des tristesses, on les entend souvent passer dans les rues et les embouteillant de leur lenteur et de leurs litanies. Oui mais. On fait comme si. On fait sans les corps.

Parfois des parents enterrent leur enfant en cachette, tant l'idée de ne pas avoir un endroit pour la mémoire leur est insupportable, un lieu où se recueillir, où se retrouver. Ils les enterrent et posent une pierre ou une tablette d'argile gravée de quelques mots, d'une croix, d'une étoile à six branches ou d'un croissant. Les gardiens le savent, laissent aller ; non que ces épouvantes-là respectent quoi que ce soit, mais il y va de la paix de la ville, et leur silence vaut accord, tant qu'on ne triche pas pour y mettre autre chose. Il paraît que l'amont des berges de la rivière, là où on ne cultive plus à cause des falaises qui remontent, est parsemé de petits cadavres.

Moe partira, elle l'a décidé d'un coup à la mort de Nini-peau-de-chien. Ce qu'il faut, c'est les prendre de vitesse. Les embrouiller.

Qu'au moment où ils la croient accablée ou apeurée, elle soit déjà loin. Avec du fric plein les poches.

C'est de la folie mais c'est tout ce qu'elle a trouvé.

*

Mardi après-midi, dans les champs, une migraine la terrasse.

— Rentre, ordonne Jaja en la voyant chanceler au bout d'une heure à retourner la terre pleine d'eau. Tu ne vaux rien ici.

— Je suis désolée.

— T'inquiète. On se retrouve ce soir. Ada va te soigner ça.

*

Alors Moe court dans les rues, le sang lui bat aux tempes. Elle pousse la porte du bâtiment d'administration, attend qu'on veuille bien la recevoir. Explique. On ne la croit pas, on comprend mal ce qu'elle demande. *C'est pour quoi ?* répète la femme en face d'elle, les sourcils froncés dans un effort d'attention.

Trop nerveuse, Moe. Ils vont se poser des questions. Elle inspire profondément. Souris, merde ; avec un sourire, ça passe toujours mieux. Elle reprend.

Quand elle sort un peu plus tard, elle a son rendez-vous inscrit sur une carte, qu'elle plie en deux pour la mettre dans la poche de son jean. Jeudi à dix-sept heures. Le dernier créneau de la journée. À cette époque de l'année, il fera nuit, cela l'arrange, elle repense à la femme dans le bureau qui a voulu savoir si cela ne l'effraierait pas de partir toute seule, après. Elle a dit que quelqu'un l'attendrait. Son cœur bat déjà fort. Peur ? Pas même.

Quelque chose d'infiniment plus énorme et plus terrifiant.

*

Assise le soir dans sa voiture, elle compte les billets sortis du volant, additionne. Loin de ce qu'ils exigent pour quitter la ville. Mais jeudi, elle aura l'argent. Jeudi, elle transporte. Comme d'habitude, elle prendra le paquet vers seize heures ; ensuite elle revient à la ruelle, traîne, attend le moment, la nuit presque, pour l'échange du côté des grilles. Brouille les pistes. Si on la suivait, qui pourrait dire qu'elle cache quelque cinquante mille euros sur elle chaque fois ?

Cinquante mille euros pour le petit et elle. L'argent du trafic de tout le quartier nord.

Oui, pour eux deux. Il faut qu'elle ait le cran de le faire.

Et elle répète en silence les étapes dans sa tête, pas qu'elle oublierait, mais pour inscrire la nécessité, fort, une tension qui lui fait plisser les yeux. Prendre le paquet. Vaquer comme toujours, l'air de rien. Un peu avant dix-sept heures, sur le chemin qui mène aux grilles – mais elle n'ira pas aux grilles. Bifurquer. Vite. Entrer dans le bâtiment administratif où ils ont préparé les documents pour sa sortie. Donner l'argent demandé (le reste, elle le sentira palpiter contre son ventre, priant pour qu'on n'entende pas le froissement des billets dans le plastique). Signer. Et partir, tout de suite. Directement de l'autre côté. Elle recommencera à respirer quand le portail en métal se sera verrouillé derrière elle, car alors seulement elle se saura hors de portée, ils pourront bien se jeter contre les barreaux, tendre leurs bras pour la saisir et l'égorger, ils ne pourront plus rien, et elle détalera en tenant l'enfant contre elle, un grand rire au fond de sa gorge, des larmes de joie, enfin, retrouver la ville, la vraie, un arrêt d'autobus, ils iront droit à l'aéroport, tant pis s'il faut y dormir une nuit.

Elle tient Côme dans ses bras. Voudrait gueuler à pleins poumons : *Partir, je te dis !* Peut pas : il y a les filles autour d'eux. Ça bout dans son ventre.

Jeudi, déjà.

Elle laisse toutes ses affaires dans sa voiture.

D'abord pour ne pas attirer l'attention, et puis parce qu'elle veut oublier la Casse, sa misère, ce qu'elle a dû consentir pour s'en sortir. Elle rachètera tout, une fois là-bas. Neuf, propre, coloré. Plein.

Surtout ne pas avoir le moindre geste qui déroge aux habitudes. Éteindre son regard qui la trahit, à se demander si on l'épie, à penser au lendemain, à des milliers de kilomètres ; elle se fait les paupières basses, tant de lassitude en elle, n'a presque pas besoin de se forcer. Ou plutôt si, car ce damné cœur bat toujours la chamade, comme le jour où elle est rentrée de la cueillette en ayant pris la décision d'empoisonner l'enfant pour en finir elle et lui, malheur, si elle avait été jusqu'au bout. Elle garde ses mains sous ses cuisses pour les empêcher de trembler, assise devant le feu, le dernier thé, elle est la seule à savoir. Rien ne se voit, elle en est certaine. Comme les autres filles, elle porte un blouson épais à cause du froid. Et elle, en dessous, ce grand pull lâche qui cache l'argent étalé dans une poche plastique qu'elle a serrée sur son torse et son ventre avec des ficelles.

Contre elle, Côme finit un biberon de bouillie. Est-ce que Poule lui manquera ? Ou Ada, à qui il tend un sourire inlassablement, dès qu'elle apparaît dans son champ de vision, avec des cris de joie droit sortis de son petit cœur naïf, ce n'est pas ça, le bonheur, elle voudrait lui dire, il se trompe, et elle se tourne un peu pour qu'il ne voie plus l'Afghane, pas ça le bonheur. Et elle Moe, qui les quitte en douce, les autres filles, quand elle voulait les sauver avec elle, Jaja et son énergie farouche, Marie-Thé qui l'a rattrapée quand elle allait abandonner l'enfant, Nini et sa place vide, grâce à elle l'argent, et la drogue, tout ce qui lui permet de filer aujourd'hui, Nini dont elles ne pleurent pas la mort même si elles ne cessent de parler d'elle cet après-midi autour du feu, encore une fois pour le dernier thé.

Seize heures trente. Elle dit : *J'y vais*.

Comme chaque semaine. Elle n'a jamais précisé où ni à quoi, et les filles ne l'ont jamais demandé. Elle pense : *Voilà, c'est en train de se faire, rien n'a changé et tout va changer*. En silence, elle les salue une à une.

Quand elle passe entre elles pour remonter la ruelle, Ada remarque les traces de sueur sur son front, ses yeux légèrement agrandis par l'anxiété.

*

Il pleut et la lumière commence déjà à baisser dans le ciel. Des jours parmi les plus courts de l'année, tant mieux – Moe glisse dans les rues et personne ne la remarque, le monde assis au bord des voitures la rassure, elle n'est pas seule, leur présence la protège. À dix-sept heures trente, Jonas et les autres sauront qu'elle n'est pas venue au rendez-vous ; il faut que la femme de l'administration soit à l'heure. Très exactement à l'heure.

Cinq cents mètres. Tourne à droite. À présent, tout se joue.

Son souffle court.

Dieu que Côme pèse dans ses bras. Jamais il n'a été si lourd. Ou alors c'est sa respiration à elle, et ses muscles qui se tétanisent sous l'effet de la peur, comme dans un mauvais rêve, pour s'encourager elle passe une main sur la poche qui contient les quinze mille euros pour sortir, elles auraient pu partir à trois filles, quatre peut-être, en comptant l'argent de Nini caché chez Ada, mais Moe ne pouvait rien dire, trop dangereux, trop risqué, et s'il avait fallu en laisser une sur place, laquelle ? Elle marche de plus en plus vite. Elle retournera les chercher, après. Quand elle aura mis le petit à l'abri. Mais les larmes lui brûlent les yeux : bien sûr qu'elle n'en fera rien. Elle ne reviendra jamais.

Trois cents mètres.

Ou elle enverra quelqu'un avec l'argent. Au moins pour Ada. Ou Poule. Ou Jaja, ou Marie-Thé. Elle ne sait plus.

Deux cents mètres.

Vrai, elle est sauvée : au coin de la rue suivante, elle voit le bâtiment gris. D'un coup, un sourire l'illumine. Elle serre Côme contre elle. *Regarde.*

Elle court. Elle ne devrait pas. On l'observe machinalement, elle s'en moque, elle est trop près maintenant, rien ne l'arrêtera.

Sauf le cri.

— Moe !

Et elle se fige un instant, très peu, le temps que la terreur lui saute au cœur, elle a reconnu la voix tout de suite et elle se jette en avant, il reste si peu à faire, elle pousse un hurlement, entend encore :

— Moe ! !

Alors ils se déplient devant elle, autour d'elle. Cinq hommes. Et derrière, Jonas, dont la voix l'a arrêtée net il y a une seconde. Ils sont là, tout près. S'ils faisaient quatre ou cinq pas, ils la toucheraient. Et à cet instant où la liberté est à quelques mètres, où il suffirait d'une brèche dans le destin, elle se demande par quelle folie elle a cru qu'elle n'était pas surveillée, persuadée que Jonas avait confiance, mais la confiance cela n'existe pas ici, sauf peut-être elles six dans la ruelle, et depuis hier elles cinq, est-ce qu'Ada ne lui avait pas dit de prendre garde, qu'elle ne pourrait bientôt plus rien pour elle Moe, et le petit qui est dans ses bras et qui a ouvert grand les yeux en entendant son cri à elle, mon Dieu le petit, oui à cet instant-là, quand le chemin est coupé devant et derrière, elle sait qu'ils vont mourir.

*

D'abord ils ont couru vers elle et elle a levé sa main libre pour protéger Côme, qu'elle a failli lâcher quand ils ont ouvert son manteau et qu'avec un couteau ils ont tranché les ficelles qui tenaient la pochette pleine d'argent en arrachant le plastique. Jonas a hurlé.

— Tu me prends pour un con vraiment ?

Et elle a regardé sans rien dire l'argent qui s'envolait, qu'ils reprenaient en quelques secondes, mais cela n'avait pas tant d'importance, rapport à la peur qui montait en elle, parce que ça n'en resterait pas là bien sûr, perdre l'argent ce n'était rien, ils allaient faire autre chose, ils allaient la punir. Elle a commencé à supplier en reculant.

Mais cela ne peut pas finir comme ça, même si elle l'espère en demandant pardon d'une voix aiguë transcendée par l'épouvante, et elle les voit s'avancer, l'encercler, et rire.

D'abord elle a cru que c'était de l'eau, et elle a regardé autour d'elle sans comprendre, les six hommes, l'un d'eux avec un bidon rouge, et derrière eux les gens qui tendaient le cou pour voir, effrayés et dévorés de curiosité à la fois, pauvre humanité, et Moe a crié : *Au secours ! Au secours ! !* – personne n'est venu, pourtant elle a vu du mouvement, des habitants qui couraient, des éclats de voix superposés aux siens.

Et puis l'homme de Jonas a balancé du liquide vers elle et elle a reconnu aussitôt l'odeur sur ses jambes, âcre et forte, a tourné le dos pour esquiver le jet suivant. De l'essence. Elle a compris dans une fulgurance, s'est mise à hurler. N'a plus qu'une idée soudain, urgente, impossible, elle leur tend l'enfant dans une prière :

— S'il vous plaît. S'il vous plaît…

Mais ils ne répondent que par des insultes et des rires encore, l'aspergeant une nouvelle fois au ventre, un espoir gigantesque quand l'un d'eux dit : *Et le mioche ?*

Mais Jonas secoue la tête, *Qu'ils crèvent tous les deux, c'est rien que des bâtards, c'est de la merde tout ça*, et un des hommes s'énerve auprès d'un autre.

— Magne-toi, quoi, on va pas y passer la nuit ! Y a les pouilleux qui bougent.

Les habitants de son quartier. Dans une sorte d'état second, le souffle coupé par la peur, Moe les aperçoit qui arrivent en groupe, les entend brailler, et Jonas est nerveux, engueule ses gars, ça ne va pas assez vite – Moe bat des pieds pour les empêcher de s'approcher, essaie en vain de renverser le bidon d'essence, poussant un long cri strident, et Jonas aboie un ordre :

— On dégage ! Allume, Fifi, allume !

Alors l'homme pousse Moe et elle tombe avec l'enfant, sent ses coudes heurter le sol pour protéger sa tête à lui, ses cheveux légers de bébé qui sentent le miel et l'essence, elle s'arrache la peau, s'en moque, les yeux rivés aux hommes campés près d'elle. Soudain elle voit, et cette fois elle hurle à déchirer les tympans et les âmes de la ville entière, animale, désespérée, ses mains autour du petit Côme, quand l'allumette s'enflamme et qu'il la lance vers elle, et qu'elle entend le souffle du feu prenant comme un brasier géant autour d'elle, faisant exploser le bidon encore plein, les premières brûlures la relèvent dans un mugissement, et les pleurs de l'enfant au milieu des flammes qu'elle projette le plus loin possible en implorant encore une fois, dans une plainte inhumaine, *S'il vous plaît…*

*

Et ce dont elle se souviendra sera si peu de chose.

La confusion des voix alors que, elle le sait, Jonas et ses hommes sont partis en courant, et ce sont les autres qui s'avancent, les habitants du quartier venus trop tard, alors qu'elle se tord déjà sur le sol – leurs cris à eux, appeler les secours, aider, donner des avis rapides, des contrordres, et enfin le rugissement derrière, le seul qu'elle reconnaisse, quand Jaja s'élance et les inonde d'eau elle et l'enfant, si tant est que la petite forme immobile allongée là-bas soit l'enfant – et cette eau-là la saisit plus fort encore que les flammes, solidifiant les coulures de feu et de coton comme des griffes dans les pores de sa peau, un immense chuintement qui pourtant l'apaise, un instant, après quoi la lumière disparaît, Moe ne brûle plus, elle se consume, son cri encore, terrifiant, et puis il fait nuit dedans ses yeux, la dernière chose qu'elle perçoit, c'est la voix près d'elle qui lui dit quelque chose et à laquelle elle essaie de répondre, la bouche ouverte sur le nom de Côme, elle n'y arrive plus, ne comprend pas les mots, trop mal, trop fort, et la voix est partie.

Oui ce dont elle se souviendra avant tout, c'est la douleur.

Celle de la brûlure, des vêtements fondus sur son corps, de ses cheveux qu'elle entend grésiller en se roulant par terre pour essayer d'arrêter les flammes, des mains qui ne peuvent plus rien arracher, il n'y a plus d'ongles, et plus de peau.

Et celle de la dernière pensée avant de sombrer dans des ténèbres effrayantes : et l'enfant.

TROIS

Mort.

Mort, le petit ! Plus rien. Le néant. Une poussière envolée, une cendre, une larme.

Il n'y a plus d'enfant.

Il n'y a plus de mots.

Que le vide et l'absence, et des bras qui jamais ne se refermeront, vains, vacants, ballants, des bras inutiles, écorchés vifs, pour le petit Côme disparu, envolé dans le ciel.

Non, plus d'enfant.

Un rêve, une image. Une sensation comme si. Mais pas en vrai : en vrai, l'enfant n'est plus.

Douleur sidérante.

Et elle.

Elle qui respire encore, la traîtresse. L'assassin.

Elle derrière les tubes et les pansements, qui vit, qui tremble si fort, mais ce n'est pas le choc ni même la souffrance. Seulement la pensée immense et confuse qu'elle n'a pas su le protéger.

Oui elle qui vit, l'ordure, la folle, qui l'a sacrifié sans réfléchir, qui a cru que.

Et lorsque tout est trop tard, cela sert à quoi, d'avoir cru ?

Ignoble, haïssable, misérable. Voilà ce qu'elle est.

Une non-mère avec un enfant mort.

Avec un enfant mort, cela veut dire sans rien. Rien du tout.

Rien au monde.

Et si seulement elle pouvait échanger leurs places. Mais cela ne marche pas comme ça, la vie. Ça reste comme c'était.

Lui l'enfant, mort.

Et elle l'assassin, ici.

Couchée dans une chambre d'hôpital avec ses poumons brûlés qui n'arrivent plus à respirer et ces bruits de gorge terrifiants dans les machines à chaque impulsion de son cœur. Faites que les machines s'arrêtent.

Moe crie.

Un gargouillis, un étranglement. Elle s'étouffe. Des infirmières accourent.

Elle ne peut pas parler.

Essaie avec les yeux.

Une prière.

Où est-il ?

Le voir encore une fois. Savoir.

Mais non.

Personne ne lui dit. Personne ne lui dira. Pire : quand elle arrivera enfin à prononcer quelques mots, les infirmières la regarderont étonnée parce qu'elle a été amenée seule.

Pas d'enfant. Pas de Côme.

Jamais sorti de la Casse.

Ils l'ont laissé là-bas. Peut-être même qu'ils ne l'ont pas vu.

Moe pense à la petite forme muette étendue dans la ville, plus loin sur la terre où elle s'embrase. Son cœur se soulève. Bien sûr qu'il n'y a pas d'enfant.

Son enfant.

Sa petite lumière morte.

Quatre mois pour revenir à la vie.

Un espace de temps énorme, quatre mois, et pourtant si court.

Au bout de quelques jours, les médecins savaient qu'elle s'en sortirait.

Tout juste.

Mais cela n'a pas de sens à ce moment-là pour elle. Simplement cela n'en finit pas.

La souffrance, à préférer mourir. Si elle avait le choix, Moe.

*

Coma des premiers jours. Ils la gardent endormie à cause de la douleur. Ils ont découpé chaque morceau de peau brûlé – découpé avec des ciseaux, comme ils l'auraient fait d'une guirlande en papier, un peu ici, un peu là, un peu partout –, nettoyé son corps entier, surveillé l'œdème qui la gonfle tel un cadavre repêché après trois jours dans l'eau d'une rivière. Sa chair n'est qu'une immense exsudation jaune et blanche, le dos, les jambes, le ventre. Les bras qui tenaient Côme.

Peut-être parce qu'elle s'est débattue, ou parce que l'arrivée des habitants de la Casse a empêché Jonas et ses hommes de la brûler tout à fait, son visage est préservé, hormis ses cheveux, coupés ras par les infirmières, et une plaie qui lui monte de la poitrine jusqu'au cou, léchant le bas de sa joue tel un étrange tatouage. Ce qui inquiète le plus les médecins, c'est sa respiration. Les machines l'assistent comme un double : second cœur, seconds poumons. Moe n'a plus de conscience, elle flotte dans une sorte d'ailleurs, ne sent plus rien, pas même la morsure des plaies effrayantes ; elle se souviendra seulement qu'elle a eu froid, dépouillée de l'enveloppe de son corps, ouverte au moindre passage d'air, à la moindre infection. Elle pourrait être morte que la différence en serait si ténue.

Mais ils la réveillent au huitième jour : alors, malgré la confusion et la somnolence où la tient la morphine, commence la véritable douleur.

Celle de la peau qui s'est recroquevillée, sèche comme du carton, là où le feu s'est ancré le plus durement, blanche et cloquée ailleurs, soixante pour cent du corps brûlé, elle est passée à deux doigts Moe, et quand elle a retrouvé un peu de raisonnement, elle a pensé, *Deux doigts de quoi*, si elle avait pu être délivrée enfin, car lui a-t-on demandé son avis – mais les médecins ne l'entendent pas, la regardent comme une sorte de prodige à vif, une victoire effarante de la science sur la mort, et elle ne sait plus de quel côté est la pire barbarie, celui des fous qui l'ont arrosée d'essence ou celui des blouses blanches qui l'obligent à persévérer avec cette douleur insoutenable, ce corps qu'elle n'osera plus jamais contempler dans un miroir elle en est sûre, et cette volonté qu'elle a tournée vers un unique objectif dans la chambre stérile où tout va au ralenti : arrêter de vivre.

Ils répondent que c'est normal. Le choc, la réaction, le contrecoup, la souffrance à l'extrême limite, et ces dizaines de pansements posés sur l'absence d'épiderme, la peau prise aux quelques endroits où l'on pouvait en prélever pour l'étirer et la percer, lambeaux appliqués sur les plaies, elle écoute les mots, autogreffe, maillage, brûlures au second degré profond et brûlures au troisième degré, culture de cellules, ils vont la garder près de deux mois en soins intensifs, en chambre stérile, elle sait qu'elle n'a plus d'empreintes digitales, le feu a dévoré le bout de chacun de ses doigts, elle n'est plus personne, cela ne lui fait rien.

La fatigue l'anéantit, et les multiples infections sur son corps sans défense, traitées à doses massives d'antibiotiques. Si elle avait la force, elle s'enfuirait pour aller mourir roulée en boule dans un coin de forêt, elle ne veut plus qu'on la touche, ni qu'on la soigne. La chambre est d'une laideur triste, pas une photo, pas une image, pas une couleur. Le lit, les machines et elle. Pour passer les journées, seule derrière la vitre, elle contemple le tensiomètre, les sondes, les perfusions. Les infirmières et les médecins – mais elle ne les regarde jamais totalement, reste en dehors du monde, en dehors des êtres qui n'ont pas d'importance.

Alors elle se tourne quand ils entrent, baisse les yeux sur son corps enveloppé de compresses, la plupart du temps elle ne dit rien, une seule chose existe, l'absence, et ses mains ouvertes parce qu'il n'y a plus d'enfant à caresser.

Quand les larmes coulent le long de ses joues, les infirmières lui demandent ce qu'il y a.

Elle ne répond pas.

Parce qu'il n'y a rien.

*

Certains jours, la douleur est telle qu'ils sont obligés de donner des sédatifs à Moe quand ils la soignent ; ou quand ils ponctionnent de la peau saine pour une nouvelle greffe ; quand elle se réveille, même, et elle prie pour s'endormir définitivement, tout courage disparu, tout désir anéanti, quand elle sanglote les larmes lui ravagent le visage, la brûlant aussi fort que le feu. *Il ne faut pas pleurer*, dit l'infirmière, *vous allez vous en sortir*, mais s'en sortir sans le petit Côme, elle refuse, n'a jamais demandé – supplie qu'on l'abandonne.

Oui ces jours et ces nuits de grande douleur où le corps et la peau sont relégués loin dans la conscience de Moe, toute la place est pour l'enfant qu'elle n'a pas pu sauver malgré ses bras serrés autour de lui – mais ce ne sont plus des bras, ce sont des cordes pour le pendre, des couteaux pour l'égorger, et elle ses mots pour le rassurer, un piège qu'elle lui tend. Se pardonner de cela, pense-t-elle.

Pas.

Jamais.

Rendez-moi mon petit. Que cela soit impossible, elle le refuse. Propose tout en échange, sa santé, son âme, sa vie. Tout. S'humilier devant un Dieu qui ne l'écoute pas : l'enfant ne revient pas. Seules les dernières images, dans la rue où ils se sont fait rattraper.

L'odeur, est-ce qu'elle ne s'en souvient pas, cette affreuse odeur de brûlé : à présent elle sait il n'y avait pas qu'elle, ose à peine se le dire, qu'ils étaient deux à se consumer ensemble, à tenter de respirer, de vivre encore, de toutes leurs forces malgré les flammes et l'air suffocant. Si elle avait su.

Si elle avait pu : le confier à quelqu'un avant. Le lancer plus loin, hors d'atteinte de l'embrasement quand l'allumette a touché l'essence, bien sûr il se serait fait mal, aurait pleuré jusqu'à ce qu'une femme l'entende et le console, qu'importe. Serait vivant.

S'il vous plaît.

Où est-il son petit, tandis qu'elle se débat dans un air sans air – est-ce que quelqu'un l'a ramassé dans la rue, est-ce qu'ils ont fini de le brûler pour mettre ses cendres dans un pot d'argile, l'ont-ils laissé là parce qu'ils ne l'ont pas remarqué, parce que cela aurait tout aussi bien pu n'être qu'un vêtement calciné, et que les habitants aient marché dessus le lendemain, l'aient repoussé du pied au coin d'un bâtiment jusqu'à ce que, des semaines ou des mois plus tard, la chair se fonde à nouveau dans la poussière, et ce serait l'ordre des choses, elle s'accroche à cette idée-là, Côme enveloppé par la terre, bercé par elle tandis que la souffrance et le chagrin se suspendent, il faut que cela ait été ainsi, il faut qu'il ait trouvé une place ailleurs que dans le feu et les ténèbres.

Moe ne veut pas se réveiller, pas être sauvée. Dans son sommeil elle hurle, *Pas. Pas, pas ! !*

Son corps blanc et brun est couché comme un cadavre, les mains étendues le long des hanches. Rien ne bouge. Rien ne tressaille. Il n'y a qu'à l'intérieur que tout se bouscule : la douleur est telle qu'elle remue chaque parcelle de chair, la consume, la recroqueville sur elle-même dans un cri muet, et Moe ouvre la bouche, l'absence lui coupe le souffle. De dehors, elle ne pleure plus ; il n'y a qu'au fond du cœur et des entrailles que les larmes se déversent sans relâche, l'épuisant peu à peu, révélant leur présence dans la sueur qui lui perle au visage et sur tout le corps, et pourtant elle a froid Moe, une sorte de glace qui l'a prise dans les os en même temps que l'évidence, Côme ne reviendra pas, pas du tout, celui qui est là n'est pas vrai.

Car pendant des jours, il se tient avec elle, toquant à la porte quand elle étouffe ses pauvres gémissements, emballant d'un coup le scope qui mesure sa fréquence cardiaque. Assis sur les draps blancs, il l'observe, et elle entend ses bavardages sans mots et ses petits rires heureux, voit ses mains qui font des moulinets, et sans doute voudrait-il qu'elle s'attache à ce qu'il essaie de lui montrer mais elle ne regarde que lui, les yeux agrandis par un bonheur brisé d'avance et la terreur que son image ne s'efface – alors il glousse et roucoule, tend ses bras ronds, et à ce moment seulement Moe fait un geste vers lui, pour avoir l'impression de le toucher, sa peau claire de bébé et le parfum de ses cheveux, elle ferme les yeux, incapable de s'empêcher de sangloter, quand elle les rouvre l'enfant est parti, laissant place à une plainte feutrée, *enfant, enfant*.

Il est au bout de son lit chaque fois qu'elle s'éveille ; chaque fois, son cœur à elle fait un bond, comme si le cauchemar avait enfin cessé. Il lui faut plusieurs secondes pour se souvenir que c'est Côme le rêve, et non les mois qui ont précédé, la course dans la ville, l'essence, le feu, oui toute la beauté et la joie ne sont qu'un leurre, et le poids revient au creux de son ventre, l'immense déception, en face d'elle l'enfant continue à sourire et elle le regarde les larmes aux yeux, gorge nouée, alors ce n'est qu'un fantôme.

Une illusion, un espoir insensé que sa tête a construit pour essayer de souffrir un peu moins, et tout en elle se tend afin de prolonger le mensonge, morphine, médicaments en surdose, fatigue elle s'en moque, elle l'attend son petit, n'ouvrant les yeux qu'après avoir supplié qu'il soit là encore une fois et caressé sa joue de ses doigts sans peau, cela ne la gêne pas de vivre dans une prodigieuse tromperie, il est assis avec elle, et bavarde, et rit, le reste n'importe pas.

Quand les médecins entrent dans la chambre, Côme s'en va. Il marche tout seul, hésitant, et Moe voudrait s'amuser de sa démarche précautionneuse, il a presque un an à présent, voilà, à un an les bébés se mettent à marcher, elle le regarde s'éloigner, se penchant par le côté des infirmières jusqu'au moment où il disparaît tout à fait, et s'il n'y avait le serrement de son cœur elle serait presque heureuse, et s'il n'y avait les nuits de solitude, où sa conscience aiguë lui répète qu'en vrai, l'enfant n'est plus là.

Mais elle s'en moque, de la vérité.

Peu à peu, les plaies cicatrisent – douloureusement, avec des infections qui font mal. Moe écoute avec terreur les médecins la féliciter. Comme si elle faisait exprès : car elle ne veut pas guérir, jamais, ne pas se remettre de cela. Mais contre elle, contre sa volonté farouche, son corps se referme lentement, son esprit se réassure. Et de jour en jour, l'enfant s'atténue.

Bientôt elle ne distingue plus bien son visage. Il reste moins longtemps, babille moins fort. Elle a beau plisser les yeux, il s'efface. Elle supplie pour qu'on augmente les doses de morphine qui l'avaient fait apparaître, n'aspire qu'à le retrouver chaque jour, ment frénétiquement en soutenant que la douleur est revenue de plus belle : les médecins refusent, craignant une accoutumance. Alors elle gratte furieusement ses plaies pour les rouvrir, malgré la souffrance comme des coups de poignard ; on doit la mettre sous calmants. Entre deux somnolences, elle appelle l'enfant. Les infirmières ne supportent plus ses cris d'animal blessé, ses longues plaintes qui lui abîment la gorge. Un après-midi, elle rêve que le petit Côme vient la chercher ; persuadée qu'elle va mourir cette fois, elle patiente avec un sourire. Quand la porte s'ouvre parce qu'il faut changer les pansements, elle s'effondre.

Comment expliquer le néant qui habite Moe alors que les autres s'acharnent à la faire vivre, le dégoût de tout, les nausées chaque matin à l'instant où elle s'éveille et se rend compte que son existence se poursuit, tout en vaillance et en fureur, malgré les prières forcenées pour en finir, mais ce corps qui ne se rend pas, elle le hait de toutes ses forces, tente de le consumer par la pensée, sanglote dans des hoquets, rien n'y fait. Elle ne mange plus : on la perfuse. Ne se lève plus : on l'emmène en fauteuil roulant. Elle alterne entre rage et désespoir, refuse les tranquillisants qu'on ajoute alors dans les piqûres, et elle maudit les médecins à travers ses larmes, qui l'obligent à vivre, invoquant leur métier et leur vocation comme une excuse. Elle trouve l'énergie de leur cracher des insultes ; quand ils parlent de la sauver, elle répond, haletante, qu'ils ne savent que s'acharner.

Mais qu'elle le veuille ou non, la chair cicatrise et Côme a disparu.

Oui un jour elle a beau attendre, implorer, mugir enfin – l'enfant est parti tout à fait.

Plus tard peut-être.

Mais il ne revient pas.

Elle ne lui a même pas dit au revoir.

Reviens.

Mourir – mais la mort ne veut pas d'elle, de moins en moins, à mesure que la peau se régénère et que les cicatrices cessent de puruler.

Moe tout entière n'est qu'un étrange cri de douleur qui se calme peu à peu, d'un côté l'âme qui sombre et de l'autre le corps qui guérit, et peut-être est-ce ce qui la révolte plus que tout, elle ne veut pas que le temps la guérisse, repliée sur son chagrin comme sur un ultime trésor, tordue, recroquevillée, si elle se redresse, elle ira mieux elle en est sûre – veut pas. Elle met deux semaines à déplier complètement ses jambes et ses bras quand on commence à la faire marcher, tant elle se tient courbée sur son propre corps, les yeux au sol, surtout ne pas regarder le monde sans l'enfant, car ce n'est plus le monde, un mensonge, un simulacre, quelque chose qui ne mérite pas qu'on le contemple, ni même qu'on le nomme. Il n'y a plus de monde.

Dans la chambre de convalescence du bâtiment voisin où on la déménage un matin, le temps s'étire. La souffrance est la même mais les soins s'amenuisent. Sans morphine, la douleur a repris possession de sa chair et la lacère. Les premiers mois, les greffes ont tendance à rapetisser ; Moe se débat avec la sensation étouffante d'habiter un corps trop petit pour elle, la peau neuve et enflammée en permanence, souvent elle se réveille la nuit en criant, persuadée qu'elle brûle encore. Elle tâtonne avec cette chair qu'elle découvre et qui lui fait mal partout. Dort par tranches de douleur, une demi-heure, une heure. Peut pas s'appuyer trop longtemps, ni assise ni couchée, essaie de se reposer debout quand ses jambes acceptent de la porter. Même tenir une cuillère, elle mettra un mois encore, pour que le couvert ne laisse pas une marque violette profonde sur ses doigts, et l'impression d'avoir passé la main sous l'eau bouillante, tous les nerfs à vif, une rage de dents qui se serait étendue à son corps entier.

Et surtout, elle se voit. Elle prend l'habitude, pour se préserver, de ne regarder que son visage. Les cheveux qui ont commencé à repousser, mais pas noirs et brillants comme avant, rêches, les yeux qui ne rient plus. La peau sauvée du feu, en dehors de la zébrure violette de la flamme qui lui a mangé la joue et qu'elle contemple pendant des heures. Si peu de chose cependant. Jusque-là, Moe pourrait presque croire qu'il ne s'est rien passé.

Mais après.

Tout le reste a fondu. Brûlé, gonflé malgré les vêtements de compression qu'on lui fait porter, elle n'en peut plus d'entendre qu'il faut du temps, elle s'en moque, du temps, sauf s'il s'arrêtait. Elle cache sous d'amples vêtements les cicatrices encore à vif de son dos et de son ventre, ses jambes enflées où le sang semble s'être figé pour ne jamais repartir. Il n'y a que ses mains et ses doigts qu'elle soit obligée de garder à découvert, dont la peau repousse rose et terriblement fragile, lui rappelant sans cesse la meurtrissure de son corps. Moe n'est plus vraiment Moe, n'est plus la mère du petit et le petit est mort, la vie a une certaine cohérence, il ne reste que cette tristesse infinie qui la dévore du dedans, un frisson ininterrompu et effrayant devant la silhouette méconnaissable, oui tout a changé.

Moe dit pour elle-même : *Sauf la voix.*

La voix est restée la même.

Elle s'allonge et ne bouge plus. Qu'on vienne la prendre, qu'on vienne l'abattre. Finir ce travail bâclé : elle est déjà à moitié morte. Elle ne fera pas d'histoires. Elle ne veut pas dire qu'elle se sent immensément, atrocement seule. Et que les uniques mots qui lui viennent, quand elle s'éveille le matin et qu'il faut vivre encore un jour, sont d'un vide sidéral.

Pauvre petite chose qui vit comme on remonte une vieille mécanique usée, obligée de bouger, saccadée, dévastée. Des semaines à guérir sans le vouloir, à se mettre en retrait du monde, puisqu'on ne la laissera pas en paix. Des cachets avalés sans réfléchir. C'est elle qui les a demandés. On lui disait depuis longtemps que cela lui ferait du bien ; elle cherche seulement à s'abrutir. Vole un peu d'alcool, pour se brouiller l'âme.

L'après-midi quand il n'y a pas de soleil, sortant de sa chambre où l'ennui la dévore, elle s'assied sur un banc dans le jardin, le visage protégé par un foulard. Regarde les grilles au fond, les mêmes que dans la ville-Casse. Sauf que le portail, ici, est toujours ouvert. Au début, Moe a pensé s'enfuir. Sans raison mais voilà, par réflexe, sidérée devant cette grille ouverte, et cet élan au fond d'elle – s'il y a une porte, c'est pour la passer, depuis combien de temps n'a-t-elle pas franchi librement un seuil, et elle s'est avancée jusqu'au bord, jusqu'à la limite, a même posé un pied de l'autre côté. Personne n'est venu en courant, personne ne s'est interposé. Alors elle est sortie en entier.

Juste là, à quelques centimètres. Elle a répété le mot dans sa tête. Libre.

C'est à ce moment précis que quelque chose s'est effrité à l'intérieur d'elle, et elle ne saurait pas expliquer, pas dire, cela n'a pas fait mal, pas fait de bruit, juste un serrement peut-être dans le ventre, ou au-dessus, une sorte de vertige, enfin cela l'a prise et elle a reconnu la sensation – l'effroi. D'un coup, elle a reculé.

Revenue dans l'enceinte du parc.

Plusieurs minutes avant de retrouver une respiration normale.

Elle ne veut plus partir. Plus rentrer dans le monde.

Jamais elle n'a reposé un pied de l'autre côté de la grille ; elle évite de regarder ce qu'il y a là-bas, les arbres, la route qui mène à – elle refuse même d'y penser. De semaine en semaine, Moe se recroqueville à l'intérieur de l'hôpital, raccourcit ses trajets. Définit ses sorties par la proximité qu'elle garde avec le bâtiment où se trouve sa chambre : elle ne supporte plus de ne pas voir la fenêtre derrière laquelle elle retourne s'abriter comme on gagne un refuge.

Elle ne sait pas où elle est. N'a jamais demandé. Voit seulement la campagne autour, n'entend pas de voitures hormis les ambulances et les camions de restauration industrielle qui viennent décharger les repas sans saveur qu'on leur distribue midi et soir. Parfois la journée se passe avant qu'elle voie une infirmière. Une aide-soignante dépose son plateau déjeuner au pas de course, change une serviette de bain ici et là. Moe ne peut s'empêcher de penser, un hôpital pour pauvres. On les occupe avec un immense écran de télévision et, parfois, quelques activités qu'elle regarde de loin, ne prenant jamais part à rien.

La plupart du temps elle erre au-dehors, toute sensation anéantie. Le jour où une animatrice propose une séance de poterie, elle se présente cependant, saisie d'une intuition fulgurante. Bien sûr que la terre va lui crevasser les mains, traçant des sillons rouges au fond de ses paumes. Moe le sait, hausse ses épaules déformées par les coussins d'air posés sous la peau – quand ils la lui auront étirée au maximum, ils couperont le surplus de chair pour tenter de nouvelles greffes, en bas du ventre, près du nombril, là où elle a une boursouflure repoussante, mais à cet instant Moe ne voit rien, ne pense rien, elle dit seulement : *S'il vous plaît.*

L'animatrice lui sourit, l'installe à une table. Voit ses mains l'espace d'un instant et hésite, Moe la rassure. *Ils me donneront un baume pour après, quand cela saignera.* Son esprit est déjà ailleurs, happé par l'argile brune enveloppée dans un film transparent devant elle. Ce jour-là, elle tient au bout de ses doigts quelque chose de fascinant et terrible à la fois ; les sourcils froncés, les yeux fermés pour laisser libre cours à ses gestes douloureux, elle modèle une petite poterie noire, de la taille d'un œuf, de la forme d'un fœtus peut-être, ne répond pas quand l'animatrice essaie de deviner ce qu'elle a voulu représenter, simplement cela tient parfaitement au creux de ses mains, niché en elle, elle pourra le garder tout contre elle, tout le temps, dans une poche ou dans la paume, tiède et rassurant – et sûr, cela ne ressemble à rien, qu'à une boule de terre irrégulière et maladroite, sauf pour elle, qui voit la courbe du visage et la douceur du corps, qui sait sans l'ombre d'un doute que du tréfonds de son âme elle vient de recréer le petit Côme.

Au même moment, elle a admis aussi que l'enfant ne serait jamais plus que cette poterie noire posée sur sa table de nuit et qui l'accompagne chaque jour à chaque endroit – il n'y a que lors de la toilette qu'elle l'abandonne un peu plus loin, et elle la caresse ensuite comme si elle avait pu la perdre, voilà, à l'instant où Moe transforme Côme en terre, il renaît et disparaît tout ensemble, elle reconnaît sa mort en même temps qu'elle la transcende, il n'y a plus de peine, que l'amour infini qu'elle lance au ciel et le baiser sur la petite forme noire qui ne la quittera plus.

Bien sûr, passée l'exaltation de cette étrange création, des lambeaux se déchireront encore au-dedans de sa chair, le vide sera toujours le vide, et l'absence effroyable. Mais alors elle touchera la poterie au fond de sa poche, tiède à force d'être tout contre elle, et sa chaleur atténuera, pour quelques instants, l'inguérissable chagrin que seul le sommeil arrive à suspendre. Moe rappelle l'enfant à elle, le serre dans sa main, lui parle tout bas. La seule chose qu'elle lui tait, ce sont ses progrès : qu'elle cicatrise toujours davantage tandis que lui restera un corps calciné est au-dessus de ce qu'elle peut supporter.

Elle évite toujours d'observer son corps nu déchiré par le renflement des cicatrices, ferme à demi les yeux quand elle se déshabille ou quand elle se lave, réussissant à ne voir qu'une silhouette floue qu'elle ne s'approprie pas. Pas une fois depuis le terrible soir elle n'a admis que la créature brisée renvoyée par la glace pourrait être elle. Moe n'existe plus : elle n'est jamais revenue de la Casse où tout a brûlé. Ce qui reste relève du fantôme, celui qui traîne dans le mauve de ses cernes, dans les gestes discordants, dans la peau irréparable. Au fond, Moe ne sait pas pourquoi elle vit.

Alors l'existence la rattrape.

Encore fragile, encore à vif : qu'importe.

Couverte de plaies invisibles et douloureuses. Mais elle peut manger seule à présent, se soigner elle-même, marcher un peu – tant que la peau ne s'échauffe pas dans les chaussures.

Si elle vivait du bon côté du monde, on l'enverrait sans doute dans une maison de repos pendant trois ou quatre nouveaux mois. Les médecins programmeraient dix, douze autres greffes de peau pour réduire les cicatrices sur son corps, parleraient d'esthétique et pas seulement de fonctionnel, car c'est le mot qu'on lui dit, *fonctionnel*, comme un outil à peu près réparé, voilà, elle fonctionne, Moe, telle une perceuse ou une machine à laver.

Suffisamment pour repartir à la Casse.

Ils ne disent pas *la Casse*, bien sûr. Ils lisent sur le dossier : *Le Haut Barrage*. Savent qu'il s'agit d'un centre d'accueil, mais sûrement pas les conditions de vie que Moe va retrouver.

Et d'abord elle rit, elle n'y croit pas, convaincue qu'on lui joue un tour, bien que cela soit improbable ici, on plaisante rarement avec les patients. Mais quelques heures de doute. Le temps qu'un médecin lui confirme l'information et la soutienne lorsque ses jambes se dérobent, elle a quarante-huit heures pour préparer ses affaires, elle crie : *Quelles affaires ? Je n'ai rien, rien !* Que les vêtements qu'on lui a donnés ici – ceux d'un patient mort –, et la petite poterie qui tremble dans sa main, ou peut-être est-ce l'inverse, ou le monde entier qui s'ébranle, secoué de frissons, le médecin appelle une infirmière pour la ramener dans sa chambre, il dit : *Tout ira bien*.

Insoutenable retour en arrière. Moe n'avait pas pensé qu'ils en seraient capables. Pourtant des centaines de fois, durant ces mois de douleur, elle s'est demandé où elle irait, après. Et puis elle s'est fait piéger par la fausse tranquillité du lieu, et la question l'a quittée. Parce que tout semblait éternel. Oui elle a cru qu'elle finirait ses jours ici – dans cet hôpital en sous-effectifs où malades et accidentés se côtoient et s'emmêlent, honteux et feutrés, où les patients deviennent des résidents et se croisent pendant des années sans vraiment se connaître, transparents aux existences, et parfois l'un d'eux s'aperçoit qu'un autre n'est plus là, interroge – mais cela fait des semaines que cet homme qui s'asseyait sur le banc avec un ours en peluche dans les bras est mort, et les soignants l'ont déjà oublié, car ici aussi le temps passe et tranche et recouvre, il faut regarder droit devant si l'on veut s'en sortir et laisser le reste de côté.

Ce lieu aseptisé, sans émotion et sans autre odeur que celle des produits de soins et de nettoyage, Moe l'a cru intemporel. Une sorte de déroulement logique dont elle ne cherche pas à s'échapper, une fatalité, une banalité plus exactement, elle ne s'est pas étonnée de rester quatre mois puisque l'épuisement qui l'a saisie depuis l'accident lui interdit toute existence normale. Peut pas travailler. Pas s'appuyer trop fort sur les cicatrices. Il lui faut près d'une demi-heure pour s'habiller tant chaque geste est un effort, et chaque frottement une souffrance ravivée. Elle fait attention à tout, surtout ne pas se cogner, ne pas se râper, ni aux murs ni aux autres, ne pas serrer la main, ne pas s'asseoir lourdement, ne pas saisir d'objets trop froids ni trop chauds, fuir le soleil comme la peste. Cette vigilance est une seconde nature. Venue avec la peur de la souffrance, quand le plus infime des contacts devient une torture.

Alors, dormir dans une voiture ?

Mais ce qui la préoccupe, bouche bée devant le médecin et l'infirmière qui lui parlent de son transfert, ce n'est pas tant la voiture que ce qui l'attend là-bas. Malgré elle, les images d'un documentaire diffusé dans la salle commune il y a quelques jours lui reviennent en mémoire : six mois pour élever un cochon, quatorze heures pour le découper à l'abattoir.

Et elle ? Combien de temps avant que la Casse n'ait raison d'elle pour la seconde fois ?

Alors elle hurle : *Ils vont me tuer !* Le médecin la regarde comme on observe une folle, avec pitié et un peu de dégoût, et elle crie encore, est-ce qu'il ne connaît pas son dossier, est-ce qu'il ne sait pas pourquoi elle est arrivée là, et que la renvoyer d'où elle vient, c'est leur permettre à eux, les fous de la Casse, de terminer le travail – elle ne se donne pas trois jours avant d'être trouvée morte au fond d'une ruelle.

Retourner là-bas.

L'endroit où Côme et elle ont brûlé.

Le quartier des filles – mais la place 2167 a dû être redistribuée depuis longtemps, et elle tombera peut-être dans le carré est, ou pire, celui du nord. Ne reverra pas Ada ni Poule, ni Jaja ou Marie-Thé, et au fond elle ne veut pas les revoir, pas qu'elles lui rappellent la vie avant, quand le petit piaillait et bavardait au milieu d'elles, passant de bras en bras avec ce sourire émerveillé. Pas sentir dans leur regard la façon dont elle les a abandonnées, égoïste et démente, les laissant au diable. Elle ne leur a même pas donné le surplus de l'argent, qui aurait pu sauver l'une d'elles, ou deux. Elle a tout pris. Tout perdu.

Pourra pas supporter leur colère, ni leur pitié, si elles lui ont pardonné.

Pourra pas travailler aux champs, avec son corps mort.

Pas se prostituer pour gagner de quoi se nourrir un peu moins mal.

Rien.

Il n'y a pas de rédemption possible, pas d'issue, pas de brèche.

D'ailleurs elle sera morte.

Ce qu'ils lui feront, là-bas.

La brûler à nouveau : elle en est certaine. Si simple. Il suffit d'un bidon d'essence et d'un briquet. Si pur – de leur point de vue à eux, les fous furieux, les flammes montant au ciel, une sorte de feu de joie morbide, un effacement complet, lorsque le vent aura soufflé les dernières cendres. Bien sûr qu'ils pourraient procéder autrement, un couteau planté dans le cœur ou tranchant la gorge d'une oreille à l'autre, plus rapide, plus fiable. La noyer dans la rivière, en remontant vers le barrage. Mais ce serait ignorer que la mise à mort est également un symbole ; ils reviendront par là où ils ont péché. Pour l'exemple. Ils l'exhiberont elle Moe, devant la ville entière, et leurs gestes vaudront tous les mots du monde. Voici celle que nous avons brûlée et qui nous a échappé. Qui, ici, a cru qu'elle s'en tirerait à si bon compte ? Voici celle que nous allons finir de brûler.

Et cette fois, pour que personne ne la sauve, ils la traîneront plus loin, là où la terre le cède à la roche, là où leurs hommes auront sué sang et eau pour creuser la tombe dans laquelle ils l'enseveliront encore vivante, malgré ses hurlements – aussi faibles que les miaulements d'un chaton, et nulle part on ne l'entendra, jusqu'à ce que les cris s'atténuent, ressemblent à des pleurs, que l'argile dans sa bouche finisse de l'étouffer, et que ses yeux fondus n'essaient même plus de voir.

Mais il n'y aura pas de seconde fois. Pas, pas.

Moe chancelle en y pensant, refoulant en vain les images loin d'elle. Ses mains tremblent tant qu'elle manque faire tomber la petite poterie quand elle la glisse dans la poche de son manteau, s'affermissent pourtant en la serrant plus fort et sans cesser de frémir, se saisissent de quelques affaires qu'elles entassent dans un sac. Ce sac qui lui sciera la peau des doigts et des épaules, mais elle ne veut pas partir sans rien cette fois, fouille les armoires des chambres voisines pour voler le peu d'argent qu'elle trouve. Après quoi elle enveloppe le tout dans un sac-poubelle : le déjeuner terminé, elle fera mine d'aller aux containers, une sortie qu'on lui connaît bien, ils ne s'inquiéteront pas. Et elle passera la grille.

S'apercevront de rien avant dix-huit heures, l'heure du dîner. Seulement, quand ils comprendront, il faudra qu'elle soit loin. Elle sait que ses chances sont infimes. Elle a superposé trois paires de chaussettes pour que ses pieds ne s'écorchent pas trop vite et son attention ne retient que ce détail, trois paires de chaussettes pour tenter de s'enfuir, courir sur un tapis de mousse, surtout ne pas penser au souffle qui lui rongera la trachée, aux jambes qui refuseront d'avancer – à la facilité qu'il y aurait à renoncer, à la chance qui lui a toujours tourné le dos, et à cet instant où elle prépare ses mitaines pour protéger ses mains elle n'imagine pas d'issue à vrai dire, seulement un réflexe incontrôlable après Rodolphe, et Réjane, et la ville-Casse : il faut qu'elle s'échappe.

Oui, à cet instant il n'y a que la peur, et la nécessité de partir.

Elle qui voulait mourir. Mais pas de cette façon.

*

Se lever de sa chaise, regarder une dernière fois les visages devenus familiers, la grande salle à manger aux murs rose passé. Remonter dans sa chambre, prendre les affaires dans le sac-poubelle. En sortant du bâtiment, elle croise une infirmière qui lui sourit et lui dit : *À tout à l'heure.*

Il n'y aura plus de tout à l'heure.

Pas ici.

Ici, il ne reste que les grilles à franchir – et Moe sent son cœur battre trop vite, le sang pulser dans ses veines tandis qu'elle jette un regard en arrière, pour vérifier qu'elle est seule, mais aussi pour se donner du courage, il faut passer ce fichu portail, rompre la limite invisible, et surtout ne plus se retourner, juste marcher, jusqu'à la mer, jusqu'à la mort.

*

Et est-ce sa faute à elle si, dès le début, la vie l'a eue dans le nez c'est sûr, pour lui compliquer les choses de cette façon, mettre des obstacles sur lesquels elle a trébuché avec application, une fois, deux fois, dix fois, toujours un peu plus dur et les genoux davantage écorchés à mesure que les années ont passé, Dieu, si elle avait vécu mille ans. Car déjà en vingt-six l'épuisement l'a rongée. Mais non, personne ne peut dire que ce soit entièrement sa faute ; sans doute même a-t-elle essayé plus que n'importe qui de s'en sortir. Changer son existence. Changer en mieux. Qui aurait cru que ce serait en pire ?

Pas fait exprès. Vrai, l'idée, c'était de tout arranger, comme une fleur qui naît sous le couvert des arbres et qui pousse et tortille et balance pour trouver le soleil, s'élance, grimpe jusque sur les troncs, aspire la lumière. La fleur, il faut qu'elle y arrive, au soleil, parce qu'elle ne peut pas marcher pour aller chercher ailleurs.

Elle ne demande pas plus, ne lèse personne. Juste qu'on lui laisse une place.

Pas même.

Il vaut mieux être une fleur oui. Cela fait moins mal.

Malgré les trois paires de chaussettes, les chevilles de Moe sont égratignées. Elle sent quelque chose de collant au fond des chaussures, devine que des cloques ont percé, cela fait au moins trois heures qu'elle est partie.

Encore deux heures avant le dîner, celui qu'elle ne prendra pas mais qui signera le début des questions, là-bas, on croira qu'elle se promène dans le parc, qu'elle rêvasse sur un banc comme cela lui arrive parfois, d'abord on ne pensera pas qu'elle s'est enfuie. À la tombée de la nuit, oui. Ou alors qu'elle a eu un malaise quelque part. Elle parie, elle supplie : on ne la cherchera pas avant le lendemain matin.

Marche, Moe. Sait même pas pourquoi, ni pour aller où. Le soleil, il n'y en a pas.

*

Mais elle avance un pas après l'autre, sans relâche. Elle a traversé la forêt jusqu'à une route abîmée qu'elle suit obstinément, une route cabossée avec son macadam crevé où l'herbe repousse en bouquets, bordée de sapins qui jettent un souffle froid. L'aube est venue et Moe marche toujours, comme hallucinée, la sueur dans son dos, la fatigue au fond des yeux qui lui mange le visage et la terrasse peu à peu. Elle évite les rares habitations, ne voit pas le paysage, regard baissé sur ses pieds qui font des enjambées de plus en plus courtes, respiration coupée, elle pense, ce n'est rien, c'est la vie qui se défile. Tel le courant de la mer au bord de l'île, qu'elle part retrouver elle le sait, s'en va et revient, retrouver la mer et s'y noyer, quand plus rien n'a d'importance, un lac, un étang, n'importe quoi fera l'affaire. S'en aller pour ne plus revenir. Elle n'est plus très certaine d'avancer à chaque pas. Pas sûre de marcher encore. Mais si, pourtant.

Dans l'eau, rien ne pèse. Elle imagine son corps flottant s'imprégner peu à peu, gonfler, s'alourdir. Elle est si calme, Moe. La mer fait partie d'elle. Y disparaître. Piquer au fond. Au-dessus d'elle, c'est comme un ciel immense.

Le froid l'engourdit.

Non pas le froid.

Ni la fatigue. Bien plus que cela : l'exténuement.

Plus rien, ni dans les veines ni dans l'âme.

Cela la réconforte de sentir s'évanouir ses forces une à une, qu'enfin tout s'arrête, puisqu'elle est d'accord. Comment cela se passera, elle l'ignore – si elle se verra tomber, si elle percevra son dernier souffle. Si elle entendra le bruit de sa chute dans la mer, si même elle percevra le glissement de l'eau sur sa peau. Si cela fera mal.

Mais que cela vienne.

Moe a cent ans.

La raucité dans sa gorge et ses poumons, qui rythme son pas de vieille femme, déjà presque un râle, elle lève les pieds pour ne pas trébucher en vain, veut que ce soit pour de bon, pas de fausse joie ni de faux espoirs. Ses bras, ses jambes se brisent peu à peu, des milliers de craquelures au-dedans d'elle.

Marche.

Tant que ça marche, ça n'est pas mort. Ça n'est pas perdu.

*

Et puis il y a le bruit quelque part, feutré, presque caché. Une étrange musique qui ne se donne pas, lointaine, et pourtant Moe est sûre de l'entendre, de la même façon qu'elle collait son oreille aux coquillages pour écouter le ressac quand elle était enfant – et le mot la fait tressaillir soudain, enfant –, Côme, Côme. Elle lève les yeux. Cherche le petit, ou la mélodie. Des sensations l'assaillent, qu'elle a gardées de la réanimation à l'hôpital, le corps en suspens entre deux mondes, la présence effleurante de l'enfant et ces chants indéfinissables, sirènes ou anges, ou simple vision, elle ne se décide pas, n'arrive plus à savoir, pas même si les étoiles qu'elle essaie de toucher en tendant le bras se sont mises à briller en plein jour ou si elles sont dedans sa tête, elle hausse les épaules en continuant à tituber, sa vue qui saute, le sol irrégulier sous ses pieds, elle s'est laissé prendre, ce n'est plus une route cela, qu'importe, elle avance.

Et les couleurs, d'un coup. Par ses yeux entrouverts, bouffis de fatigue, elle devine des vagues et des collines bleues, rouges, jaunes, des taches d'un vert superbe, d'un mauve comme celui des rhododendrons sauvages, des blancs de lait étincelants. Elle rit toute seule, incapable d'identifier ce qu'elle a devant elle, le paradis sans doute, enfin, quand elle n'y croyait plus – et les os qui lui transpercent la poitrine s'écartent un instant pour qu'elle respire un air étrange, le couteau qui lui cisaille le dos se retire. Bien sûr elle ne voit pas bien – ne s'étonne pas non plus, elle est en train de devenir aveugle, tout son corps se rétracte, se prépare lentement à la chute, s'abandonnant et se fractionnant, elle est l'univers entier, flottant au-dessus de l'espace, la confusion des nuances et des carnations la tient émerveillée – et dans cet émerveillement, car où d'autre, quelque chose en elle se détache et s'envole, une extraordinaire légèreté, elle pense, le cœur du monde, contemple les sentiers au milieu du néant, dans lesquels elle pose les pieds et qui l'enveloppent et l'emmènent, la musique encore, elle sent que Côme est tout proche, au moment ultime elle sourit, s'il fallait attendre eh bien.

Tombe à terre. Elle éprouve à peine la dureté du sol sur son visage, qui lui écorche la peau, n'entend pas l'impact de son corps qui s'affale, ni la plainte dedans sa bouche ouverte. Elle sait juste qu'elle n'est pas encore morte, car ses yeux devinent toujours les couleurs et vrai, elle voudrait les emporter avec elle, ces scintillements ces feux follets aux mille teintes, quand bien même elle ne comprend pas ce qu'ils sont, le regard balayant la terre, poitrine soulevée par un souffle qui n'a pas cessé, patience dit-elle, elle ferme les yeux sur les rondeurs du paysage et les camaïeux qui s'élancent en gerbes vives.

Les rouvre.

Cette terrible inquiétude soudain en elle.

Pas morte.

Elle veut se convaincre : pas encore.

L'acuité de ses sens l'inquiète, comme si elle revenait à elle, comme si une force invisible la tirait en arrière, l'empêchant de s'évanouir tout à fait dans l'air. Elle crie : elle est à deux doigts.

Était.

L'instant est passé elle le sait.

Elle en pleurerait.

Non ne pas se lever.

Alors elle perçoit l'odeur – des relents âcres, rien qui fasse penser au ciel tant espéré. Le vent, qui fait courir jusqu'à elle les taches de couleur légères, butant contre ses mains, elle fronce les sourcils, regarde : ce ne sont ni des étoiles ni des diamants non. D'un coup sa naïveté lui éclate au visage.

Des fragments de plastique. Des détritus.

Non.

Le paradis, exige-t-elle dans un murmure. *L'autre monde*.

Des papiers déchirés, des sacs broyés.

La mort, s'il vous plaît. S'il-vous-plaît.

Une déchetterie.

*

Veut plus bouger, plus se lever.

Au début, comprenant qu'elle a échoué dans une décharge, Moe s'est mise à sangloter et rire en même temps, quand le destin vous tient, hein, la poussière retourne à la poussière et la saleté à la saleté, et puis qu'importe au fond, que la vie la déserte au milieu des poubelles, pour ce qu'ils feront d'elle.

Pourvu que cela arrive. Elle oubliera l'humiliation et la douleur qui tenaille son corps à nouveau, et les lumières célestes ramenées à des confettis de plastique, oh il faut qu'on arrête de se moquer d'elle, est-ce qu'elle n'a pas assez payé, est-ce que la fin ne pourrait pas venir vite.

A mal.

S'il vous plaît.

Eh bien Moe.

Mais cela, ce n'est pas elle qui le dit.

*

Cela fait longtemps que je te cherche.

Et Moe après quelques secondes stupéfaites essaie de se boucher les oreilles de ses doigts tremblants, pour ne pas entendre. L'épouvante la saisit, un hurlement muet, non cela ne peut pas être vrai, elle ne peut pas être revenue là.

C'est fini maintenant, calme-toi. Je t'avais dit que l'histoire n'était pas finie, tu vois, je t'avais promis.

Moe s'agite sur le sol, une sorte d'animal sans vigueur dont les bras et les jambes battent encore un peu, par réflexe. Le cri toujours.

Non, non.

La main sur son front, qu'elle ne peut empêcher. Douce. Voudrait la repousser, si seulement elle y arrivait.

Elle éclate en sanglots. Un long hululement, celui d'un oiseau pris au piège, quand ses ailes se sont brisées contre les barreaux de la cage à force de chercher à s'enfuir.

Comprend pas. Comment c'est possible, Dieu. Il y a autre chose vraiment, parce que cela encore une fois, ce n'est pas possible, pas possible.

Veut pas ouvrir les yeux. Pas besoin. Elle a reconnu la voix.

La voix d'Ada.

ÉPILOGUE

Un an plus tard

Ada retire la petite casserole du feu, verse l'eau sur les feuilles de menthe. Quatre minutes – mais elle n'attendra que trois, comme toujours. Assise la tasse entre les mains, elle laisse son regard flotter autour d'elle. Elle est en retard ; mais pour ce que cela change.

La vie devant elle.

Souvent le matin, lorsque son corps usé se remet lentement en marche, elle pense à toutes ces années et la question l'arrête : a-t-elle bien fait ?

Pas aujourd'hui évidemment, car cela elle le sait, mais les vingt années qui ont précédé. Et non pas le résultat, mais ce qu'il a fallu accepter, tout ce à quoi il a fallu se résoudre pour en arriver là, se protéger et grandir dans l'ombre. Devenir puissante.

En secret.

Jongler entre le pouvoir que lui a donné le don des plantes et la proximité trouble avec les gardiens et les salauds, sans jamais être inquiétée ; bien sûr qu'elle a dû faire des sacrifices pour accumuler les dettes de reconnaissance et les enveloppes glissées dans sa main. Mais c'est ainsi. Aurait-elle pu mieux faire ?

Forcément. Mais à quel prix. Et malgré les milliers de soins apportés aux habitants de la Casse, malgré la générosité dont elle ne s'est pas départie, il y a en Ada une dureté que rien n'a ébréchée en vingt ans : tout cela, elle l'a fait pour elle, mue par une volonté inouïe de s'en sortir depuis qu'elle a appris qu'elle était la dernière survivante de la famille.

Quand les alertes se sont approchées trop près de ses affaires, trop près de son monde, elle a essayé d'arranger les choses chaque fois ; si cela marchait, elle en tirait une reconnaissance supplémentaire. Si cela échouait, eh bien.

Tant pis.

Comme Nini-peau-de-chien qui ne voulait rien entendre, cette petite idiote qui les aurait toutes fait prendre.

Oui c'est douloureux d'y repenser car elle les aimait ses filles, certaines plus que d'autres, mais vrai, elle s'est attachée à chacune d'entre elles. Parfois elle n'a rien pu faire.

Savoir renoncer. Dénoncer, renier, trahir. Elle connaît par cœur.

Pour sauver les autres.

Le thé lui brûle les lèvres, elle le repose sur la table.

Ne pas remuer le passé.

Il n'y a que la fin qui compte.

*

Le mois de mars secoue la terre. Il fait si doux ce printemps que les champs étouffent de fleurs sauvages dont Ada ne sait pas le nom, non, pas toutes, elle les découvre encore. Lorsque les filles lui en rapportent, elle prend son encyclopédie, observe, compare, dépiaute. Il y a toujours des dizaines de bocaux en verre sur les étagères, elle ne se fera jamais aux médecins d'ici.

Au bout du chemin minuscule qui mène à la maison, elle les entend revenir. En souriant elle dit leurs noms tout bas.

Poule, Marie-Thé, Jaja.

Moe.

Elle les a toutes emmenées.

Vingt ans pour avoir l'argent ; vingt ans de guerre, de questions et de peur. Les derniers jours à la Casse, Ada a été malade. La liberté trop proche, la terreur qu'on lui vole l'argent caché dans le sol de la caravane. Les filles se sont succédé à son chevet – elle disait que ce n'était rien, tremblait comme si on l'avait secouée, pleine de fièvre, et cette vaine colère au fond d'elle, *Je vais mourir. Au moment où je pourrais être libre, je vais mourir.*

Et puis.

Il y a eu la dernière enveloppe. Ada savait exactement combien il lui manquait pour aller racheter leurs vies, les filles et elle. Et le destin lui a fait grincer les dents mais n'était pas si mal organisé tout bien compté, parce qu'elle n'avait pas de quoi payer pour tout le monde, elle n'avait pas pu dire, en sentant Moe lui échapper les semaines précédant l'accident, *Attends un peu, juste un peu.* Alors la mort de Nini et la disparition de Moe brûlée, c'était un signe. Trente mille euros de moins à donner ; jamais une telle occasion ne se représenterait. C'est pour cela que, l'ultime enveloppe encore dans la main, elle a mis dans son sac ce qu'elle avait économisé depuis ces vingt années, est sortie de la caravane sans fermer la porte, chancelante, s'affermissant peu à peu. Jaja s'est précipitée. *Va chercher les autres*, a dit Ada. *Tout de suite. Ne pose pas de question.*

Jaja n'a pas posé de question.

Elles ont obéi, toutes.

Elles ont tout laissé.

Partir. Retrouver le chemin de la grande maison de Clermont-Ferrand, celle que Simone a laissée en héritage à Ada, avec ses volets cassés et le jardin en jachère. La vue est toujours la même, fascinante, plongeant sur les prairies puis les montagnes, un espace que rien n'arrête, aucune grille, aucun mur, rien devant les yeux. Elles ont commencé par démonter la cabane en bois dans l'immense pièce, celle où Simone et Ada ont dormi pendant près de dix ans, chacune de son côté : désormais, elles auront besoin de toute la maison.

Aller chercher Moe, aussi.

Elle lui avait promis.

Il lui a fallu du temps pour obtenir le nom de l'hôpital. Quand elle s'est présentée à l'accueil, Moe s'était échappée la veille.

Oui la retrouver. Avec les filles elles se sont réparti les alentours. Quelques heures d'avance sur la police, qui interrogeait le personnel sans hâte, et vingt minutes pour examiner la carte locale : si nous étions Moe, où serions-nous allées ?

Dans la forêt, a dit Poule.

Marie-Thé a opté pour les villages, pour voler un vélo, peut-être une voiture.

Et Jaja a posé un doigt sur l'emplacement de la déchetterie en regardant Ada droit dans les yeux et en murmurant : *J'sais pas pourquoi. C'est là qu'il faut aller.*

Question de chance, pour une fois.

*

À présent Ada devine leurs silhouettes joyeuses, les mains agitées, elle parierait qu'elles ont pêché des écrevisses dans le ruisseau en bas, il faudra qu'elle leur redise, à cette saison on n'a pas le droit.

Avec du citron et des morceaux d'avocat.

Oui vraiment elle est en retard, elle n'a rien préparé pour le déjeuner. Au diable. On est dimanche et elle ne se lasse pas de sentir le soleil réchauffer ses vieux os.

Les filles ont toutes embauché à l'usine de la ville d'à côté – Moe un peu plus tard que les autres, le temps de trouver à lui fabriquer une nouvelle identité. Des travailleuses, se réjouit Ada, elle n'en a jamais douté, et puis tout semble si facile après la vie *là-bas*. Leurs quatre salaires chaque mois comme un trésor.

Elle se redresse un peu pour mieux les voir. Il n'est pas là, lui.

Bien sûr qu'il y aura du changement. Elles vont rencontrer des hommes, sortir, partir peut-être.

Ou peut-être pas. Elles sont là comme des sœurs, inséparables, soudées par le malheur enfui. La maison d'Ada restera leur refuge, elle l'agrandira s'il faut abriter de nouvelles familles. L'imagine pleine de rires et d'enfants.

Mais où est-il donc.

— Le voilà qui les rattrape, tout en bas dans l'herbe.

Le bruit cristallin de ses éclats de rire, sa course irrégulière – il boitera toute sa vie – mais Ada dit que cela ne se remarque pas, bien moins que la tache claire en forme de cœur que le feu a laissé sur sa joue et dont elle lui répète, quand il ne veut pas dormir, qu'elle est sa marque et son éclat, celle qu'Ada a repérée tout de suite le jour où Jaja lui a ramené affolée le petit corps brûlé en la suppliant de le sauver.

Pour Moe.

Oui Jaja a tout vu. Moe par terre, les flammes, les hommes de Jonas qui l'encerclaient, et elle essayant de protéger l'enfant, comprenant soudain que la seule chance qu'il reste vivant, c'était de le jeter loin d'elle. Après, quand les habitants du quartier ont fait fuir la bande de Jonas et que Jaja s'est approchée, elle a pris le petit inerte dans ses bras. S'est agenouillée à côté de Moe, réprimant un mouvement de recul devant le tortillement du corps et l'horrible odeur. Et puis les cheveux brûlés sur la joue ouverte, le frisson quand elle a imaginé ce qu'il restait de peau sous les vêtements fondus, elle a avalé sa salive pour dire qu'elle emmenait Côme, qu'Ada le guérirait. Et puis elle est partie en courant, presque certaine que Moe était déjà morte, et elle a ramené l'enfant à Ada.

Ada qui coupe le feu. Les mains balançant audessus du corps de Côme, comme l'a fait son grandpère des dizaines de fois avant elle, la sensation que quelque chose passe du ciel au corps du petit, les brûlures qui s'apaisent de jour en jour jusqu'à ce qu'il n'en reste rien, que cette tache en forme de cœur, un signe, un destin. Côme est devenu leur enfant à elles toutes.

Alors oui, Ada sait qu'elle n'a pas toujours bien fait ces années-là, et qu'elle aussi a du sang sur les mains. Que ç'ait été pour de bonnes raisons n'enlèvera pas le pincement au fond de son ventre et les traces de doute dans son regard brillant. Elle ne le dira jamais, cela ne concerne qu'elle. Elle s'en débrouille.

Le thé ne brûle plus. Elle boit lentement.

Elle pense à nouveau : la vie devant elle.

Cette fois, c'est pour de bon.

De la même auteure :

Des nœuds d'acier, Denoël, 2013.
Un vent de cendres, Denoël, 2014.
Six fourmis blanches, Denoël, 2015.
Il reste la poussière, Denoël, 2016.
Juste après la vague, Denoël, 2018.
Animal, Denoël, 2019.
Et toujours les forêts, Lattès, 2020.
Ces orages-là, Lattès, 2021.

Le Livre de Poche s'engage pour l'environnement en réduisant l'empreinte carbone de ses livres. Celle de cet exemplaire est de :
540 g éq. CO_2
Rendez-vous sur www.livredepoche-durable.fr

Composition réalisée par PCA

Achevé d'imprimer en France par
CPI BRODARD & TAUPIN (72200 La Flèche)
en mars 2022
N° d'impression : 3047890
Dépôt légal 1re publication : février 2018
Édition GRATUIT - ÉTÉ 2022
LIBRAIRIE GÉNÉRALE FRANÇAISE
21, rue du Montparnasse – 75298 Paris Cedex 06

57/4870/1